Romanzi e Racconti 476

# Giorgio Faletti
# Io sono Dio

**Baldini Castoldi Dalai**
*Editori dal 1897*

www.bcdeditore.it - info@bcdeditore.it

Holmen Book Cream 70 g 20

© 2009 Baldini Castoldi Dalai *editore* S.p.A. - Milano
ISBN 978-88-6073-405-1

*A Mauro, per il resto del viaggio*

*Mi sento come un autostoppista colto da una grandinata su un'autostrada del Texas. Non posso scappare. Non posso nascondermi. E non posso farla cessare.*

Lyndon B. Johnson
PRESIDENTE DEGLI STATI UNITI

# OTTO MINUTI

Inizio a camminare.

Cammino lento perché non ho bisogno di correre. Cammino lento perché non voglio correre. Tutto è previsto, anche il tempo legato al mio passo. Ho calcolato che mi bastano otto minuti. Al polso ho un orologio da pochi dollari e un peso nella tasca della giacca. È una giacca in tela verde e sul davanti, sopra il taschino, sopra il cuore, una volta c'era una striscia cucita con un grado e un nome. Apparteneva a una persona il cui ricordo è sbiadito come se la sua custodia fosse stata affidata alla memoria autunnale di un vecchio. È rimasta solo una leggera traccia più chiara, un piccolo livido sul tessuto, sopravvissuto all'affronto di mille lavaggi quando qualcuno

*chi?*

*perché?*

ha strappato via quella striscia sottile e ha trasferito il nome prima su una tomba e poi nel nulla.

Adesso è una giacca e basta.

La mia giacca.

Ho deciso che la metterò ogni volta che uscirò per fare la mia breve camminata di otto minuti. Passi che si perderanno come fruscii nel fragore di milioni di altri passi camminati ogni giorno in questa città. Minuti che si confonderanno come scherzi del tempo, stelle filanti senza colore, un fiocco di neve sul crinale che è l'unico a sapere di essere diverso da tutti gli altri.

Devo camminare otto minuti a un passo regolare per essere sicuro che il segnale radio abbia voce sufficiente per compiere il suo lavoro.

Ho letto da qualche parte che se il sole si spegnesse di colpo, la sua luce raggiungerebbe la terra ancora per otto minuti prima di precipitare tutto nel buio e nel freddo dell'addio.

D'un tratto mi ricordo di questa cosa e mi metto a ridere. Solo, in mezzo alla gente e al traffico, la testa levata al cielo, una bocca spalancata su un marciapiede di New York per la sorpresa di un satellite nello spazio, mi metto a ridere. Intorno a me persone si muovono e guardano quel tipo in piedi all'angolo di una strada che sta ridendo come un pazzo.

Qualcuno forse pensa che pazzo lo sia davvero.

Uno addirittura si ferma e per qualche istante si unisce alla mia risata, poi si rende conto che ride senza saperne il motivo. Rido fino alle lacrime per la incredibile e derisoria viltà del destino. Uomini hanno vissuto per pensare e altri non hanno potuto farlo per essere stati costretti alla sola incombenza di sopravvivere.

E altri a morire.

Un affanno senza remissione, un rantolo senza aria da salvare, un punto interrogativo da portare sulle spalle come il peso di una croce, perché la salita è una malattia che non finisce mai. Nessuno ha trovato il rimedio per il semplice motivo che il rimedio non c'è.

La mia è solo una proposta: otto minuti.

Nessuno fra gli esseri umani che si affannano intorno a me può sapere il momento in cui questi ultimi otto minuti inizieranno.

Io sì.

Io ho nelle mie mani molte volte il sole e posso spegnerlo quando voglio. Raggiungo il punto che per il mio passo e per il mio cronometro rappresenta la parola qui, infilo la mano in tasca e le mie dita circondano un piccolo oggetto solido e conosciuto.

La mia pelle sulla plastica è una guida sicura, un sentiero da percorrere, una memoria vigile.

Trovo un pulsante e con delicatezza lo premo.

E un altro.

E un altro ancora.

Un attimo o mille anni dopo, l'esplosione è un tuono senza temporale, la terra che accoglie il cielo, un momento di liberazione.

Poi le urla e la polvere e il rumore delle macchine che si scontrano, e le sirene mi avvertono che per molta gente dietro di me gli otto minuti sono finiti.

Questo è il mio potere.

Questo è il mio dovere.

Questo è il mio volere.

Io sono Dio.

TROPPI ANNI PRIMA

# CAPITOLO 1

Il soffitto era bianco ma per l'uomo steso sul lettino era pieno di immagini e di specchi. Le immagini erano quelle che da mesi lo tormentavano ogni notte. Gli specchi erano quelli della realtà e della memoria, dove continuava a vedere riflesso il suo viso.

Il suo viso di adesso, il suo viso di un tempo.

Due figure diverse, la tragica magia di una trasformazione, due pedine che nel loro percorso avevano segnato l'inizio e la fine di quel lungo gioco di società che era stata la guerra. Ci avevano giocato in tanti, troppi. Qualcuno era rimasto fermo per un giro, qualcun altro per sempre.

Nessuno aveva vinto. Nessuno, né da una parte né dall'altra.

Ma nonostante tutto, lui era tornato. Aveva conservato la vita e il respiro e la possibilità di guardare, ma aveva perso per sempre il desiderio di essere guardato. Ora per lui il mondo non andava oltre il confine della sua ombra e come punizione avrebbe continuato a correre fino al fondo della vita, a fuggire inseguito da qualcosa che si portava incollato addosso come un manifesto su un muro.

Alle sue spalle il colonnello Lensky, lo psichiatra dell'esercito, era seduto su una poltrona di pelle, una presenza amica in una posizione da cui difendersi. Erano mesi, forse anni, in realtà secoli che si incontravano in quella stanza che non riusciva a cancellare dall'aria e dalla mente il leggero odore di ruggine che si respirava in ogni ambiente militare. Anche quando invece di una caserma si trattava di un ospedale.

Il colonnello era un uomo dai radi capelli castani e dalla voce calma e un aspetto che a prima vista ricordava più un cappellano che un soldato. A volte indossava la divisa ma quasi sempre era in borghese. Abiti tranquilli, colori neutri. Un viso senza identità, una di quelle persone che si incontrano e si dimenticano subito.

Che si vogliono dimenticare subito.

D'altronde, in tutto quel tempo, aveva ascoltato la sua voce più di quanto non avesse guardato il suo viso.

«E così domani uscirai.»

Quelle parole avevano dentro il senso definitivo del congedo, il valore illimitato del sollievo, il significato inesorabile della solitudine.

«Sì.»

«Ti senti pronto?»

*No!* avrebbe voluto urlare. *Non sono pronto, come non lo ero quando tutto questo è cominciato. Non lo sono adesso e non lo sarò mai. Non dopo aver visto quello che ho visto e aver provato quello che ho provato e dopo che il mio corpo e la mia faccia...*

«Sono pronto.»

La sua voce era stata ferma. O perlomeno gli era sembrata ferma mentre pronunciava quella frase che lo condannava al mondo. E se non lo era stata, di certo il colonnello Lensky preferiva pensare che lo fosse. Come uomo e come medico aveva scelto di credere che il suo compito fosse finito, piuttosto che ammettere di aver fallito. Per questo era disposto a mentire a lui come mentiva a se stesso.

«Molto bene allora. Ho già firmato i documenti.»

Sentì il cigolio della poltrona e il fruscio dei calzoni di tela, mentre il colonnello si alzava. Il caporale Wendell Johnson si mise a sedere sul lettino e rimase un attimo immobile. Di fronte a lui, oltre la finestra aperta sul parco, spuntavano le cime verdi degli alberi a scontornare un frammento di cielo azzurro. Da quella posizione non riusciva a vedere quello che di certo avrebbe visto se si fosse affacciato. Seduti sulle panchine o adagiati nel soccorso ostile di una sedia a rotelle, in piedi sotto le piante o figli di quei pochi movimenti fragili che qualcuno chiamava autosufficienza, c'erano uomini come lui.

Quando erano partiti li avevano chiamati soldati.

Ora il loro nome era reduci.

Una parola senza gloria che attirava il silenzio ma non l'attenzione.

Una parola che significava che erano sopravvissuti, che erano usciti vivi dalla fossa infernale del Vietnam, dove nessuno sapeva che peccato doveva scontare anche se tutto intorno a lui gli dimostrava come. Erano reduci e ognuno di loro portava addosso, in modo più o meno visibile, il peso della sua personale redenzione, che iniziava e finiva entro i confini dell'ospedale militare.

Il colonnello Lensky attese che si alzasse e si voltasse, prima di avvicinarsi. Gli tese la mano e lo fissò negli occhi. Il caporale Johnson avvertì lo sforzo che stava compiendo per impedire al suo sguardo di deviare e andarsi a posare sulle cicatrici che gli deturpavano la faccia.

«Buona fortuna, Wendell.»

Era la prima volta che si rivolgeva a lui chiamandolo per nome.

*Un nome non significa una persona*, pensò.

Ce n'erano in giro tanti di nomi, incisi sopra tombe segnate da croci bianche, messe tutte in fila con una precisione da orologiaio. Questo non cambiava nulla. Niente sarebbe servito a riportare in vita quei ragazzi, a togliere dal loro petto senza respiro il numero che tenevano appuntato come una medaglia in onore delle guerre perse. Lui sarebbe rimasto sempre e solo uno dei tanti. Ne aveva conosciuti molti come lui, soldati che si muovevano e ridevano e fumavano spinelli e si facevano di eroina per scordare che avevano perennemente disegnato sul petto il reticolo di un mirino. L'unica differenza tra loro stava nel fatto che lui era ancora vivo, anche se in pratica si sentiva sotto una di quelle croci. Era ancora vivo, ma il prezzo che aveva pagato per questa trascurabile differenza era stato un salto nel vuoto grottesco della mostruosità.

«Grazie, signore.»

Si girò e si avviò verso la porta. Sentiva lo sguardo del dottore puntato sulla nuca. Da tempo non era più tenuto al saluto militare. Non è richiesto a chi viene ricostruito pezzo per pezzo nel corpo e nella mente con il solo scopo di permettergli di ricordare per il resto della vita. E il resto della missione era compiuta.

*Buona fortuna, Wendell.*

Che in realtà voleva dire: cazzi tuoi, caporale.

Percorse il corridoio verde chiaro, verniciato fino all'altezza della sua testa con smalto lucido e da lì in su con una normale pittura opaca. Nella luce incerta che filtrava dal piccolo lucernario gli riportava alla mente certe giornate tratteggiate di pioggia nella foresta, quando le foglie erano così lucide da sembrare uno specchio e la parte nascosta pareva fatta d'ombra. Un'ombra dalla quale poteva spuntare da un momento all'altro la canna di un fucile.

Uscì all'aperto.

Fuori c'erano il sole e il cielo azzurro e alberi diversi. Alberi facili da accettare e da dimenticare. Non erano pini a macchia o bambù o mangrovie o distese acquatiche di risaie.

Non era *dat-nuoc*.

Questa parola gli risuonò nella testa, leggermente gutturale come nell'esatta pronuncia. Nella lingua parlata del Vietnam voleva dire *paese*, anche se nella traduzione letterale diventava *terra-acqua*, un modo estremamente realistico per comprendere l'essenza di quel territorio. Era un'immagine felice per chiunque, a patto di non doverci lavorare con la schiena curva o camminare portando sulle spalle uno zaino e un M16.

Ora la vegetazione che aveva intorno significava *casa*. Anche se adesso non sapeva di preciso a quale posto dare questo nome.

Il caporale sorrise perché non trovò altro modo per esprimere l'amarezza. Lo fece perché ormai quel gesto non gli provocava più dolore. La morfina e gli aghi sotto la pelle erano un ricordo quasi sbiadito. Il dolore no, quello sarebbe rimasto una macchia gialla nella memoria ogni volta che si fosse spogliato davanti a uno specchio o che avesse cercato invano di passarsi una mano fra i capelli, trovando solo il ruvido contatto delle cicatrici da ustioni.

Si avviò per il vialetto sentendo la ghiaia scricchiolare sotto i piedi, lasciandosi il colonnello Lensky con tutto quello che significava alle spalle. Incontrò la striscia d'asfalto della strada principale e piegò a sinistra, dirigendosi senza fretta verso uno degli edifici bianchi che spiccavano in mezzo al parco, quello dove era alloggiato.

C'era tutta l'ironia del principio e della fine, in quel posto.

La storia si stava chiudendo dove era iniziata. A poche decine di miglia da lì c'era Fort Polk, il campo di addestramento avanzato prima della partenza per il Vietnam. All'arrivo erano un gruppo di ragazzi che qualcuno aveva estratto a forza dalla vita con la pretesa di trasformarli in soldati. La maggior parte di loro non era mai uscita dallo Stato in cui vivevano e alcuni nemmeno dalla contea in cui erano nati.

*Non chiederti che cosa il tuo Paese può fare per te...*

Nessuno se lo chiedeva, ma nessuno era pronto ad affrontare quello che il suo Paese avrebbe chiesto a lui.

All'interno del forte, nella parte sud, era stato ricostruito nei minimi particolari un tipico villaggio vietnamita. Tetti di paglia, legno, canne di bambù, rattan. Attrezzi e utensili strani, facce di istruttori dall'aspetto asiatico che in realtà erano per nascita più americane della sua. Non ci aveva trovato nessuno dei materiali e degli oggetti che gli erano familiari. Eppure in quelle costruzioni, in quelle espressioni metafisiche di un posto lontano migliaia di miglia, c'era al tempo stesso una minaccia e un che di quotidiano.

*Ecco com'è fatta la casa di Charlie*, gli aveva detto il sergente.

Charlie era il soprannome con cui i soldati americani indicavano i nemici. L'addestramento era iniziato e finito. Avevano insegnato loro tutto quello che c'era da sapere. Ma lo avevano fatto in fretta e senza troppa convinzione, perché di convinzione ce n'era poca a quei tempi. Ognuno avrebbe dovuto ingegnarsi per conto suo, soprattutto a capire, fra i volti tutti uguali che aveva intorno, chi era un vietcong e chi un contadino sudvietnamita amico. Il sorriso con cui talvolta si avvicinavano era lo stesso, ma quello che portavano addosso poteva essere completamente diverso. Una bomba a mano, forse.

Come nel caso dell'uomo di colore che in quel momento veniva verso di lui, spingendo con le braccia robuste le ruote di una sedia. Fra i reduci ricoverati nell'ospedale in attesa di ricostruzione, era l'unico con cui Wendell aveva stretto amicizia.

Jeff B. Anderson, di Atlanta. Era stato vittima di un attentato mentre usciva da un bordello di Saigon. Al contrario di altri suoi compagni lui era sopravvissuto, ma era rimasto paralizzato dalla vita in giù. Niente gloria, nessuna medaglia. Solo cure e imbarazzo. Ma d'altronde in Vietnam la gloria era un fatto occasionale e le medaglie talvolta non valevano il metallo di cui erano fatte.

Jeff frenò la corsa della sedia a rotelle appoggiando le mani di piatto sulle ruote.

«Ciao, caporale. Si dicono cose strane su di te.»

«In questo posto molte delle cose che si dicono tendono a essere vere.»

«Allora è sicuro. Vai a casa?»

«Sì, vado a casa.»

La domanda successiva arrivò dopo una frazione di secondo, una sospensione breve e interminabile, perché di certo era una domanda che Jeff aveva rivolto più volte a se stesso.

«Ce la farai?»

«E tu?»

Entrambi preferirono non dare una risposta ma lasciare all'altro la facoltà di immaginarla. Quel silenzio fra loro era il riassunto di molte conversazioni precedenti. C'erano state tante cose di cui parlare e tante da maledire e quel niente di detto ne era il concentrato.

«Non so se invidiarti o no.»

«Se ti può interessare, non lo so nemmeno io.»

L'uomo sulla sedia contrasse la mascella. La voce gli uscì dalle labbra come frantumata da un'ira tardiva e inutile.

«Se solo avessero bombardato quelle maledette dighe...»

Jeff lasciò in sospeso la frase. Le sue parole evocavano fantasmi che più volte avevano cercato entrambi senza risultato di esorcizzare.

Il caporale Wendell Johnson scosse la testa.

Quello che era stato fatto apparteneva alla storia e quello che non era stato fatto rimaneva un'ipotesi senza possibilità di conferma. Nonostante i massicci bombardamenti a cui il Vietnam del Nord era stato sottoposto, nonostante il fatto che durante le incursioni aeree fosse stato sganciato il triplo delle bombe usate nella Seconda guerra mondiale, nessuno aveva mai dato l'ordine di colpire le dighe sul Fiume Rosso. Molti pensavano che sarebbe stata una mossa risolutiva. L'acqua avrebbe invaso le valli e il mondo avrebbe additato come un crimine di guerra quello che con ogni probabilità sarebbe stato un mezzo genocidio. Ma forse il conflitto avrebbe avuto un esito differente.

*Forse.*

«Sarebbero morte centinaia di migliaia di persone, Jeff.»

L'uomo sulla sedia a rotelle alzò uno sguardo in cui fluttuava qualcosa di indefinibile. Forse era l'estremo appello a una misericordia sospesa fra il rimpianto e il rimorso per quello che pensava. Poi girò la testa e guardò un punto lontano, oltre la cresta degli alberi.

«Sai, ci sono momenti in cui sono soprappensiero e appoggio le mani sui braccioli per cercare di alzarmi. Poi ricordo lo stato in cui mi trovo e mi maledico.»

Tirò un profondo respiro come se avesse bisogno di molta aria per dire quello che stava per dire.

«Mi maledico perché sono così e soprattutto perché darei

la vita di milioni di quelle persone pur di riavere indietro le mie gambe.»

Tornò a fissarlo negli occhi.

«Cosa è successo Wen? E soprattutto *perché* è successo?

«Non lo so. Credo che nessuno riuscirà mai a saperlo davvero.»

Jeff appoggiò le mani sulle ruote e mosse di poco la sedia avanti e indietro, come se quel gesto servisse a ricordargli di essere ancora vivo. O semplicemente era un momento di distrazione, uno di quelli in cui pensava di potersi alzare e andarsene con le sue gambe. Seguì i pensieri e ci volle un attimo prima che diventassero parole.

«Una volta dicevano che i comunisti mangiavano i bambini.»

Parlava e lo guardava senza vederlo, come se stesse in realtà visualizzando l'immagine che quelle parole evocavano.

«Noi i comunisti li abbiamo combattuti. Forse è per questo che non ci hanno mangiati.»

Fece una pausa e quando parlò di nuovo la voce era un sussurro.

«Solo masticati e sputati.»

Si riscosse e gli tese la mano. Il caporale la strinse trovandola salda e asciutta.

«Buona fortuna, Jeff.»

«Vattene a fare in culo, Wen. E vacci in fretta. Detesto mettermi a piangere davanti a un bianco. Sulla mia pelle sembrano nere pure le lacrime.»

Wendell si allontanò con la netta sensazione che stava perdendo qualcosa. Che entrambi stavano perdendo qualcosa. Oltre a quello che già avevano perso. Aveva fatto pochi passi quando la voce di Jeff lo costrinse a fermarsi.

«Ah, Wen.»

Si girò e lo vide, un'ombra d'uomo e di macchina contro il tramonto.

«Scopatene una anche per me.»

Fece con la mano un gesto inequivocabile.

Come risposta Wendell gli sorrise.

«Va bene. Quando succederà, sarà fatto il tuo nome.»

Il caporale Wendell Johnson si allontanò con lo sguardo fisso davanti a sé, il passo che suo malgrado era ancora quello di un soldato. Raggiunse l'alloggiamento, senza più salutare né parlare con nessuno. Entrò nella sua camera. La porta del bagno era chiusa. La teneva sempre così, perché lo specchio era piazzato di fronte all'ingresso. Preferiva evitare che il suo viso fosse la prima immagine ad accoglierlo.

Si costrinse a pensare che dal giorno dopo avrebbe dovuto farci l'abitudine. Non esistevano specchi benevoli, solo superfici che riflettevano esattamente quello che vedevano. Senza pietà, con il sadismo involontario dell'indifferenza.

Si tolse la camicia e la gettò su una sedia, lontano dalla malia autolesionista dell'altro specchio, quello all'interno dell'armadio a muro. Si levò le scarpe e si stese sul letto con le mani dietro la testa, pelle ruvida contro pelle ruvida, una sensazione alla quale era abituato.

Dalla finestra, oltre i vetri socchiusi, figlio dell'azzurro cupo che preannunciava la sera, giungeva il battere ritmato e nascosto di un picchio fra gli alberi.

*tupa-tupa-tupa-tupa… tupa-tupa-tupa-tupa…*

La memoria fece i suoi giri viziosi e quel suono divenne il tossire sordo di un AK-47 e subito dopo un groviglio di voci e di immagini.

*«Matt, dove cazzo sono questi pezzi di merda? Da dove sparano?»*

«*Non lo so. Non vedo niente.*»

«*Tu, con l'M-79, tira una granata fra quei cespugli a destra.*»

«*Corsini che fine ha fatto?*»

*E la voce di Farrell, sporca di terra e di paura, che proveniva da un punto indefinito alla loro destra.*

«*Corsini è andato. Pure Mc...*»

*tupa-tupa-tupa-tupa...*

*E anche la voce di Farrell si era sciolta nell'aria.*

«*Wen, muoviti, portiamo via il culo da qui. Ci stanno facendo a pezzi.*»

*tupa-tupa-tupa-tupa... tupa-tupa-tupa-tupa...*

«*No, non di lì. È tutto scoperto.*»

«*Cristo santo, sono dappertutto.*»


Riaprì gli occhi e permise alle cose che lo circondavano di tornare. L'armadio, la sedia, il tavolo, il letto, le finestre con i vetri stranamente puliti. E anche qui odore di ruggine e disinfettante. Quella stanza era stata il suo unico riferimento per mesi, dopo tutto il tempo passato in una corsia, con medici e infermieri che si affannavano intorno a lui per cercare di alleviargli la sofferenza delle ustioni. Lì aveva permesso alla mente di rientrare quasi intatta nel suo corpo devastato, aveva recuperato la lucidità e fatto a se stesso una promessa.

Il picchio concesse una tregua all'albero che stava torturando. Gli sembrò un buon augurio, la fine delle ostilità, una parte del passato che poteva lasciare in qualche modo alle spalle.

Che *doveva* lasciare alle spalle.

Il giorno dopo sarebbe uscito.

Non sapeva che mondo avrebbe trovato oltre le mura dell'ospedale, né sapeva come quel mondo lo avrebbe accolto. In realtà nessuna delle due cose gli importava. Solo il lungo viaggio che aveva davanti gli interessava, perché alla fine di quel viaggio lo attendeva l'incontro con due uomini. Lo avrebbero guardato con occhi pieni di paura e di stupore, quelli che si provano davanti all'incredibile. Poi lui avrebbe parlato, a quella paura e a quello stupore.

Infine li avrebbe uccisi.

Un sorriso, di nuovo privo di dolore. Senza accorgersene scivolò nel sonno. Quella notte dormì senza sentire voci e per la prima volta non sognò gli alberi della gomma.

# CAPITOLO 2

Durante il viaggio lo sorprese il grano.

Da un certo punto in poi, mentre risaliva verso nord e si avvicinava a casa, a tratti sfilava morbido ai lati della strada, docile sotto l'ombra del pullman della Greyhound che tirava dritto, spinto da benzina e indifferenza. Le striature del vento e l'ombra delle nuvole lo rendevano vivo e nel ricordo restio sotto la mano. Compagno di viaggio inatteso, caldo colore della birra fresca, ospitalità da fienile.

Conosceva quella sensazione. Un tempo aveva mangiato quel pane.

Ogni volta che con altre mani aveva passato le dita fra i capelli di Karen e aveva respirato il suo profumo buono di donna, che sapeva di ogni cosa e di nessun posto simile al mondo. L'aveva provato come una fitta dolorosa quando se n'era andato dopo essere stato a casa in licenza per un mese, una effimera illusione di invulnerabilità che l'esercito concedeva a tutti prima della partenza. Gli erano stati offerti trenta giorni di paradiso e di sogni possibili, prima che l'Army Terminal di Oakland diventasse le Hawaii e infine si trasformasse in Bien-Hoa, il centro di smistamento truppe a venti miglia da Saigon.

E poi Xuan-Loc, il posto dove tutto era cominciato, dove si era guadagnato il suo piccolo appezzamento d'inferno.

Distolse lo sguardo dalla strada e abbassò la visiera del

berretto da baseball. Portava occhiali da sole tenuti con un elastico perché non aveva praticamente più orecchie su cui appoggiare le stanghette. Chiuse gli occhi e si nascose in quella fragile penombra. Ne ebbe in cambio solo altre immagini.

Non c'era grano in Vietnam.

Non c'erano donne con i capelli biondi. Solo qualche infermiera dell'ospedale li aveva, ma ormai lui non aveva quasi più sensibilità nelle dita né desiderio di toccarli. E soprattutto, ne era certo, nessuna donna avrebbe più avuto il desiderio di farsi toccare da lui.

Mai più.

Un ragazzo con una camicia a fiori e i capelli lunghi che dormiva alla sua destra, dall'altra parte del corridoio, si svegliò. Si stropicciò gli occhi e si concesse uno sbadiglio che sapeva di sudore e di sonno e di erba fumata. Si girò e iniziò a frugare in una borsa di tela che aveva appoggiato sul sedile libero di fianco. Tirò fuori una radio portatile e l'accese. Dopo qualche miagolio di ricerca una stazione lo accettò e le note di *Iron Maiden*, un pezzo dei Barclay James Harvest, si unirono al rumore delle ruote e del motore e al fruscio dell'aria fuori dai finestrini.

Istintivamente il caporale si voltò a guardarlo. Quando gli occhi del ragazzo, che doveva avere più o meno la sua età, si posarono sul suo viso, la reazione fu la solita, quella che leggeva ogni volta sulla faccia della gente, quella che era stato costretto a imparare per prima, come le male parole in una lingua straniera. Il ragazzo che aveva una vita e una faccia, belle o brutte che fossero, si rituffò nella borsa, fingendo di cercare qualcosa. Poi rimase seduto di tre quarti, dandogli le spalle, ad ascoltare la musica e a guardare fuori dal finestrino dalla sua parte.

Il caporale appoggiò la testa al vetro.

Ai lati della strada sfilavano cartelloni pubblicitari. A volte con prodotti che non conosceva. Automobili in corsa superavano il pullman e alcune erano di un modello che non aveva mai visto. Una Ford Fairlane decappottabile del '66 che veniva in senso contrario fu l'unica immagine che in quel momento la sorte concesse alla sua memoria. Il tempo, seppure di poco, era andato avanti. E insieme al tempo la vita, con tutti gli appigli fortunosi che offriva a chi doveva giorno per giorno scalarla.

Erano passati due anni. Un battito di ciglia, uno scatto indecifrabile sul cronometro dell'eternità. Eppure erano bastati a cancellare tutto. Adesso, se alzava lo sguardo, davanti a lui c'era solo una parete liscia, con l'unico supporto del suo rancore a incoraggiare la salita. In tutti quei mesi era riuscito minuto dopo minuto a coltivarlo, a nutrirlo, a farlo crescere e diventare livore allo stato puro.

E adesso stava tornando a casa.

Non ci sarebbero state braccia aperte o parole di gloria o fanfare per l'arrivo dell'eroe. Nessuno lo avrebbe mai definito in quel modo e inoltre per tutti l'eroe era morto.

Era partito dalla Louisiana, dove un mezzo dell'esercito lo aveva scaricato senza troppi complimenti davanti alla stazione degli autobus. Si era trovato solo, di colpo comparsa e non più protagonista. Intorno c'era il mondo, quello vero, quello che non lo aveva aspettato. Non c'erano più i muri anonimi ma rassicuranti dell'ospedale. Mentre era in coda per prendere il biglietto, si era sentito una figura in fila per il casting di *Freaks*, il film di Tod Browning. Questo pensiero lo aveva fatto sorridere per un istante, l'unica scelta che aveva a disposizione. Per non fare quello che aveva fatto per intere notti e che aveva giurato di non fare più: piangere.

*Buona fortuna, Wendell...*

«Sedici dollari.»

Di colpo il saluto del colonnello Lensky era diventato la voce di un impiegato, che aveva appoggiato davanti a lui il biglietto per il primo tratto di strada. Nascosto dietro la feritoia dello sportello, l'uomo non aveva guardato quella parte di viso che il caporale concedeva al mondo. In cambio gli aveva offerto l'indifferenza da anonimo passeggero che desiderava.

Ma quando aveva spinto sul piano le banconote con una mano coperta da un guanto di cotone leggero, quel tipo magro, con pochi capelli e labbra sottili e occhi senza luce, aveva sollevato la testa. Si era soffermato un attimo sul suo volto e aveva di nuovo chinato il capo. La sua voce pareva arrivare dallo stesso posto da cui veniva lui, qualunque fosse.

«Vietnam?»

Aveva atteso un attimo prima di rispondere.

«Sì.»

Il bigliettaio a sorpresa gli aveva restituito il denaro.

Non aveva nemmeno preso in esame la sua perplessità. Forse l'aveva data per scontata. Aveva aggiunto poche parole che l'avevano risolta. E che per entrambi erano diventate un lungo discorso.

«Ci ho perso un figlio, fa due anni domani. Tienili tu questi. Credo serviranno più a te che alla Compagnia.»

Il caporale si era allontanato con la stessa sensazione di quando si era lasciato Jeff Anderson alle spalle. Due uomini soli per sempre, uno sulla sua sedia a rotelle e l'altro nella sua biglietteria, in un tramonto che pareva destinato per tutti a diventare eterno.

Durante il pensiero aveva cambiato autobus e compagni di viaggio e stati d'animo. L'unica cosa che non poteva cambiare era il suo aspetto. Se l'era presa comoda, perché non aveva nessuna fretta di arrivare e aveva un corpo dalla facile stanchezza e dal riposo difficile con cui fare i conti. Era sceso in motel di terz'ordine, dormendo poco e male, con i denti a tratti serrati e le mascelle contratte. E i suoi sogni ricorrenti. Sindrome da shock post-traumatico, qualcuno aveva detto. La scienza trovava sempre il modo per far diventare parte di una statistica la distruzione di una persona in carne e ossa. Ma il caporale aveva imparato a sue spese che il corpo non si abitua mai del tutto al dolore. Solo la mente talvolta riesce ad abituarsi all'orrore. E fra poco ci sarebbe stato modo di dimostrare a qualcuno tutto quello che aveva sperimentato sulla sua pelle.

Il Mississippi era diventato miglio dopo miglio il Tennessee, si era trasformato per la magia delle ruote nel Kentucky fino a promettergli davanti agli occhi il paesaggio familiare dell'Ohio. I panorami si erano catalogati intorno a lui e nella sua mente come posti stranieri, una linea che una matita colorata tracciava a mano a mano che passava il tempo sulla mappa di un territorio sconosciuto. Accanto alla strada correvano i fili della luce e del telefono. Portavano energia e parole sopra la sua testa. C'erano case e persone come marionette nel loro teatrino che quei fili aiutavano a muoversi e a illudersi di vivere.

Ogni tanto si era chiesto di quale energia e di quali parole avesse bisogno lui in quel momento. Forse mentre era sdraiato sul lettino del colonnello Lensky tutte le frasi erano state dette e tutte le forze evocate e invocate. Era una liturgia chirurgica che la sua ragione aveva rifiutato come un credente rifiuta una pratica pagana e il dottore l'aveva celebrata invano. Aveva nascosto la sua piccola fede nel nulla in un posto sicuro della mente, un posto dove niente la potesse scalfire o annullare.

Quello che era stato non si poteva cambiare né dimenticare.

Solo ripagare.

Il leggero invito in avanti dell'autobus che rallentava lo riportò dov'era. Il tempo diceva *ora* senza via di scampo e il luogo era rappresentato da un cartello stradale che gli confermava Florence. A giudicare dalla periferia, la città era come tante altre, senza la presunzione di ricordare in qualche modo la sua omonima italiana. Aveva guardato un opuscolo di viaggi, una sera, sdraiato insieme a Karen sul letto nella sua stanza. C'erano foto e occhi e pagine e mani ansiose di sfogliarle.

La Francia, la Spagna, l'Italia...

Proprio Florence, quella italiana, era stata la città sulla quale si erano soffermati di più. Karen gli aveva spiegato di quel posto cose che lui non sapeva e fatto sognare cose che non immaginava si potessero sognare. Quella era un'epoca in cui ancora credeva che le speranze non costassero nulla, prima di imparare che invece possono costare molto care.

La vita, a volte.

Con l'ironia dell'esistenza che non esaurisce mai la vena, a una Florence c'era arrivato, dopotutto. Ma niente era come avrebbe dovuto essere. Gli tornarono alla mente le parole di Ben, l'uomo che per lui si era avvicinato di più alla figura di un padre.

*Il tempo è un naufragio e solo quello che vale davvero torna a galla...*

Il suo si era rivelato solo un beffardo appiglio a una zattera, un faticoso approdo alla realtà dopo essere colato a picco nella sua piccola privata utopia.

L'autista condusse docile il mezzo alla stazione degli autobus. Si arrestò con un sobbalzo accanto a una pensilina malmenata dalla ruggine e dalle insegne sbiadite.

Lui rimase seduto al suo posto, in attesa che tutti gli altri passeggeri scendessero. Una donna dall'apparente origine messicana con una bambina addormentata in braccio ebbe qualche problema a spostarsi con la valigia che portava nella mano libera. Nessuno fece il gesto di aiutarla. Il ragazzo alla sua destra raccolse la borsa e non resistette alla tentazione di lanciare verso di lui un'ultima occhiata.

Il caporale aveva deciso di arrivare a Chillicothe verso sera e dunque preferiva fare una sosta prima di passare il confine. Florence era un posto come un altro e di conseguenza era il posto giusto. Qualunque posto lo era, in quel momento. Da lì avrebbe cercato di raggiungere la sua meta con l'autostop nonostante le complicazioni che questa scelta comportava. Sarebbe stato difficile per chiunque accettare di farlo salire in macchina.

Di solito la gente abbinava alla deturpazione fisica una propensione alla malvagità direttamente proporzionale. Senza riflettere che il male per nutrirsi deve essere seducente, accattivante. Deve attirare a sé il mondo che ha intorno con la promessa della bellezza e la premessa del sorriso. E lui ora si sentiva come l'ultima figurina mancante per completare l'album dei mostri.

L'autista lanciò uno sguardo nello specchietto dal quale poteva controllare l'interno dell'autobus e subito dopo girò la testa. Il caporale non si chiese se fosse un invito a scendere o se stesse verificando che quello che aveva intravisto nello specchietto corrispondesse a verità. In ogni caso era lui ad avere l'obbligo dell'iniziativa. Si alzò e prese la sacca dal portapacchi. Se la caricò sulla spalla, facendo attenzione a sostenere la cinghia di tela con la mano protetta dal guanto per evitare abrasioni.

Percorse il corridoio mentre l'autista, un tipo che assomigliava curiosamente a Sandy Koufax, il pitcher dei Dodgers, sembrava di colpo attratto in modo particolare dal cruscotto.

Il caporale scese quei pochi gradini interminabili e si ritrovò di nuovo solo in un piazzale, sotto un sole che era lo stesso in tutte le parti del mondo.

Diede uno sguardo in giro.

Dall'altra parte del piazzale, diviso in due dalla strada, c'era una stazione di servizio della Gulf, con un bar ristorante e un parcheggio in comune con l'Open Inn, un motel dall'aspetto malandato che prometteva camere libere e sogni d'oro.

Sistemò meglio sulla spalla la sacca con le sue cose e si avviò in quella direzione, disposto a comprarsi un poco di ospitalità senza discutere il prezzo.

Finché fosse durata, sarebbe stato un nuovo cittadino di Florence, Kentucky.

# CAPITOLO 3

Il motel era, al contrario di ogni promessa, un ordinario momento di turismo a basso costo. Dappertutto il colore della necessità senza il gusto del piacere. L'uomo che lo aveva fronteggiato dietro al bancone della reception, un tipo basso e grassoccio dalla calvizie precoce che compensava con lunghe basette e baffi i pochi capelli rimasti, non aveva avuto la minima reazione visibile quando gli aveva chiesto una camera. Solo, non gli aveva consegnato la chiave finché non aveva depositato sul banco il denaro chiesto in anticipo. Non aveva capito se fosse una prassi abituale o un trattamento di favore riservato a lui in esclusiva. In un caso o nell'altro, non gli importava.

Nella stanza c'era odore di umido e mobili da viaggio e la moquette scadente era macchiata in diversi punti. La doccia che aveva fatto, nascosto agli occhi di nessuno dietro a una tenda di plastica, era stata un'alternanza senza controllo di acqua calda e fredda. La televisione funzionava a tratti e infine si era deciso a lasciarla sintonizzata sul canale locale, dove le immagini e l'audio erano più nitidi. Stavano trasmettendo una vecchia puntata di *The Green Hornet*, una serie con Van Williams e Bruce Lee che era andata in onda per un solo anno, parecchio tempo prima.

Adesso era steso nudo sul letto con gli occhi chiusi. Le parole dei due eroi mascherati, lanciati con i loro vestiti sempre immacolati nella lotta contro il crimine, erano un brusio lontano. Aveva scalzato il copriletto e si era messo sotto il lenzuolo, per non avere subito lo spettacolo del suo corpo quando li avesse riaperti.

Ogni volta la tentazione era di tirare quel sottile strato di tessuto fin sopra la testa, come si fa con i cadaveri. Ne aveva visti tanti appoggiati a terra in quel modo, con un telo macchiato di sangue gettato addosso non per pietà, ma per evitare che i sopravvissuti avessero una visione chiara di quello che sarebbe potuto capitare a chiunque di loro da un momento all'altro. Troppi ne aveva visti, di morti, al punto di farne parte mentre era ancora vivo. La guerra gli aveva insegnato a uccidere e gli aveva concesso di farlo senza accusa e senza colpa per il semplice fatto di indossare una divisa. Ora tutto ciò che restava di quella divisa era una giacca di tela verde in fondo a una sacca. E le regole erano tornate quelle di sempre.

Ma non per lui.

Senza saperlo, gli uomini che lo avevano mandato ad affrontare la guerra e i suoi riti tribali gli avevano regalato qualcosa che prima aveva avuto solo l'illusione di possedere: la libertà.

Anche quella di uccidere ancora.

Sorrise all'idea e rimase steso a lungo in quel letto che senza nessuna cortesia aveva accolto decine di corpi. In quelle ore insonni, col solo biglietto di viaggio dei suoi occhi chiusi, tornò indietro nel tempo, a quando ancora di notte…

*dormiva sodo, come solo i ragazzi fanno dopo una giornata di lavoro. Un rumore sordo lo aveva svegliato all'improvviso e subito dopo la porta della stanza si era spalancata, portandogli un soffio d'aria sulla faccia e una luce puntata addosso. Dal bagliore aveva visto spuntare la minaccia brunita della canna di un fucile che si era fermata a una spanna dal suo viso. C'erano ombre dietro quella luce e nel suo cervello ancora deriso dai residui del sonno.*

*Una delle ombre era diventata una voce, dura e precisa.*

*«Non ti muovere, stronzetto, altrimenti sarà l'ultima cosa che fai da vivo.»*

*Mani ruvide lo avevano voltato a faccia in giù sul letto. Le braccia gli erano state tirate senza garbo dietro la schiena. Aveva sentito lo scatto metallico delle manette e da quel momento in poi i suoi movimenti e la sua vita non gli erano più appartenuti.*

*«Sei già stato in riformatorio. La sai quella faccenda dei tuoi diritti?»*

*«Sì.»*

*Aveva soffiato a fatica quel monosillabo, con la bocca impastata.*

*«Allora fai conto che te li abbia letti.»*

*La voce si era rivolta all'altra ombra nella stanza con un tono di comando.*

*«Will, dai un'occhiata in giro.»*

*Mentre aveva la faccia premuta sul cuscino, gli erano giunti alle orecchie i rumori di una perquisizione. Cassetti aperti e richiusi, oggetti che cadevano, fruscio di vestiti gettati all'aria. Le sue poche cose erano frugate con mani forse esperte ma di certo senza alcun riguardo.*

*Infine un'altra voce, con un cenno di esultanza.*

*«Ehi, capo, ma cosa abbiamo qui?»*

*Aveva sentito un passo che si avvicinava e la pressione sulle sue spalle si era alleggerita. Poi quattro mani ruvide che lo tiravano su, fino a ritrovarsi seduto sul letto. Davanti ai suoi occhi la luce illuminava un sacchetto di plastica trasparente pieno di erba.*

*«Ci facciamo uno spinello ogni tanto, eh? E magari questa merda la vendi pure. Mi sa che sei nei guai, ragazzo.»*

*In quel momento la luce della stanza si era accesa, riducendo quella della torcia a semplice accessorio. Davanti a lui c'era lo sceriffo Duane Westlake in persona. Alle sue spalle, secco e allampanato, con un filo di barba sulle guance butterate, stava Will Farland, uno dei suoi aiutanti. Il sorriso beffardo che aveva stampato sulle labbra era una smorfia senza allegria. L'unica cosa che riusciva a fare era sottolineare l'espressione malvagia dei suoi occhi.*

*Lui era riuscito a farfugliare solo poche parole frettolose, detestandosi per questo.*

*«Non è mia quella roba.»*

*Lo sceriffo aveva inarcato un sopracciglio.*

*«Ah, non è tua. E di chi sarebbe? Questo posto è magico? La fatina del dentino a te porta la marijuana?»*

*Aveva sollevato la testa e li aveva guardati con aria decisa che per i due era diventata subito di sfida.*

*«Ce l'avete messa voi, pezzi di merda.»*

*Il manrovescio era arrivato veloce e violento. Lo sceriffo era grosso e aveva la mano pesante. Sembrava persino impossibile che potesse essere così rapido. Aveva sentito in bocca il sapore dolciastro del sangue. E quello rugginoso della furia. D'istinto era scattato in avanti, cercando di colpire con una testata lo stomaco dell'uomo in piedi di fronte a lui. Forse la sua era stata una mossa prevedibile o forse lo sceriffo era dotato di una agilità insolita per un uomo della sua mole. Si era ritrovato disteso a terra, con la frustrazione del nulla di fatto unita alla rabbia.*

*Sopra di lui erano state pronunciate altre parole di derisione.*

*«Il nostro giovane amico ha il sangue caldo, Will. Vuole fare l'eroe. Forse gli serve un sedativo.»*

I *due lo avevano tirato in piedi senza troppi riguardi. Poi, mentre Farland lo teneva fermo, lo sceriffo aveva fatto partire un pugno allo stomaco che aveva reso l'ossigeno un sollievo sconosciuto. Era caduto a corpo morto sul letto sfatto con la sensazione che non sarebbe mai più riuscito a respirare.*

*Lo sceriffo si era rivolto al suo aiutante con il tono con cui si chiede a un bambino se ha fatto i compiti.*

*«Will, sei sicuro di aver trovato tutto quello che c'era da trovare?»*

*«Forse no, capo. È meglio che dia un'altra occhiata a questa topaia.»*

*Farland aveva infilato una mano nel giubbotto e ne aveva estratto un oggetto avvolto in un foglio di plastica trasparente. Si era rivolto allo sceriffo, continuando tuttavia a guardare lui negli occhi.*

*Il suo ghigno derisorio si era allargato.*

*«Guardi un po' che cosa ho trovato, capo. Non le sembra una cosa sospetta?»*

*«Che cos'è?»*

*«A prima vista direi un coltello.»*

*«Fammi vedere.»*

*Lo sceriffo aveva estratto dalla tasca un paio di guanti in pelle e li aveva indossati. Poi aveva preso l'involucro che il suo aiutante gli porgeva e aveva iniziato a svolgerlo. Il fruscio della plastica aveva a poco a poco rivelato il luccichio di un lungo coltello con il manico in plastica nera.*

*«Will, ma questa è una spada. E a occhio e croce una lama come questa potrebbe aver fatto fuori quei due straccioni di hippy, l'altra sera al fiume.»*

*«Già. Potrebbe.»*

*Steso sul letto, lui aveva iniziato a capire. E aveva avuto un brivido, come se la temperatura nella stanza si fosse abbassata di colpo. Per quanto glielo permetteva la voce rotta dal pugno ricevuto, aveva abbozzato una debole protesta.*

*Ancora non sapeva quanto sarebbe stata inutile.*

*«Non è mio. Non l'ho mai visto.»*

*Lo sceriffo lo aveva guardato con un'espressione di ostentato stupore.*

*«Ah no? Ma se è pieno delle tue impronte.»*

*I due si erano avvicinati e lo avevano girato a pancia sotto. Tenendo il coltello per la lama, lo sceriffo lo aveva costretto a stringere il manico. La voce di Duane Westlake era calma, mentre pronunciava la condanna.*

*«Mi sono sbagliato prima, quando ti ho detto che sei nei guai. In realtà sei nella merda fino al collo, ragazzo.»*

*Poco dopo, mentre lo trascinavano via per caricarlo sull'auto, aveva avuto la netta percezione che la sua vita, come l'aveva conosciuta fino a quel momento, fosse finita per sempre.*

«...della guerra del Vietnam. Continua la polemica per la pubblicazione da parte del "New York Times" dei *Pentagon Papers*. È previsto un ricorso alla Corte Suprema per la ratifica del diritto a farlo da parte...»

La voce impostata di uno speaker delle *Daily News*, che la targhetta identificava come Alfred Lindsay, lo riscosse dal torpore senza riposo in cui era scivolato. Il volume della Tv si era alzato da solo, come se fosse animato da una volontà propria. Come se la notizia fosse qualcosa che doveva assolutamente sentire. L'argomento era sempre e ancora la guerra, che tutti volevano nascondere come sporcizia immobile sotto il tappeto e che strisciando da serpente riusciva sempre a sporgere la testa oltre i bordi.

Il caporale conosceva quella storia.

I *Pentagon Papers* erano il risultato di un'indagine accurata sulle cause e sulle modalità che avevano portato gli Stati Uniti a trovarsi coinvolti in Vietnam, un'inchiesta voluta dal segretario della Difesa McNamara e realizzata da un gruppo di trentasei esperti, funzionari civili e militari, sulla base dei documenti governativi da Truman in poi. Come un coniglio dal cilindro dei giornalisti, era emerso in modo evidente che l'amministrazione Johnson aveva in piena coscienza mentito all'opinione pubblica riguardo alla conduzione del conflitto. Pochi giorni prima il «New York Times», che ne era venuto in qualche modo in possesso, aveva iniziato a pubblicarli. Con le conseguenze che erano facilmente immaginabili.

E infine sarebbero state, come succedeva di solito, solo parole. Che tanto dette quanto scritte avevano sempre lo stesso peso.

Che ne sapevano quelli della guerra? Che ne sapevano di cosa voleva dire trovarsi migliaia di miglia lontano da casa, a combattere contro un nemico invisibile e dalla volontà incredibile, che nessuno poteva pensare fosse disposto a pagare un prezzo così alto per avere in cambio così poco? Un nemico che in fondo ai loro pensieri tutti rispettavano, anche se nessuno avrebbe avuto mai il coraggio di confessarlo.

Ce ne sarebbero voluti trentaseimila di esperti scaldasedie, civili o militari che fossero. E ancora non avrebbero capito o deciso nulla, perché non avevano mai sentito l'odore del napalm o dell'*agent orange*, il diserbante che veniva usato in dosi massicce per distruggere la foresta intorno al nemico. Non avevano sentito il *tac-tac-tac-tac* delle mitragliatrici, il rumore sordo di un proiettile che buca un elmetto, le grida di dolore dei feriti, che sembravano così forti da arrivare fino a Washington e che invece a malapena riuscivano a raggiungere i barellieri.

*Buona fortuna, Wendell...*

Scostò il lenzuolo e si mise a sedere sul letto.

«Vai a fare in culo, colonnello Lensky. Tu e le tue sindromi del cazzo.»

Tutto era alle spalle, ormai.

Chillicothe, Karen, la guerra, l'ospedale.

Il fiume seguiva il suo corso e solo la riva conservava il ricordo dell'acqua passata.

Aveva ventiquattro anni e non sapeva se quello che aveva davanti si potesse ancora chiamare futuro. Ma per qualcuno quella parola avrebbe presto perso ogni significato.

A piedi scalzi, si avvicinò al televisore e lo spense. Il viso rassicurante dello speaker venne risucchiato dal buio e divenne un pallino luminoso al centro dello schermo. Come tutte le illusioni durò qualche istante, prima di sparire del tutto.

# CAPITOLO 4

«Sei sicuro che non vuoi che ti porti fino in città?»

«No, qui è perfetto. Molte grazie, signor Terrance.»

Aprì la portiera. L'uomo al volante lo guardò con un sorriso nel viso abbronzato, sollevando le sopracciglia con aria interrogativa. Nella luce del cruscotto, di colpo gli ricordò un personaggio di Don Martin.

«Volevo dire molte grazie, Lukas.»

L'uomo gli fece un gesto sollevando il pollice verso l'alto.

«Così va bene.»

Si strinsero la mano. Poi il caporale sfilò la sacca dallo spazio dietro i sedili, uscì dalla macchina e chiuse la portiera. La voce dell'uomo al volante gli giunse attraverso il finestrino aperto.

«Qualunque cosa tu stia cercando, ti auguro di trovarla. O che lei trovi te.»

Le ultime parole quasi si persero nel brontolio delle marmitte. In un istante il mezzo con cui era arrivato divenne il suono di un motore che si allontanava, un sentore di carburante disperso dal vento e dalla distanza. Una luce di fanali che la sera inoltrata inghiottiva come se fosse il suo pasto abituale.

Sistemò la sacca sulla spalla e iniziò a camminare. Un passo dopo l'altro, sentendo come un animale la vicinanza, i profumi, i posti. Tuttavia non c'erano ansia o euforia per quel ritorno.

Solo determinazione.

Poche ore prima, nella sua stanza al motel, aveva trovato nell'armadio una scatola da scarpe vuota, dimenticata da qualche ospite precedente. Sul coperchio c'era il marchio delle Famous Flag Shoes, che si compravano per corrispondenza. Il fatto che fosse ancora lì, la diceva lunga sull'accuratezza delle pulizie all'Open Inn. Aveva tolto le alette al coperchio e aveva scritto sul fondo bianco CHILLICOTHE in lettere maiuscole, ripassandole più volte con un pennarello nero che aveva nella sacca. Era sceso alla reception con la borsa in spalla e quel cartello come ipotesi di viaggio in mano. Dietro al banco, una ragazza anonima con le braccia troppo magre e i capelli lunghi e lisci e un nastro rosso intorno alla testa aveva sostituito il tipo con baffi e basette. Quando si era avvicinato per restituire la chiave, aveva perso la sua espressione incantata da Flower Power e lo aveva guardato con una traccia di timore negli occhi scuri. Come se stesse andando verso di lei con l'intenzione di aggredirla. Stava imparando a fare i conti con questo atteggiamento. E sospettava fosse un bilancio che non sarebbe mai andato in pareggio.

*Eccola, la mia fortuna, colonnello…*

Aveva avuto per un attimo la tentazione maligna di spaventarla a morte, di ripagare con la stessa moneta quella repulsione e quella diffidenza istintive che aveva provato per lui. Ma non era né il momento né il posto per andarsi a cercare delle grane.

Aveva appoggiato con ostentata delicatezza la chiave sul piano di vetro, davanti a lei.

«Ecco la chiave. La camera fa schifo.»

La sua voce calma e le sue parole avevano fatto sobbalzare la ragazza. Lo aveva guardato un poco allarmata.

*Muori, stronza.*

«Mi dispiace.»

Lui aveva scosso la testa in modo impercettibile. L'aveva fissata, lasciandole immaginare gli occhi nascosti dietro le lenti scure.

«Non dire così. Lo sappiamo tutti e due che non te ne frega niente.»

Aveva girato le spalle ed era uscito dal motel.

Oltre la porta a vetri aveva ritrovato il sole del piazzale. Alla sua destra c'era la stazione di servizio con l'insegna arancione e azzurra della Gulf. Un paio di macchine erano in fila per entrare nel lavaggio e le pompe parevano avere un afflusso di mezzi sufficiente a farlo sperare in un risultato entro tempi ragionevoli. Si era incamminato verso un coffee shop sormontato da una insegna fatta a freccia che lo presentava al mondo come Florence Bowl e che proponeva cucina casalinga e breakfast a tutte le ore. Lo aveva superato augurando ai clienti all'interno che il caffè e il cibo fossero migliori della fantasia di chi aveva trovato il nome del locale.

Era sfilato davanti alle proposte di Canada Dry e Tab e Bubble Up e ai suggerimenti per gli hamburger. Aveva ignorato le offerte di pneumatici a metà prezzo e STP e cambi d'olio scontati e si era piazzato all'uscita dell'area di servizio, in modo da essere bene in vista sia per le macchine che uscivano dal parcheggio del ristorante sia per quelle che lasciavano le pompe dopo aver fatto rifornimento.

Aveva gettato la sua sacca a terra e ci si era seduto sopra. Aveva teso il braccio, cercando di fare in modo che il cartello con la scritta fosse il più evidente possibile.

E aveva atteso.

A volte qualche macchina aveva rallentato. Una si era addirittura fermata ma quando si era alzato per raggiungerla e il guidatore lo aveva visto in faccia, era ripartito come se avesse incontrato il diavolo.

Era ancora seduto sulla sacca con il suo patetico cartello proteso, quando l'ombra di un uomo si era stampata sull'asfalto davanti a lui. Aveva sollevato il capo e si era trovato di fronte un tipo che indossava una tuta nera con degli inserti rossi. Sul petto e sulle maniche aveva dei marchi colorati di sponsor.

«Pensi di riuscire ad arrivarci a Chillicothe?»

Lui aveva abbozzato un sorriso.

«Se continua così direi di no.»

L'uomo era alto, sulla quarantina, con un fisico asciutto e con barba e capelli rossicci. Lo aveva guardato un istante prima di proseguire. Poi aveva abbassato la voce di un tono, come per minimizzare quello che stava per dire.

«Non so chi ti ha conciato in quel modo e non sono affari miei. Solo una cosa ti chiedo. E se non mi dici la verità me ne accorgerò.»

Si era concesso una pausa. Per soppesare le parole. O forse perché avessero più peso.

«Hai dei guai con la legge?»

Lui si era tolto il berretto e gli occhiali e lo aveva guardato.

«No, signore.»

Suo malgrado, il tono di quel «No, signore» lo aveva identificato senza possibilità di dubbio.

«Sei un soldato?»

La sua espressione era sembrata una conferma più che esauriente. La parola Vietnam non venne pronunciata ma galleggiava nell'aria.

«Lotteria?»

Aveva scosso la testa.

«Volontario.»

D'istinto aveva chinato la testa mentre pronunciava questa parola, quasi fosse una colpa. E si era subito pentito. Aveva rialzato il viso e piantato gli occhi in quelli dell'uomo in piedi davanti a lui.

«Come ti chiami, ragazzo?»

La domanda lo aveva sorpreso. L'uomo aveva colto la sua esitazione e aveva scrollato le spalle.

«Un nome vale l'altro. È solo per sapere come rivolgermi a te. Io sono Lukas Terrance.»

Si era alzato e aveva stretto la mano che l'altro gli porgeva.

«Wendell Johnson.»

Lukas Terrance non aveva mostrato perplessità per i guanti di cotone. Aveva indicato con un cenno del capo un grande pick-up nero e rosso che portava sulle fiancate gli stessi marchi che aveva sulla tuta. Era fermo a una pompa alle loro spalle e un inserviente di colore gli stava facendo il pieno. Al traino aveva un carrello con sopra una monoposto per le corse negli ovali su terra. Era uno strano mezzo, con le ruote scoperte e la cabina di guida che sembrava a malapena poter contenere un uomo. Una volta ne aveva vista una simile sulla copertina di «Hot Rod», una rivista di motori.

Terrance aveva chiarito la sua posizione.

«Sto andando a nord, al Mid-Ohio Speedway, verso Cleveland. Chillicothe non è proprio di strada, ma posso fare una piccola deviazione. Se ti va bene viaggiare senza fretta e senza aria condizionata, posso darti un passaggio.»

Aveva risposto all'offerta con una domanda.

«Lei è un pilota, signor Terrance?»

L'uomo si era messo a ridere. Ai lati degli occhi, sul viso abbronzato, gli si era formata una ragnatela di rughe.

«Oh no. Sono solo una specie di tuttofare. Meccanico, autista, uomo di griglia. Di partenza e di barbecue, se serve.»

Aveva fatto un gesto con le mani, un gesto che riassumeva i fatti della vita.

«Jason Bridges, il mio pilota, sta viaggiando comodo su un aereo, in questo momento. A noi maestranze spetta la fatica, ai piloti la gloria. Ma se devo essere onesto, di gloria non ne arriva molta. Come pilota è una mezzasega. Tuttavia continua a correre. Cose che succedono, quando hai un padre con il portafoglio gonfio. Le auto si comprano, le palle no.»

L'inserviente aveva finito il rifornimento e si era girato a cercare con lo sguardo l'autista del pick-up. Quando lo aveva individuato gli aveva fatto un gesto eloquente, indicando la fila di auto in attesa. Terrance aveva battuto le mani cancellando così tutte le parole precedenti.

«Bene, si va? Nel caso la tua risposta sia affermativa, da questo momento puoi anche chiamarmi Lukas.»

Aveva raccolto la sacca da terra e lo aveva seguito.

La cabina di guida era un caos di carte stradali, riviste di parole crociate e numeri di «Mad» e «Playboy». Terrance gli aveva fatto posto sul sedile del passeggero spostando una confezione di biscotti Oreo e una lattina vuota di Wink.

«Devi scusarmi. Non abbiamo mai molti passeggeri su questa carretta.»

Avevano lasciato alle spalle con calma la stazione di servizio e poi Florence e infine il Kentucky. Presto, quei momenti e quei posti sarebbero stati solo ricordi. E nemmeno dei peggiori. Quelli belli, quelli veri, quelli che avrebbe accarezzato tutta la vita come gatti sulle ginocchia, stava andando a crearseli.

Era stato un viaggio piacevole.

Aveva ascoltato gli aneddoti del suo autista sul mondo

delle corse e in particolare sul pilota che seguiva. Terrance era un brav'uomo, scapolo, in pratica senza fissa dimora, che viveva da sempre nell'ambiente delle gare senza mai avere trovato uno spazio in quelle veramente importanti, come la NASCAR o la Indy. Citava nomi di piloti famosi, gente del calibro di Richard Petty o Parnelli Jones o A.J. Foyt come se li avesse conosciuti di persona. E forse li aveva conosciuti davvero. In ogni caso sembrava gli facesse piacere pensarlo e a tutti e due andava bene così.

Nemmeno una volta avevano accennato alla guerra.

Passato il confine, il pick-up con il suo guscio da corsa al seguito aveva imboccato senza fretta e senza aria condizionata la Route 50, che portava dritto a Chillicothe. Seduto al suo posto, con il finestrino aperto, mentre seguiva i racconti di Terrance, a poco a poco aveva visto il tramonto prepararsi a diventare notte, con quella tenace luminosità persistente tipica delle sere d'estate. I posti d'un tratto erano diventati familiari e infine era apparso un cartello con la scritta «Benvenuti nella Ross County».

Era a casa.

O meglio, era dove voleva arrivare.

Un paio di miglia dopo Slate Mills aveva chiesto al suo stupito compagno di fermarsi. Lo aveva lasciato alla sua perplessità e al resto del suo viaggio e adesso camminava come un fantasma in aperta campagna. Solo le luci di un gruppo di case che sulla cartina stavano sotto il nome di North Folk Village apparivano in lontananza a indicargli la strada. E ogni passo sembrava molto più faticoso di tutti quelli che aveva stampato nel fango del Nam.

Finalmente arrivò a quella che era stata la sua meta fin da quando era partito dalla Louisiana. A poco meno di un miglio dal Village, imboccò un viottolo sterrato sulla sinistra e dopo qualche centinaio di iarde raggiunse un capannone in muratura, cintato da una rete metallica. Sul retro c'era uno spiazzo illuminato da tre lampioni, dove, fra cataste di tubi per ponteggi, erano parcheggiati un'autogru a otto ruote, un furgone Volkswagen, un Mountaineer Dump Truck con la pala dello spartineve.

Quella era stata la sua casa per tutto il tempo in cui aveva vissuto a Chillicothe. E sarebbe stato il suo appoggio per l'ultima notte che ci avrebbe trascorso.

Dall'interno della costruzione non usciva luce a rivelare presenze.

Prima di proseguire, si accertò che non ci fosse nessuno nelle vicinanze. Infine si avviò, costeggiando la recinzione sulla destra fino al lato più in ombra. Arrivò a una macchia di cespugli che lo proteggeva dalla vista. Appoggiò la sacca a terra e tirò fuori un paio di pinze che aveva comprato in un emporio durante il viaggio. Tagliò la rete quel tanto che gli bastava per permettergli di entrare. Immaginò la figura robusta di Ben Shepard in piedi davanti all'apertura e sentì con le orecchie del ricordo la sua voce sibilante che se la prendeva con «*quei maledetti figli di puttana che non hanno rispetto per la proprietà altrui*».

Appena dentro, si avviò verso una piccola porta in ferro, accanto al portone scorrevole dipinto di blu che era l'ingresso carraio del capannone. Sopra era appesa una grande insegna bianca con una scritta azzurra. Diceva a chiunque fosse interessato che quel posto era la sede della «Ben Shepard – Demolizioni Ristrutturazioni Costruzioni». Non aveva più la chiave ma sapeva dove il suo vecchio datore di lavoro ne lasciava una di riserva, sempre che avesse conservato quell'abitudine.

Aprì lo sportello dell'estintore. Subito dietro al fusto rosso c'era la chiave che cercava. La prese con un sorriso sulle labbra martoriate e andò ad aprire la porta. Il battente scivolò verso l'interno senza cigolii.

Un passo e fu dentro.

La poca luce che riusciva a entrare dall'esterno, attraverso i vetri posti in alto sui quattro lati, rivelava un capannone pieno di attrezzi e macchinari. Caschi da lavoro, tute appese, due betoniere di diversa capienza. Alla sua sinistra un lungo bancone pieno di strumenti per la lavorazione del legno e del ferro.

Il caldo umido, la penombra, l'odore, erano oggetti familiari. Ferro, cemento, legno, calce, cartongesso, lubrificante. Il vago afrore di corpi sudati dalle tute appese ai ganci. Invece il gusto che sentiva in bocca era del tutto nuovo. Era il gusto acido della lacerazione, il rigurgito di tutto quello che gli era stato strappato. La vita di tutti i giorni, l'affetto, l'amore. Quel poco che aveva conosciuto quando Karen gli aveva insegnato che cosa meritasse quel nome.

Avanzò nella semioscurità, badando a dove metteva i piedi, verso una porta sul lato destro. Sforzandosi di non pensare che quel posto ruvido e spigoloso per lui aveva significato tutto quello che altri ragazzi trovavano in una bella casa dalle pareti tinteggiate di fresco e in una macchina parcheggiata nel garage.

Oltre quella soglia, attaccata al muro del capannone come un mollusco a uno scoglio, c'era un'unica grande stanza con una sola finestra protetta da un'inferriata. Un angolo cottura e un bagno ai lati opposti completavano la pianta della sua dimora abituale. Quando di quel posto era diventato custode, operaio e unico inquilino.

Arrivò alla porta e la spinse.

E rimase a bocca aperta per lo stupore.

Qui le forme erano più nette. La luce dei lampioni del parcheggio che entrava dalla finestra mandava quasi tutte le ombre a rintanarsi negli angoli.

La stanza era in perfetto ordine, come se fosse uscito ore e non anni prima. Non c'era per aria l'idea pruriginosa della polvere e saltavano agli occhi i segni di una pulizia frequente e accurata. Solo il letto era coperto da un telo di plastica trasparente.

Stava per muovere un nuovo passo nella sua vecchia casa, quando di colpo sentì qualcosa urtarlo e strisciargli veloce in mezzo alle gambe. Subito dopo una sagoma scura saltò sul letto, facendo frusciare la plastica.

Chiuse la porta, si avvicinò al tavolino da notte e accese la lampada accanto al letto. Dalla luce tenue che si aggiunse a quella esterna emerse il muso di un grosso gatto nero, che lo guardava con due enormi occhi verdi.

«Walzer. Cristo santo, ci sei ancora.»

Senza paura, l'animale si avvicinò camminando leggermente di traverso per annusarlo. Lui allungò la mano per afferrarlo e il micio si lasciò prendere senza accennare reazione. Si sedette sul letto e se lo tirò sulle ginocchia. Iniziò a grattarlo con delicatezza sotto il mento e quello subito si mise a ronfare, come sapeva avrebbe fatto.

«Ti piace ancora, eh? Sei rimasto il goduroso filosofo che eri.»

Mentre lo accarezzava, con l'altra mano arrivò al punto dove avrebbe dovuto esserci la zampa posteriore destra.

«Vedo che non ti è ricresciuta, nel frattempo.»

Legata al nome di quel gatto c'era una strana storia. Stava facendo per conto di Ben una riparazione nello studio della dottoressa Peterson, la veterinaria. Era arrivata una coppia con un gattino avvolto in una coperta tutta insanguinata. Un cane di grossa taglia era entrato nel loro giardino e lo aveva azzannato, forse facendogli pagare la sola colpa di esistere. Il gatto era stato visitato e subito dopo sottoposto a un intervento chirurgico, ma non era stato possibile salvargli la zampa. Quando la dottoressa era uscita dalla sala operatoria e lo aveva annunciato ai proprietari, i due si erano guardati con l'aria imbarazzata.

Poi la donna, una tipa slavata con un twin-set azzurro, che cercava invano di correggere col rossetto due labbra troppo sottili, si era rivolta con voce dubbiosa alla veterinaria.

«Senza una zampa, dice?»

Subito si era girata per cercare conferma nell'uomo che era al suo fianco.

«Che ne pensi, Sam?»

L'uomo aveva fatto un gesto vago.

«Be', di certo quella povera bestiola soffrirebbe, senza una zampa. Sarebbe menomato a vita. Mi chiedo se a questo punto non sarebbe addirittura meglio...»

Aveva lasciato la frase in sospeso. La dottoressa Peterson lo aveva guardato con aria interrogativa e aveva aggiunto in vece sua l'ultima parola.

«Sopprimerlo?»

I due si erano consultati con uno sguardo già pieno di sollievo. Non gli sembrava vero di aver trovato quella scappatoia, di poter spacciare come la proposta di una fonte autorevole quella che in realtà era una decisione già presa.

«Vedo che anche lei è d'accordo, dottoressa. Allora lo faccia pure. Non soffrirà vero?»

Gli occhi azzurri della veterinaria in quel momento erano di ghiaccio e la sua voce li aveva coperti di brina. Ma i due avevano troppa fretta di lasciare quel posto per accorgersene.

«No, non soffrirà.»

I due avevano pagato ed erano usciti un poco più in fretta di quanto sarebbe stato logico attendersi, accostando con delicatezza la porta. Poi un rumore di auto che giungeva da fuori aveva confermato la condanna senza possibilità di grazia per quella povera bestia. Lui aveva assistito alla scena, senza smettere di lavorare. Solo a quel punto aveva lasciato il gesso che stava impastando in un secchio e si era avvicinato a Claudine Peterson. Tutti e due erano bianchi, lei per via del camice e lui per i segni di polvere che aveva sui vestiti.

«Non lo uccida, dottoressa. Lo prendo io.»

Lei lo aveva guardato senza parlare. I suoi occhi lo avevano frugato a lungo, prima di rispondere. Poi aveva detto due sole parole.

«Va bene.»

Si era girata ed era rientrata nello studio, lasciandolo solo e padrone di un gatto con tre zampe. Proprio da quello era nato il suo nome. Crescendo, il suo modo di camminare gli aveva ricordato il tempo del walzer: un-due-tre, un-due-tre, un-due-tre…

E Walzer era rimasto.

Stava per spostare il gatto, che continuava a fare le fusa beato di fianco a lui sul letto quando, di colpo, la porta venne spalancata da un calcio. Walzer si spaventò e con un guizzo agile sulle sue tre zampe corse a rintanarsi sotto il letto. Una voce imperiosa si riversò nella stanza e in quello che restava delle sue orecchie.

«Chiunque tu sia, è meglio se vieni fuori con le mani bene in vista e senza fare movimenti bruschi. Ho un fucile e sono intenzionato a usarlo.»

Rimase un attimo immobile.

Poi, senza dire una parola, si alzò, avviandosi con calma verso la porta. Poco prima di affacciarsi nel riquadro illuminato, tese le braccia verso l'alto. Quello era l'unico movimento che ancora gli procurava un poco di dolore.

E una marea di ricordi.

# CAPITOLO 5

Ben Shepard si spostò dietro una betoniera, cercando di tenersi nella posizione migliore per avere sotto tiro la porta. Una goccia di sudore polveroso lungo la tempia gli ricordò quanto il capannone fosse caldo e umido. Per un attimo ebbe la tentazione di asciugarla ma preferì non staccare le mani dal Remington. Chiunque ci fosse in quella stanza, non sapeva come avrebbe reagito all'intimazione di uscire. Ma soprattutto non sapeva se fosse armato o no. Ad ogni modo, l'uomo era stato avvisato. Lui reggeva fra le mani un fucile a pompa e non gettava mai parole al vento. Aveva fatto la guerra in Corea. Se quel tipo o quei tipi non credevano che fosse davvero intenzionato a usarlo, si sbagliavano di grosso.

Non successe nulla.

Aveva preferito non accendere luci. Nella penombra, il tempo sembrava un fatto personale fra lui e il battito del suo cuore. Attese per degli istanti che parevano covati dall'eternità.

Era stato un caso che fosse lì a quell'ora.

Stava tornando dopo una serata al bowling con la squadra per cui giocava. Era sulla Western Avenue ed era appena uscito dal North Folk Village quando sul cruscotto del suo vecchio furgone la spia dell'olio si era accesa. Se avesse continuato, avrebbe corso il rischio di grippare. A poche decine di iarde c'era il viottolo che portava al suo capannone. Lo aveva imboccato al volo, invadendo l'altra corsia per fare una larga curva e non essere costretto a frenare. Subito dopo aveva spento il motore e messo in folle per sfruttare l'abbrivio e arrivare fino al cancello.

Mentre si avvicinava all'edificio sentendo il pietrisco sotto gli pneumatici rollare con un suono sempre più grave a mano a mano che perdeva velocità, per un attimo gli era parso di vedere una luminosità scialba trasparire dai vetri. Questo aveva interrotto di colpo dei pensieri non proprio edificanti rivolti a qualunque divinità fosse preposta alla cura degli automobilisti.

Aveva subito fermato il furgone. Aveva sfilato da dietro i sedili il Remington e controllato che fosse carico. Era sceso senza sbattere la portiera e si era avvicinato camminando sul ciglio erboso, per non far rumore con le scarpe pesanti. Quando se ne era andato, un paio d'ore prima, poteva aver dimenticato la luce accesa.

Di certo era così.

Ma in ogni caso aveva preferito sincerarsene stando al sicuro dalla parte giusta della canna di un fucile. Come diceva il suo vecchio, di troppa prudenza non era mai morto nessuno.

Aveva proseguito costeggiando la rete e aveva trovato la recinzione tagliata. Poi aveva visto la stanza sul retro illuminata e un'ombra passare davanti alla finestra.

Le mani posate sul calcio del Remington avevano iniziato a inumidirsi oltre il dovuto. Aveva buttato rapidamente lo sguardo in giro.

Non aveva notato macchine parcheggiate nelle vicinanze e questo fatto lo lasciava perplesso. Il capannone era pieno di materiali e attrezzi. Il loro valore non era elevato, ma avrebbero in ogni caso potuto fare gola a un ladro. Però era tutta roba piuttosto pesante. Gli sembrava strano che qualcuno avesse deciso di venire a ripulirgli il magazzino a piedi.

Aveva superato il varco nella rete e raggiunto l'ingresso accanto al passo carraio. Quando aveva spinto il battente, l'aveva trovato aperto. Al tatto aveva sentito la chiave nella toppa e nella scarsa luce dei lampioni riverberata dal muro chiaro aveva percepito lo sportello dell'estintore socchiuso.

Strano. Molto strano.

Solo lui conosceva l'esistenza della chiave di riserva.

Incuriosito e circospetto in egual misura aveva percorso la sua piccola gimkana furtiva attraverso i materiali ammassati all'interno, fino a spalancare la porta della stanza sul retro con un calcio.

E ora teneva un fucile puntato verso una porta aperta.

Una figura d'uomo con le mani alzate comparve sulla soglia. Fece un paio di passi e si fermò. Ben si mosse di conseguenza, in modo da continuare a essere protetto dalla massa tozza e goffa della betoniera. Da quel punto poteva tenere sotto tiro le gambe di quel tipo e se solo avesse tentato un movimento brusco lo avrebbe abbassato di dieci pollici.

«Sei solo?»

La risposta era arrivata subito. Calma e tranquilla, apparentemente sincera.

«Sì.»

«Bene, ora esco. Se tu o qualche tuo amico avete intenzione di farmi un brutto scherzo, ti faccio un buco nella pancia grosso come un tunnel della ferrovia.»

Attese un attimo e poi uscì con cautela allo scoperto. Teneva il fucile all'altezza del fianco saldamente puntato verso lo stomaco dell'uomo. Fece un paio di passi verso di lui, fino ad arrivare a vederlo bene in viso.

E quello che vide gli depose un velo di brividi sulle braccia e sul collo. L'uomo aveva il viso e la testa completamente sfigurati da quelle che sembravano le cicatrici di ustioni tremende. Dalla faccia proseguivano sul collo e si perdevano nel colletto aperto della camicia. L'orecchio destro era del tutto assente mentre di quell'altro ne era rimasto solo un pezzo, attaccato come una beffa al cranio dove la pelle rimarginata a grana grossa aveva sostituito i capelli.

Solo la zona intorno agli occhi era integra. E adesso quegli occhi lo seguivano mentre si avvicinava, più ironici che preoccupati.

«E tu chi diavolo sei?»

L'uomo sorrise. Ammesso che quello che gli appariva sul viso quando cercava di farlo si potesse chiamare sorriso.

«Grazie, Ben. Almeno non mi hai chiesto *che cosa* sono.»

L'uomo abbassò le braccia, senza chiedere l'autorizzazione a farlo. Solo in quel momento Ben si rese conto che sulle mani portava dei guanti di tessuto leggero.

«Lo so che sono difficile da riconoscere. Speravo che almeno la mia voce fosse rimasta la stessa.»

Ben Shepard sgranò gli occhi. La canna del fucile si abbassò suo malgrado, come se di colpo le braccia fossero diventate così molli da non riuscire a sorreggerlo. Poi la parola gli arrivò come se non ne avesse avuto il dono prima.

«Cristo santo benedetto, Little Boss. Sei tu. Credevamo tutti che fossi...»

La frase rimase in sospeso, come in sospeso erano rimaste le loro vite per tutto quel tempo. L'altro fece un gesto vago con la mano.

«Morto?»

La frase successiva gli uscì dalle labbra come un pensiero ad alta voce e una speranza sottoterra.

«E secondo te non lo sono?»

Ben si sentì di colpo vecchio. E capì che la persona che aveva di fronte si sentiva molto più vecchia di lui. Ancora confuso da quell'incontro inatteso, senza sapere bene che fare o che dire, si avvicinò al muro e tese una mano verso un interruttore. Una improbabile luce di servizio si diffuse per l'ambiente. Quando fece per accenderne un'altra, Little Boss lo fermò con un gesto.

«Lascia stare. Ti garantisco che aumentando la luce non miglioro.»

Ben si accorse di avere gli occhi umidi. Si sentì inutile e stupido. Infine fece l'unica cosa che l'istinto gli dettava. Appoggiò il Remington su una pila di casse, si avvicinò e abbracciò con delicatezza quel soldato che negli occhi aveva solo cose distrutte.

«Cazzo, Little Boss, che bello sapere che sei vivo.»

Sentì le braccia del ragazzo circondargli le spalle.

«Little Boss non esiste più, Ben. Ma è bello essere qui con te.»

Rimasero un istante così, per un affetto che era quello fra un padre e un figlio. Con l'assurda speranza che quando si fossero staccati sarebbe stato un qualunque giorno del passato, e tutto era normale e Ben Shepard, imprenditore edile, si attardava nel capannone per dare le istruzioni al suo operaio per il giorno dopo.

Si sciolsero dall'abbraccio e furono di nuovo quelli di adesso, uno di fronte all'altro.

Ben fece un cenno con la testa.

«Vieni di là. Deve essere rimasta qualche birra. Se ti va.»

Il ragazzo sorrise e gli rispose alla luce della loro vecchia confidenza.

«Mai rifiutare una birra da Ben Shepard. Potrebbe incazzarsi. E non è un bello spettacolo trovarselo di fronte in quelle condizioni.»

Si spostarono nella stanza sul retro. Little Boss andò a sedersi sul letto. Fece un verso di richiamo e subito Walzer uscì dal suo nascondiglio e gli saltò in grembo.

«Hai lasciato tutto com'era. Perché?»

Ben si diresse verso il frigorifero e fu contento che Little Boss non lo vedesse in faccia mentre rispondeva.

«Premonizioni da veggente o incrollabili speranze di un vecchio. Chiamale come preferisci.»

Chiuse lo sportello e si girò con due birre in mano. Col collo di una bottiglia indicò il gatto, che accettava con le sue semplici implicazioni fclinc lc carezze sulla testa e sul collo.

«Ho fatto pulire periodicamente la tua stanza. E ogni giorno ho rimpinzato quella bestiaccia che tieni sulle ginocchia.»

Porse al ragazzo sul letto la sua birra. Poi raggiunse una sedia e per qualche istante bevvero in silenzio. Tutti e due sapevano di essere pieni di domande alle quali ognuno avrebbe faticato a dare una risposta.

Poi Ben capì che doveva essere lui il primo.

Controllando a fatica il desiderio di guardare da un'altra parte, chiese.

«Cosa ti è successo? Chi ti ha conciato così?»

Il ragazzo si prese un tempo lungo come una guerra, prima di rispondere.

«Non è una storia breve, Ben. E piuttosto brutta. Sei sicuro di volerla sentire?»

Ben si appoggiò allo schienale della sedia e la inclinò fino ad appoggiarsi al muro.

«Io ho tempo. Tutto il tempo...»

«...*e tutti gli uomini che ci servono, soldato. Finché tu e i tuoi compagni non avrete capito che in questo Paese sarete sconfitti.*»

*Era seduto a terra, appoggiato a un mozzicone d'albero senza fronde avvinghiato al terreno da radici inutili, le mani legate dietro la schiena. Davanti a lui l'alba stava salendo. Alle spalle sentiva la presenza del suo compagno, anche lui immobilizzato nello stesso modo. Era da un po' che non parlava e non si muoveva. Forse era riuscito ad assopirsi. Forse era morto. Entrambe le ipotesi erano plausibili. Da due giorni stavano fermi in quel posto. Due giorni di cibo scarso, di sonno spezzato dalle fitte ai polsi e dai crampi al sedere. Ora aveva sete e fame e i vestiti erano incollati alla pelle per il sudore e la sporcizia. L'uomo con la fascia rossa intorno alla testa si era chinato su di lui e aveva tenuto sospese davanti ai suoi occhi le loro piastrine di riconoscimento. Le aveva lasciate oscillare con un effetto quasi ipnotico. Poi le aveva girate a proprio favore, come per controllare i nomi, anche se li ricordava benissimo.*

«*Wendell Johnson e Matt Corey. Che ci fanno due bravi ragazzi americani, in mezzo a queste risaie? Non avevate niente di meglio da fare a casa vostra?*»

Certo che ce l'avevo, testa di cazzo pezzo di merda.

*Aveva urlato quella frase solo nella sua testa. Aveva imparato a sue spese qual era il prezzo delle parole espresse, con quella gente.*

*Il guerrigliero era un tipo secco, dall'età indefinibile, con occhi piccoli e infossati. Un poco più alto della media. Parlava un buon inglese sporcato da un accento gutturale. Era passato del tempo*

quanto?

*da quando il suo plotone era stato annientato dall'attacco improvviso dei vietcong. Erano morti tutti, tranne loro due. E*

*subito dopo era iniziato un calvario di continui spostamenti, di
zanzare, di marce esauste fatte di passi guidati dalla volontà, ancora uno, ancora uno, ancora uno…*

*E di botte.*

*Ogni tanto avevano incontrato altri gruppi di combattenti.
Uomini con i visi tutti uguali che trasportavano armi e rifornimenti in bicicletta per sentieri quasi invisibili tracciati fra la
vegetazione.*

*Quelli erano gli unici momenti di sollievo*

dove ci portano Matt?

Non lo so.

Hai idea di dove siamo?

No, ma ce la caveremo Wen, stai tranquillo

*e di riposo.*

*L'acqua, l'acqua benedetta che altrove arrivava con il semplice gesto di aprire un rubinetto, era un attimo di paradiso in
terra che i loro carcerieri sembravano dispensare con un piacere
sadico.*

*Il suo carceriere non aveva atteso una risposta. Sapeva che
non sarebbe arrivata.*

*«Mi dispiace molto che gli altri tuoi compagni siano morti.»*

*«Non credo», gli era sfuggito dalle labbra.*

*Aveva subito teso i muscoli del collo, aspettando come replica uno schiaffo. Invece sul viso del vietcong era apparso un sorriso che solo la luce beffarda degli occhi riusciva a trasformare
in crudele. In silenzio si era acceso una sigaretta. Poi aveva risposto con una voce neutra che suonava stranamente sincera.*

*«Ti sbagli. Davvero mi sarebbe piaciuto avervi vivi. Tutti.»*

*Aveva usato lo stesso tono di voce quando aveva detto*

«Non preoccuparti, caporale. Ora sarai curato…»

*e subito dopo aveva sparato in testa a Sid Margolin, che era
steso a terra e si lamentava per una ferita alla spalla.*

Da un punto dietro di lui era arrivato il brusio miagolante di una radio. Poi un altro guerrigliero, un ragazzo molto più giovane, aveva raggiunto il suo comandante. I due avevano scambiato un frettoloso dialogo, nella lingua incomprensibile di un Paese che mai sarebbe riuscito a capire.

Poi il capo era tornato a rivolgersi a lui.

«Quella di oggi è una giornata che si preannuncia piuttosto divertente.»

Aveva piegato le ginocchia e si era accucciato davanti a lui, in modo da poterlo vedere bene in viso.

«Ci sarà un attacco aereo. Ce ne sono tutti i giorni. Ma il prossimo sarà in questa zona.»

In quel momento aveva capito. C'erano uomini che andavano in guerra perché ci dovevano andare. Altri che sentivano di doverci andare. L'uomo con la fascia rossa c'era perché gli piaceva. Quando la guerra fosse finita, probabilmente se ne sarebbe inventata un'altra, forse solo sua, pur di continuare a combattere.

E a uccidere.

Quel pensiero gli aveva dipinto in faccia un'espressione che l'altro aveva frainteso.

«Che c'è? Ti stupisci, soldato? Credi che le scimmie gialle, i Charlie, come ci chiamate, non siano in grado di svolgere operazioni di intelligence?»

Gli aveva dato con il palmo della mano un buffetto sulla guancia, tanto più beffardo in quanto lieve come una carezza.

«E invece ne siamo capaci. E oggi avrai modo di scoprire per chi combatti.»

Si era rialzato di scatto e aveva fatto un gesto. Subito quattro uomini armati di AK-47 e fucili erano arrivati di corsa e li avevano circondati, tenendoli sotto tiro. Un quinto si era avvicinato e aveva sciolto loro i polsi. Con un gesto brusco li aveva invitati a sollevarsi.

*Il comandante aveva indicato il sentiero davanti a loro.*

*«Da quella parte. In fretta e in silenzio, per favore.»*

*Li avevano spinti senza troppi riguardi verso la direzione indicata. Dopo pochi minuti di marcia a passo veloce erano sbucati in una vasta radura sabbiosa, costeggiata sul lato alla loro destra da quella che sembrava una piantagione di alberi della gomma, posti a una distanza così regolare da sembrare un puntiglio della natura nel caos della vegetazione tutto intorno.*

*Erano stati separati e legati a due tronchi quasi alle estremità opposte della radura, in modo che fra loro ci fosse una lunga linea di alberi. Subito dopo aver sentito i lacci assicurargli i polsi, un bavaglio gli era stato stretto sulla bocca.*

*La stessa sorte era toccata al suo compagno, che per un accenno di ribellione si era preso un colpo con il calcio del fucile in mezzo alla schiena.*

*L'uomo con la fascia rossa si era avvicinato con la sua aria sorniona.*

*«Voi che lo usate con tanta facilità dovreste sapere che effetto fa il napalm. La mia gente lo sa da tempo...»*

*Aveva indicato un punto imprecisato nel cielo di fronte a lui.*

*«Gli aerei arriveranno di là, soldato americano.»*

*Gli aveva rimesso al collo la piastrina di riconoscimento. Quindi gli aveva girato le spalle e se n'era andato, seguito dai suoi uomini, silenziosi come solo loro sapevano essere. Erano rimasti soli, a guardarsi da lontano e a chiedersi perché e che cosa e quando. Poi da quel punto oltre gli alberi, nel cielo davanti a loro, era arrivato il rumore di un motore. Il Cessna L-19 Bird Dog era uscito come il frutto di un sortilegio dal bordo della vegetazione. Era in missione di ricognizione e stava volando a bassa quota. Li aveva quasi superati quando di colpo il pilota aveva compiuto una virata, facendo scendere ancora di più l'apparecchio. Tanto da permettergli di vedere con chiarezza la sagoma dei due uomini all'interno della carlinga. Poco dopo, finito il gioco di prestigio, il velivolo era tornato a inseguire il cielo da cui era venuto. Il tempo era trascorso nel silenzio e nel sudore in quantità indefinibili. Poi un sibilo e una coppia di Phantom era arrivata a una velocità che la loro paura aveva scomposto in fotogrammi e aveva portato con sé il tuono. Solo dopo, per una bizzarria, il lampo. Aveva visto il bagliore crescere e diventare una striscia di fuoco che avanzava come danzando dopo aver divorato tutto sulla sua strada e la striscia era arrivata su di loro e aveva investito...*

«...in pieno il mio compagno, Ben. Lui è stato letteralmente incenerito. Io ero più lontano e sono stato solo colpito da un'ondata di calore tale da ridurmi in questo stato. Non so come ho fatto a salvarmi. E non so quanto tempo sono rimasto lì prima che arrivassero i soccorsi. Ho dei ricordi molto confusi. So che mi sono svegliato in un ospedale, coperto di bende e con degli aghi infilati nelle vene. E credo che ci vogliano le vite di molti uomini per provare il dolore che ho provato io in quei pochi mesi.»

Il ragazzo fece una pausa. Ben capì che era per lasciargli assimilare quello che gli aveva appena detto. O per prepararlo alla conferma successiva.

«I vietcong ci hanno usati come scudi umani. E quelli del ricognitore ci hanno visti. Sapevano che eravamo lì. E hanno attaccato lo stesso.»

Ben si guardò la punta delle scarpe. In quel momento qualunque cosa avesse detto a proposito di quell'esperienza sarebbe stata inutile.

Decise di tornare al presente e a tutte le sue incertezze.

«Che hai intenzione di fare ora?»

Little Boss sollevò le spalle, con noncuranza.

«Ho solo bisogno di un appoggio per qualche ora. Devo vedere un paio di persone. Poi passerò a prendere Walzer e me ne andrò via.»

Il gatto, indifferente come tutti i suoi simili, si alzò dalle ginocchia del suo padrone e sistemò le sue tre zampe in una posizione più comoda sul letto.

Ben staccò la sedia dal muro e la lasciò ricadere a terra.

«Sento che stai per cacciarti nei guai.»

Il ragazzo scosse la testa, nascosto dietro al suo non sorriso.

«Io non posso cacciarmi nei guai.»

Si sfilò i guanti di cotone e tese verso Ben le mani coperte di cicatrici.

«Vedi? Niente impronte digitali. Cancellate. Qualsiasi cosa tocchi, non lascio tracce.»

Parve riflettere un istante, come se finalmente avesse trovato per se stesso la definizione giusta.

«Io non esisto più. Sono un fantasma.»

Lo guardò con occhi che chiedevano molto anche se erano disposti a concedere poco.

«Ben, dammi la tua parola d'onore che non dirai a nessuno che sono stato qui.»

«Nemmeno a…?»

Lo interruppe secco, preciso. Prima ancora che avesse il tempo di terminare la frase.

«A nessuno, ho detto. Mai.»

«Altrimenti?»

Un attimo di silenzio. Poi dalla sua bocca martoriata uscirono parole fredde come quelle dei morti.

«Ti uccido.»

Ben Shepard capì che per il ragazzo il mondo era scomparso. Non solo quello che aveva dentro, ma anche quello che gli stava intorno. Un brivido gli percorse la schiena. Era partito con uomini del suo Paese per combattere una guerra contro altri uomini che gli avevano ordinato di odiare e uccidere. Dopo quello che era successo, le parti si erano invertite.

Era tornato a casa e per tutti *lui* era diventato il nemico.

CAPITOLO 6

Seduto nell'oscurità attendeva.

Da tanto tempo aspettava quel momento e adesso che era arrivato la fretta o l'ansia erano del tutto assenti. Gli sembrava che la sua presenza in quel posto fosse del tutto normale, prevista, contemplata. Come l'alba o il tramonto o qualsiasi altra cosa che doveva essere e che ogni giorno, giorno dopo giorno, era.

Appoggiata sulle ginocchia teneva una Colt M1911, l'arma d'ordinanza dell'esercito. Il buon Jeff Anderson, che era stato privato delle gambe ma non della sua natura di maneggione, gli aveva procurato quella pistola senza fare domande. E, forse per la prima volta in vita sua, non gli aveva chiesto niente in cambio. L'aveva tenuta nella sacca, avvolta in uno straccio, per tutto il viaggio.

L'unica cosa leggera che portasse con sé.

La stanza in cui si trovava era un salotto con un divano e due poltrone al centro, disposti a ferro di cavallo in favore del televisore accostato al muro. Un ordinario arredamento di una ordinaria casa americana, nella quale era chiaro che viveva un uomo da solo. Pochi quadri dozzinali alle pareti, un tappeto che non ispirava un senso di pulizia, qualche piatto di un vecchio pasto nell'acquaio. E odore di sigarette dappertutto.

Davanti a lui, sulla destra, la porta della cucina. A sinistra, un'altra porta attraverso la quale, dopo aver percorso un piccolo vestibolo, si entrava in casa dall'ingresso in giardino. Alle sue spalle, protetto da una sporgenza di muro, l'accesso alle scale che portavano al piano di sopra. Quando era arrivato e si era accorto che la casa era deserta, aveva forzato la porta sul retro e aveva rapidamente perlustrato l'interno.

Mentre lo faceva, aveva nelle orecchie la voce del sergente istruttore a Fort Polk.

*Prima di tutto, ricognizione dei luoghi.*

Dopo aver preso coscienza della disposizione delle stanze, aveva scelto di attendere nel salotto perché poteva tenere sotto controllo sia l'ingresso principale che quello di servizio.

*Scelta strategica della posizione.*

Si era seduto sul divano e tolto la sicura alla pistola. Il colpo era scivolato in canna con un rumore secco come la sua bocca.

*Controllo dell'efficienza delle armi.*

E mentre aspettava, il suo pensiero era ritornato a Ben.

Aveva ancora negli occhi la sua espressione quando lo aveva minacciato. Nessuna traccia di paura, solo di delusione. Aveva cercato invano di cancellare quelle due parole cambiando discorso. Chiedendo quello che in realtà avrebbe voluto chiedergli dal primo istante del loro incontro.

«Come sta Karen?»

«Bene. Ha avuto il bambino. Te l'aveva scritto. Perché dopo non ti sei fatto vivo con lei?»

Aveva fatto una pausa e poi aveva proseguito, con un tono più basso.

«Quando le hanno detto che eri morto, ha pianto tutte le lacrime che si potevano piangere.»

C'era una nota di rimprovero in quelle parole e in quella voce. Lui si era alzato di scatto, indicando se stesso con le mani.

«Ben, mi vedi? Le cicatrici che ho sul viso le ho su tutto il corpo.»

«Lei ti amava.»

Ben si era corretto subito.

«Lei ti ama.»

Lui aveva scosso la testa, come per scacciare un pensiero molesto.

«Ama un uomo che adesso non esiste più.»

«Io sono certo che…»

Lo aveva fermato con un gesto della mano.

«Le certezze non sono di questo mondo. E quelle poche quasi sempre sono negative.»

Si era girato verso la finestra, perché Ben non lo vedesse in viso. Ma soprattutto per non vedere quello di lui.

«Oh sì, io lo so che succederebbe se andassi da lei. Mi butterebbe le braccia al collo. Ma per quanto?»

Si era girato di nuovo verso Ben. Prima, d'istinto, si era nascosto per un attimo. Ma ora doveva tornare a guardare la realtà in faccia e lasciare che la realtà vedesse in faccia lui.

«Ammesso che tutti gli altri problemi fra di noi fossero risolti, suo padre e tutto il resto, per quanto tempo durerebbe? Io me lo sono chiesto ogni momento, fin dalla prima volta che mi hanno permesso di guardarmi in uno specchio e ho scoperto quello che sono diventato.»

Ben aveva visto nei suoi occhi lacrime che erano diamanti da poco prezzo. Gli unici che poteva permettersi con la paga da soldato. E aveva capito che quelle parole le aveva già ripetute nella sua testa centinaia di volte.

«Te lo immagini cosa vorrebbe dire svegliarsi la mattina e come prima cosa vedere il mio viso? Quanto durerebbe, Ben? Quanto?»

Non aveva atteso risposta. Non perché non volesse saperla, ma perché la sapeva già.

La sapevano tutti e due.

Aveva di nuovo cambiato discorso.

«Sai perché sono partito volontario per il Vietnam?»

«No. Non sono mai riuscito a capire il senso di quella decisione.»

Era tornato a sedersi sul letto e ad accarezzare Walzer. Gli aveva raccontato tutto quello che era successo. Ben era rimasto ad ascoltare in silenzio. Mentre parlava, lo aveva solo guardato in viso, facendo scorrere gli occhi sulla sua pelle martoriata. Quando aveva finito, Ben si era coperto il viso con le mani. La sua voce era filtrata attraverso la barriera delle dita.

«Ma non pensi che Karen…»

Di scatto si era rimesso in piedi e si era avvicinato alla sedia dove stava seduto il suo vecchio datore di lavoro. Come per sottolineare meglio le sue parole.

«Credevo di essere stato chiaro. Non sa che sono vivo e non deve saperlo.»

A quel punto anche Ben si era alzato e in silenzio lo aveva abbracciato di nuovo, con più forza questa volta. Lui non era riuscito a ricambiare quella stretta. Era rimasto con le braccia abbandonate lungo i fianchi, finché l'altro si era staccato.

«Ci sono cose che nessuno dovrebbe provare nella vita, mio povero ragazzo. Non so se è giusto che io lo faccia. Per te, per Karen, per il bambino. Ma per quello che mi riguarda io non ti ho mai visto.»

Quando era uscito, Ben era davanti alla porta del capannone. Non gli aveva chiesto né dove andasse né cosa ci andasse a fare. Ma nei suoi occhi c'era l'amaro convincimento che presto lo avrebbe saputo. Sentiva lo sguardo suo malgrado complice seguirlo mentre si allontanava.

In quel momento c'erano due sole cose certe, per tutti e due.

La prima era che Ben non lo avrebbe tradito.

La seconda che non si sarebbero rivisti mai più.

Aveva attraversato la città e percorso a piedi il tragitto fino alla casa al fondo di Mechanic Street. Preferiva farsi qualche miglio piuttosto che chiedere in prestito un'auto a Ben. Voleva evitare in qualunque modo di coinvolgerlo oltre il dovuto in quella brutta storia. E non aveva la minima intenzione di farsi beccare mentre cercava di rubare un'auto.

Mentre camminava, Chillicothe gli era sfilata immobile intorno senza accorgersi di lui, come sempre. Era solo un posto qualunque in America, quello dove si era accontentato di un briciolo di speranza quando molti ragazzi della sua età si muovevano con noncuranza fra cumuli di cose sicure.

Aveva percorso strade ed evitato persone e schivato luci e ogni passo era un pensiero e ogni pensiero…

Il motore di una macchina nel vialetto lo riportò all'attenzione che per un attimo aveva perso. Si alzò dal divano e si avvicinò alla finestra. Scostò una tendina che odorava di polvere e guardò fuori. Una Plymouth Barracuda ultimo modello era parcheggiata con il muso puntato verso la saracinesca del garage. Le luci dei fari morirono sul cemento e uno dopo l'altro dalla macchina scesero Duane Westlake e Will Farland.

Erano tutti e due in divisa.

Lo sceriffo era un poco più corpulento dell'ultima volta che lo aveva visto. Troppo cibo e troppa birra, forse. Forse sempre più pieno di merda. L'altro era rimasto magro e allampanato e maledetto come lo ricordava.

I due si avvicinarono chiacchierando alla porta d'ingresso.

Non riusciva a credere alla sua fortuna.

Aveva ipotizzato di dover fare due visite, quella notte.

Ora il caso gli stava offrendo su un piatto di platino la possibilità di evitarne una. E di fare in modo che ognuno dei due sapesse...

La porta si aprì e prima che la luce invadesse la stanza ebbe modo di vedere le sagome dei due uomini stampate nel riquadro che la luce aveva ritagliato sul pavimento.

Il chiaro e lo scuro.

Il grosso e il secco.

Il male e il peggio.

Si spostò verso le scale e per qualche istante rimase appoggiato al muro ad ascoltare le loro voci. Il dialogo passò nella sua testa come le pagine di un testo teatrale che una volta Karen gli aveva fatto leggere.

Westlake.

«Che ne hai fatto di quei ragazzi che abbiamo fermato? Chi sono?»

Farland.

«Quattro vagabondi di passaggio. Solita roba. Capelli lunghi e chitarre. Non abbiamo niente contro di loro. Però, in attesa di accertamenti, stanotte la passeranno al fresco.»

Una pausa. Ancora Farland.

«Ho detto a Rabowsky di metterli in cella con qualcuno tosto, se capita.»

Udì un risolino che sembrava lo squittire di un topo. Di certo uscito dalle labbra sottili del vicesceriffo.

Di nuovo Farland.

«Stanotte invece dell'amore faranno la guerra.»

Westlake.

«Magari gli viene la voglia di tagliarsi i capelli e di cercarsi un lavoro.»

Dal suo nascondiglio sorrise con l'amaro in bocca.

*Il lupo perde il pelo ma non il vizio.*

Solo che quelli non erano lupi. Erano sciacalli, della peggior specie.

Si sporse con cautela, protetto dalla penombra e dal riparo offerti dal muro. Lo sceriffo andò ad accendere la televisione, gettò il cappello sul tavolo e si lasciò sprofondare in una poltrona. Poco dopo alla luce della stanza si aggiunse il baluginare dello schermo.

E il commento di una partita di baseball.

«Cristo, siamo già quasi alla fine. E stiamo perdendo. Lo sapevo che giocare in California ci avrebbe detto male.»

Si girò verso il suo secondo.

«Se vuoi, c'è della birra in frigo. Intanto che ci vai, prendimene una.»

Lo sceriffo era il capo assoluto e ci teneva a sottolinearlo, anche in caso di ospitalità. Si chiese se si sarebbe comportato nello stesso modo se invece del suo sottoposto ci fosse stato in quella stanza il giudice Swanson.

Decise che quello era il momento. Uscì dal suo nascondiglio con la pistola puntata.

«La birra può aspettare. Alzate le mani.»

Al suono della voce, Will Farland, che stava alla sua destra, ebbe un sussulto. E quando si rese conto del suo aspetto, sbiancò in viso.

Westlake aveva girato la testa di colpo. Vedendolo, rimase un attimo interdetto.

«E tu chi cazzo sei?»

*Domanda sbagliata, sceriffo. Sei sicuro di volerlo sapere?*

«Per ora non ha importanza. Alzati e mettiti al centro della stanza. E tu vai di fianco a lui.»

Mentre i due si muovevano come aveva loro ordinato, Farland, provò a far scivolare la mano verso la fondina della pistola.

Prevedibile.

Fece un paio di rapidi passi di lato in modo da inquadrarlo completamente e scosse la testa.

«Non ci provare. Quest'arma la so usare molto bene. Mi credi sulla parola o vuoi che te lo dimostri?»

Lo sceriffo sollevò le mani in un gesto che voleva essere tranquillizzante.

«Senti amico, cerchiamo di stare tutti calmi. Io non so chi tu sia e cosa cerchi, ma ti ricordo che la tua presenza in questa casa già costituisce un reato. Inoltre stai minacciando con un'arma due rappresentanti della legge. Non pensi che la tua posizione sia già abbastanza grave? Prima di fare altre cazzate ti consiglio di...»

«I suoi consigli portano male, sceriffo Westlake.»

Stupito nel sentir pronunciare il suo nome, l'uomo aggrottò le sopracciglia e inclinò un poco la grossa testa di lato.

«Ci conosciamo?»

«Le presentazioni rimandiamole a dopo. Ora Will siediti per terra.»

Farland era troppo interdetto per essere incuriosito. Girò gli occhi verso il suo superiore, incerto sul da farsi.

La voce che si sentì arrivare addosso cancellò ogni dubbio.

«Non è più lui che comanda, pezzo di merda. Sono io adesso. Se preferisci finire a terra da morto, sono in grado di accontentarti.»

L'uomo si piegò sulle lunghe gambe e si sedette aiutandosi con la mano appoggiata sul pavimento. A quel punto, con la canna della pistola, lo indicò allo sceriffo.

«Adesso, con calma e senza movimenti bruschi, sfilagli le manette dalla cintura e legalo con le mani dietro la schiena.»

Westlake si fece rosso in viso per lo sforzo, mentre si piegava ed eseguiva l'ordine. Il doppio e secco *clack* delle manette che si chiudevano segnò l'inizio della prigionia del vicesceriffo Will Farland.

«Adesso prendi le tue e mettitene una al polso destro. Poi girati tenendo le braccia dietro la schiena.»

C'era rabbia negli occhi dello sceriffo. Ma di fronte a quegli stessi occhi c'era anche una pistola. Obbedì all'ordine e subito dopo una mano sicura fece scattare l'altra manetta al polso libero.

E quello fu l'inizio della sua prigionia.

«Siediti accanto a lui, adesso.»

Lo sceriffo non poteva aiutarsi con le mani. Piegò le ginocchia e cadde a terra in un modo goffo, appoggiando con violenza la sua mole contro la spalla di Farland. Per poco non finirono tutti e due distesi sul pavimento.

«Chi sei?»

«I nomi vanno e vengono, sceriffo. Solo i ricordi restano.»

Sparì per un attimo dietro il muro che nascondeva le scale. Quando tornò reggeva in mano una tanica piena di benzina. Durante l'ispezione della casa l'aveva trovata nel garage, accanto a una falciatrice. Di certo era una riserva che lo sceriffo si teneva in casa per non restare a secco quando tosava il prato. Questa insignificante scoperta gli aveva fatto venire in testa una piccola idea e messo addosso una grande gioia.

Infilò la pistola nella cintura e si avvicinò ai due uomini. Con calma iniziò a versare loro addosso il contenuto della tanica. I loro vestiti si macchiarono di scuro mentre l'odore acre e oleoso della benzina si spargeva nella stanza.

Will Farland si scostò d'istinto per evitare di prendere il getto sul viso e diede una testata alla tempia dello sceriffo. Westlake non ebbe nessuna reazione. Il dolore era stato anestetizzato dal panico che iniziava ad affiorare nei suoi occhi.

«Che cosa vuoi? Soldi? Non ho molto in casa, ma in banca…»

Il vice interruppe per una volta il suo capo, con una voce resa stridula dalla paura.

«Anche io ne ho. Quasi ventimila dollari. Te li darò tutti.»

*Che ci fanno due bravi ragazzi americani in mezzo a queste risaie?*

Mentre continuava a versare addosso ai due il liquido della tanica, gli fece piacere pensare che le loro lacrime non fossero causate solo dai vapori della benzina. Parlò con il tono rassicurante che un giorno qualcuno gli aveva insegnato.

*Non preoccuparti, caporale. Ora sarai curato…*

«Già. Forse possiamo metterci d'accordo.»

Un barlume di speranza arrivò a confortare il viso e le parole dello sceriffo.

«Certo. Domani mattina ci accompagni in banca e ti prendi un sacco di soldi.»

«Sì, potremmo fare così…»

La voce che concedeva l'illusione sparì di colpo.

«Ma non lo faremo.»

Con il residuo di benzina contenuto nel fusto segnò sul pavimento una striscia che arrivava fino alla porta. Mise la mano in tasca e ne estrasse uno Zippo. Un odore nauseabondo si aggiunse a quello pungente che già riempiva la stanza. Farland si era liberato nei calzoni.

«No, ti prego, non farlo, non farlo per l'amor di…»

«Chiudi quella bocca di merda!»

Westlake aveva interrotto quell'inutile piagnucolio. Recuperò un poco di orgoglio con la forza dell'odio e della curiosità.

«Chi sei, bastardo?»

Il ragazzo che era stato un soldato lo guardò un istante in silenzio.

*Gli aerei arriveranno di là...*

Poi disse il suo nome.

Lo sceriffo sgranò gli occhi.

«Non è possibile. Tu sei morto.»

Fece scattare l'accendino. Gli occhi terrorizzati dei due uomini erano fissi sulla fiamma. Sorrise e per una volta fu contento che il suo sorriso fosse una smorfia.

«No, figli di puttana. *Voi* siete morti.»

Con un gesto plateale, aprì la mano più del dovuto e lasciò cadere lo Zippo a terra. Non sapeva quanto sarebbe durata per i due uomini la caduta dell'accendino. Ma sapeva bene quanto poteva essere lungo quel breve tragitto.

Niente tuono, per loro.

Solo il rumore metallico dello Zippo che batteva sul pavimento. Poi un luminoso sbuffo caldo e subito dopo una lingua di fiamma che avanzava danzando fino a inghiottirli come un anticipo dell'inferno che li attendeva.

Rimase a sentirli urlare e a vederli agitarsi e bruciare finché nella stanza non si sparse l'odore della carne ustionata. Lo respirò a pieni polmoni, godendo del fatto che questa volta la carne non era la sua.

Poi aprì la porta e uscì in strada. Cominciò a camminare lasciandosi la casa alle spalle, sentendo le grida accompagnarlo come una benedizione mentre si allontanava.

Poco dopo, quando le grida cessarono, seppe che la prigionia dello sceriffo Duane Westlake e del suo vice Will Farland era finita.

# TROPPI ANNI DOPO

# CAPITOLO 7

Jeremy Cortese guardò la BMW scura che si allontanava con il desiderio segreto di vederla esplodere. Aveva la certezza che, a parte l'autista, delle persone che c'erano all'interno il mondo non avrebbe sentito la minima mancanza.

«Andate a fare in culo, idioti.»

Con questo commento a fare da navigatore satellitare, lasciò la macchina a perdersi nel traffico e rientrò in una delle due baracche del cantiere. In realtà erano due scatole in lamiera montate su ruote e allineate allo steccato che delimitava l'area dei lavori.

Resistette alla tentazione di accendere una sigaretta.

La riunione tecnica appena conclusa lo aveva indisposto e aveva aumentato il malumore che si stava trascinando addosso dall'inizio della giornata, anche se non ne era la sola causa.

La sera prima era stato al Madison Square Garden a vedere i Knicks perdere malamente contro i Dallas Mavericks. Ne era uscito con un senso di amarezza che lo portava ogni volta a chiedersi il perché della sua ostinazione nel frequentare quel tempio dello sport.

L'aggregazione, la festa, la passione comune da tempo avevano smesso di appartenergli. Che la sua squadra vincesse o perdesse, si ritrovava a casa sempre con lo stesso frusto pensiero.

E solo.

Andare a caccia di ricordi non è mai un bell'affare. Qualunque cosa trovi sulla tua strada, rimane in ogni caso un nulla di fatto. Quelli belli non li puoi più catturare e quelli brutti non li puoi uccidere. E ogni respiro sembrava fatto d'aria malsana, quella che si ferma in gola e lascia un cattivo sapore in bocca.

Tuttavia, ogni volta ci tornava, nutrendo quell'istinto a farsi del male che ogni essere umano, in misura maggiore o minore, porta dentro di sé.

Più volte, durante la partita, aveva lasciato correre lo sguardo sulla gradinata intorno a lui, fino a perdere a poco a poco l'interesse per quello che succedeva sul campo dove si agitavano quei ragazzi con le loro divise colorate.

Con una malinconica vaschetta di popcorn in mano, aveva visto padri e figli esultare per una schiacciata di Irons o a una tripla di Jones e gridare in coro con il resto dei tifosi, scandendo le sillabe della parola «Difesa! Difesa! Difesa!» quando la squadra avversaria attaccava.

Un tempo lo aveva fatto anche lui, quando andava a vedere le partite con i suoi figli e sentiva di rappresentare qualcosa nella loro vita. Ma quella si era rivelata un'illusione, mentre la verità era che loro rappresentavano tutto nella sua.

Quando uno dei Knicks ne aveva messo dentro una da tre, anche lui si era alzato, esultando per inerzia insieme a una folla di perfetti sconosciuti e approfittando di quel pretesto per ricacciare dentro qualcosa che stava salendo verso i suoi occhi.

Poi era tornato a sedersi. Alla sua destra c'era un posto vuoto e alla sua sinistra un ragazzo e una ragazza si guardavano e parevano chiedersi perché stavano lì invece di essere in un letto qualunque in una casa qualunque a farsi del bene.

Quando andava al Madison con i suoi figli, si sedeva sempre in mezzo a loro. John, il più piccolo, di solito si metteva alla sua destra e controllava con lo stesso interesse il gioco e il va e vieni dei venditori di bibite, zucchero filato e tutta una serie di altre cibarie da spalto. Jeremy lo aveva paragonato spesso a una fornace che poteva bruciare hot dog e popcorn come una vecchia locomotiva a vapore bruciava carbone. Più di una volta aveva pensato che quel ragazzino non avesse alcun interesse verso la pallacanestro e che il solo piacere nell'andare allo stadio fosse rappresentato dalla manica larga che in quel frangente suo padre mostrava.

Sam, il più grande, quello che assomigliava di più a lui sia fisicamente che caratterialmente, quello che presto lo avrebbe superato in altezza, era invece rapito dalle fasi del gioco. Senza che ne avessero mai parlato, sapeva che il suo sogno sarebbe stato quello di diventare un giorno una stella dell'NBA. Purtroppo Jeremy era convinto che quello sarebbe rimasto un sogno e nulla più. Sam aveva ereditato la sua ossatura grossa e una corporatura che nel tempo avrebbe avuto la tendenza ad allargarsi più che ad allungarsi, anche se faceva parte della squadra della scuola e quando giocavano insieme sotto il canestro dietro casa lo batteva regolarmente.

Lo mortificava addirittura. E ogni volta il suo orgoglio di genitore rendeva Jeremy felice di subire un'umiliazione come quella.

Poi era successo quello che era successo. In realtà non provava sensi di colpa e non aveva colpe da addossare.

Era semplicemente iniziata la demolizione.

Lui e Jenny, sua moglie, si erano ritrovati a girare per casa parlando sempre di meno e discutendo sempre di più. Poi i litigi erano finiti ed era rimasto il silenzio. Senza una ragione vera, erano diventati due estranei. A quel punto la demolizione era conclusa e loro non avevano trovato la forza di mettersi a ricostruire.

Dopo il divorzio, Jenny si era avvicinata ai suoi genitori e adesso viveva nel Queens con i ragazzi. I rapporti fra loro erano rimasti tutto sommato buoni e nonostante quello che aveva stabilito il giudice, lei gli concedeva di incontrare i figli quando voleva. Solo che Jeremy non sempre poteva e poco per volta era successo che i ragazzi lo vedevano con sempre minore frequenza e con sempre minore entusiasmo. Le uscite si erano diradate e le partite allo stadio erano cessate del tutto.

A quanto pareva, demolire era diventata una sua specialità, dentro e fuori il suo lavoro.

Si riscosse da quei pensieri e cercò di tornare al presente.

La Sonora Inc., l'impresa di costruzioni con un fatturato da capogiro per la quale lavorava, aveva rilevato all'angolo fra la Terza Avenue e la 23sima Strada due stabili attigui di quattro piani, pagando una somma considerevole ai proprietari e una simpatica buonuscita alle poche famiglie che ancora abitavano quegli edifici. Al loro posto sarebbe stato innalzato un grande condominio di quarantadue piani, con palestra, piscina sul tetto e altre amenità varie.

A spallate, il nuovo stava eliminando il vecchio.

Erano arrivati quasi alla fine dell'opera di demolizione. Jeremy trovava quel tratto di percorso necessario ma estremamente noioso. Dopo mesi di fatica, rumore e camion che portavano via macerie, pareva che il lavoro non fosse nemmeno cominciato. All'inizio aveva visto con un pizzico di malinconia cadere quei due vecchi edifici in mattoni rossi, un pezzo della poca storia che aveva intorno a sé. Tuttavia l'eccitazione del costruire sarebbe stata un valido antidoto. Presto gli escavatori avrebbero creato spazio sufficiente per gettare fondamenta adatte a sostenere un palazzo di quel genere. E poi sarebbe iniziata la creazione, la salita, l'aggiunta del pezzo al pezzo fino al momento esaltante in cui avrebbero piantato una bandiera a stelle e strisce sul tetto.

In piedi sulla porta della baracca, vide gli operai smettere a uno a uno la propria occupazione e dirigersi verso di lui.

Guardò l'orologio. Le discussioni con quegli imbecilli avevano fatto arrivare la pausa senza che se ne accorgesse. Non aveva fame e soprattutto non aveva voglia, in quel momento, di dividere con i suoi sottoposti le chiacchiere che l'ora del pranzo portava insieme al pasto. Aveva con le persone che lavoravano sotto di lui dei rapporti cordiali, se non amichevoli. Non dividevano altri aspetti della vita ma condividevano il lavoro, che ne rappresentava la maggior parte. E lui voleva che nei cantieri che dirigeva si lavorasse nella maggiore armonia possibile. Per questo motivo si era guadagnato la stima dei suoi superiori e il rispetto delle maestranze, anche se tutti sapevano che era pronto, quando serviva, a togliere il guanto e a mostrare il pugno di ferro.

Il fatto che nel caso specifico non fosse un guanto di velluto ma da fatica non cambiava la sostanza delle cose.

Ronald Freeman, il suo vice, salì nella baracca facendo ondeggiare leggermente il pavimento. Era un uomo di colore, alto e grosso, con una passione per la birra e i cibi piccanti. Le tracce di tutte e due le tendenze erano evidenti sul suo viso e sul suo corpo. Freeman aveva sposato una donna di origine indiana, trovando, come diceva lui, curry per i suoi denti. Una volta Jeremy era stato a cena a casa loro. Appena aveva messo in bocca il primo pezzo di qualcosa che aveva un nome come *masala* si era sentito avvampare ed era stato costretto a bere subito una sorsata di birra. Poi aveva chiesto ridendo al suo ospite se per servire quel cibo fosse necessario il porto d'armi.

Ron si tolse il casco di plastica e si avvicinò all'angolo dove aveva posato il contenitore termico che ogni giorno sua moglie gli preparava. Si sedette sulla panca che costeggiava il lato lungo della baracca e se lo mise sulle ginocchia. Lo vide in faccia e capì che era una di quelle giornate da eliminare dal calendario.

«Grane?»

Jeremy scrollò le spalle, minimizzando.

«Le solite. Quando un architetto e un ingegnere si mettono d'accordo dopo aver litigato fra loro per ore, l'unica cosa che sanno fare è andare alla ricerca di un terzo rompicoglioni per mettere insieme una specie di Triangolo delle Bermude.»

«E l'hanno trovato?»

«Lo sai come gira. Le teste di cazzo si trovano con una facilità disarmante.»

«La Brokens?»

«Già.»

«Se quella donna ne capisse il doppio di quello che ne capisce, non capirebbe un cazzo. A letto deve essere proprio un fenomeno, se suo marito le lascia tutta questa briglia sul collo.»

«Oppure deve essere un pezzo di legno e suo marito la manda in giro a sfiancarsi perché la sera non abbia pretese. Pensa cosa deve essere avere quella donna stesa di fianco e sentirla allungare una mano...»

Ron fece una smorfia di raccapriccio e ratificò con le parole il suo pensiero.

«Personalmente, dovrebbero mettermi una muta di Beagle nelle mutande per stanarlo.»

In quel momento due uomini salirono i gradini e li raggiunsero all'interno della baracca. Ron ne approfittò per aprire il contenitore del cibo. Immediatamente un forte odore di aglio si sparse nell'ambiente.

James Ritter, un giovane operaio con la faccia da bravo ragazzo, fece un passo verso la porta da cui era entrato un secondo prima.

«Cristo santo, Ron. Lo sa la CIA che ti porti dietro delle armi di distruzione di massa? Se mangi tutta quella roba, dopo puoi saldare il ferro con il fiato.»

Per tutta risposta, Freeman portò con ostentazione una forchettata di cibo alla bocca.

«Sei un incompetente. Ti meriti quella spazzatura che mangi di solito, che ti frantuma lo stomaco e ti annulla anche l'effetto del Viagra, del quale sono certo hai già bisogno.»

Jeremy sorrise.

Era soddisfatto di quell'atmosfera di cameratismo. L'esperienza gli aveva insegnato che gli uomini si muovevano meglio se svolgevano un lavoro pesante in un clima leggero. Proprio per questo di solito si preparava qualcosa a casa e consumava il suo pasto seduto in una delle due baracche, insieme ai suoi operai.

Ma quando aveva la luna storta, preferiva stare solo. Per pensare ai fatti suoi e non farli pesare agli altri.

Si avvicinò alla porta e rimase un attimo sulla soglia, a guardare fuori.

«Non mangi, boss?»

Scosse la testa, senza girarsi.

«Faccio un salto al Deli qui dietro. Tornerò per contare le vittime che il cibo di Ron ha fatto.»

Scese i gradini della baracca e si trovò cittadino. Attraversò sulle strisce e si incamminò per la 23sima lasciandosi la Terza Avenue alle spalle. Il traffico non era esagerato a quell'ora e in quella parte della città. New York si sceglieva i suoi ritmi in modo molto regolare, salvo impazzire di tanto in tanto, quando una massa di auto e di gente si riversava senza preavviso e senza motivo per le strade.

In quella città tutto appariva e spariva continuamente, come in un eterno gioco di prestigio: auto, persone, case.

Vite.

Arrivò al Deli camminando deciso, senza soffermarsi davanti a nessuna vetrina. Un poco perché non gli interessava quello che c'era all'interno, ma soprattutto perché non voleva vedere la sua immagine riflessa. Per il timore di accorgersi che anche lui era sparito nel nulla.

Spinse la porta del locale affollato e un afrore di cibo gli arrivò alle narici. Vedendolo entrare, una ragazza asiatica trovò il tempo di sorridergli da dietro alla cassa, prima di tornare alla fila di gente che era in coda per pesare e pagare il proprio cibo.

Percorse lentamente il lungo espositore che serviva da scaldavivande, cercando qualcosa che lo attraesse fra il contenuto dei vari recipienti. Degli inservienti, asiatici anche loro, li sostituivano a mano a mano che si svuotavano. Prese un contenitore di plastica e si servì qualche pezzo di pollo in umido dall'aria accettabile e si fece preparare un'insalata mista.

Nel frattempo la fila alla cassa si era accorciata e dopo poco si trovò davanti alla ragazza che gli aveva sorriso quando era entrato. A un primo sguardo distratto l'aveva giudicata molto più giovane. Ora che la vedeva da vicino, si rese conto che non avrebbe potuto essere sua figlia. Lei sorrise come se fosse disposta a diventare per lui qualcosa di diverso. Jeremy pensò che probabilmente lo faceva con tutti. Pesò i suoi contenitori, pagò la cifra che gli venne richiesta e lasciò la donna a sorridere nello stesso modo al cliente successivo.

Si diresse sul fondo del locale e si sistemò da solo a un tavolo per due. Il pollo manteneva quello che prometteva, vale a dire poco. Lo abbandonò quasi subito. Si dedicò all'insalata, pensando a quanto aveva insistito Jenny, quando stavano ancora insieme, perché mangiasse più verdura.

*Tutto succede troppo tardi. Sempre troppo tardi...*

Inseguì con la lingua i frammenti di insalata che si infilavano fra i denti e li fece sparire dal sorriso con sorsate della birra che aveva preso dal frigo delle bevande.

Il pensiero ritornò alla riunione del mattino con Val Courier, architetto di chiara fama e dubbia sessualità, e Fred Wyring, ingegnere dal calcolo più che sospetto, al quale si era aggiunta la moglie del proprietario della compagnia. La signora Elisabeth Brokens, che sembrava un opuscolo del Botox, stanca di passare da un analista all'altro, aveva deciso che la miglior cura per le sue nevrosi sarebbe stata il lavoro. Non avendo un'attitudine, una preparazione, un'idea, l'unica strada percorribile era stata quella di appoggiarsi al marito. Forse si era liberata delle sue nevrosi, ma solo perché le stava distribuendo a piene mani a tutte le persone con cui veniva in contatto.

Jeremy Cortese non aveva titoli di studio ma la sua laurea se l'era guadagnata sul campo. Giorno dopo giorno, lavorando sodo e imparando da chi ne sapeva più di lui. Trovava le discussioni con gli incompetenti una perdita di tempo, della quale prima o poi avrebbe dovuto rendere conto a qualcuno, nella fattispecie al signor Brokens in persona. Che il suo lavoro lo conosceva bene ma evidentemente non conosceva altrettanto bene la moglie, se le lasciava mettere il becco.

Ogni volta che la vedeva arrivare, era tentato di far scattare il cronografo, per documentare al suo capo quanto tempo gli costava una visita della sua signora al cantiere. Forse sarebbe stato meglio per lui continuare a pagare le parcelle degli analisti. E magari anche quelle di un giovane maestro di tennis o di golf disposto a fare gli straordinari.

Era così immerso nei suoi pensieri che non vide Ronald Freeman entrare. Solo quando fu in piedi di fronte a lui la percezione della sua presenza gli fece alzare lo sguardo dall'insalata.

«Abbiamo un problema.»

Ron fece una pausa e appoggiò le mani al tavolo. Guardandolo fisso. Sul viso aveva un'espressione che non gli aveva mai visto. Se la definizione fosse stata possibile, Jeremy avrebbe detto che era pallido.

«Un grosso problema.»

Quella conferma accese una luce d'allarme nella testa di Jeremy.

«Che succede?»

Ron fece un cenno con il capo verso la porta.

«Forse è meglio che vieni a vedere di persona.»

Senza attendere risposta si girò e si avviò verso l'uscita. Jeremy lo seguì, a metà fra il sorpreso e il preoccupato. Era abbastanza raro vedere il suo vice interdetto di fronte a un'emergenza, quale che fosse.

In strada, camminarono uno di fianco all'altro. Mentre si avvicinavano al cantiere, vide che gli uomini erano usciti dall'area cintata, un gruppo eterogeneo di giubbetti da lavoro e caschi colorati.

Senza accorgersene, affrettò il passo.

Quando arrivarono all'entrata, gli operai fecero largo in silenzio al loro passaggio. Sembrava la scena di un vecchio film, uno di quelli in cui una carrellata mostra volti muti e senza speranza davanti alla galleria di una miniera dove un crollo improvviso ha imprigionato dei minatori all'interno.

*Ma cosa diavolo sta succedendo?*

Non persero tempo a indossare l'elmetto, come la regola del cantiere prescriveva. Jeremy seguì Ronald che aveva piegato a destra. Costeggiarono la staccionata, di fianco ai resti di un muro ancora in piedi e poco dopo si trovarono a scendere per una scala che conduceva al vecchio seminterrato ormai quasi del tutto a cielo aperto. Appena di sotto, il suo vice lo guidò verso la parte opposta dello scavo. L'unico muro ancora parzialmente in piedi era quello più robusto che i due edifici avevano in comune e che era in via di demolizione.

Uno dietro all'altro arrivarono all'angolo di sinistra, quello più lontano dalla scala. Ronald si fermò e si spostò lasciando la vista libera, con un movimento a sipario che ebbe un involontario effetto coreografico.

Jeremy si sentì di colpo rabbrividire. Un conato gli scosse lo stomaco e fu contento di aver mangiato solo dell'insalata.

Il lavoro di smantellamento aveva rivelato un'intercapedine. Da una breccia, aperta dal martello pneumatico, sporco di tempo e di polvere, sporgeva il braccio di un cadavere. Il viso, ridotto quasi a un teschio, era appoggiato a quello che restava della spalla e pareva guardare verso l'esterno con l'amara desolazione di chi è riuscito troppo tardi a ritrovare l'aria e la luce.

CAPITOLO 8

Vivien Light parcheggiò la sua Volvo XC60, spense il motore e rimase un attimo in attesa che il mondo intorno a lei la raggiungesse. Per tutto il viaggio di ritorno da Cresskill aveva avuto la sensazione di essere sfalsata, di muoversi in una esclusiva dimensione parallela, dove lei era più veloce rispetto a tutto il resto. Come se lasciasse dietro di sé una scia composta da frammenti di passato, rapide frazioni e rifrazioni di tempo colorato, visibili come la coda di una cometa dalle auto, dalle case e dalle persone che animavano gli schermi dei finestrini.

Le succedeva ogni volta che saliva a trovare sua sorella.

Ogni viaggio di andata era una speranza, immotivata ma proprio per questo ancora più forte e ancora più deludente, nel ritrovarla uguale a sempre e come sempre bella. Sembrava che per una assurda compensazione i mesi e gli anni non avessero effetto sul suo viso. Solo i suoi occhi erano una macchia azzurra spalancata nel vuoto su cui era affacciata e che la sua malattia continuava lenta a scalare.

Per questo il ritorno era una specie di salto nell'iperspazio, che la faceva riemergere in un posto che l'attendeva al centro della realtà.

Senza civetteria, girò lo specchietto retrovisore verso di lei. Per rivedersi normale, per riconoscersi. Le apparve il viso di una ragazza che qualcuno talvolta aveva definito bella e che qualcun altro aveva sfiorato come se non esistesse. Il gradimento, come sempre succede, era puntualmente invertito rispetto ai suoi interessi.

Era bruna, con i capelli tagliati corti, sorrideva raramente, non incrociava mai le braccia e di tanto in tanto si trovava nella necessità di un contatto fisico con le persone. Nei suoi occhi chiari sembrava esserci una perenne traccia di severità. E nel cruscotto della sua auto c'era una Glock 23 calibro 40 S&W.

Se fosse stata una donna normale, forse il suo approccio quotidiano all'esistenza sarebbe stato diverso. E anche il suo aspetto, forse. Ma i capelli corti erano per impedire che qualcuno avesse modo di afferrarla durante un corpo a corpo, l'espressione severa rappresentava una distanza da mantenere, incrociare le braccia poteva significare insicurezza, toccare una persona serviva a trasmettere un senso di protezione e instaurare un rapporto di confidenza necessario per farla aprire e confidare. E la pistola l'aveva perché era il detective Vivien Light, in forza al 13° Distretto del New York Police Department, sulla 21sima Strada. L'ingresso del suo posto di lavoro le stava alle spalle e aspettava solo che lei scendesse dalla macchina e facesse quei pochi passi che l'avrebbero di nuovo trasformata da una donna in pena in un poliziotto.

Si sporse per prendere la pistola dal cassetto davanti al sedile del passeggero e la infilò nella tasca del giubbotto. Tirò fuori il cellulare e si concesse un altro istante, prima di accenderlo e tornare sulla terra.

Nello specchietto laterale vide due agenti del Distretto uscire dalla porta a vetri dell'ingresso, scendere la scalinata, salire sull'auto e partire veloci, le luci lampeggianti e la sirena accesa. Una chiamata, una delle tante che arrivavano ogni giorno: un'emergenza, una necessità, un crimine. Uomini donne ragazzi che ogni giorno in quella città camminavano in mezzo al pericolo senza possibilità di prevederlo e di combatterlo.

Loro erano lì per quello.

*Cortesia*
*Professionalità*
*Rispetto*

Questo era scritto sulle portiere delle auto della Polizia. Purtroppo non sempre la cortesia, la professionalità e il rispetto bastavano a proteggere tutta quella gente dalla violenza e dalla pazzia umana. A volte, per poterla combattere, un poliziotto doveva permettere che una piccola parte di quella follia entrasse dentro di lui. Con il difficile compito di esserne consapevole e di riuscire a tenerla a bada. Questo faceva la differenza fra loro e le persone con le quali a volte erano costretti a scambiare violenza con violenza. Questo era il motivo per cui lei portava i capelli corti, sorrideva raramente, aveva un distintivo in tasca e una pistola appesa alla cintura.

Senza una ragione, le venne in mente un'antica favola indiana, quella che aveva raccontato un tempo a Sundance e che narrava di un vecchio Cherokee seduto davanti al tramonto con suo nipote.

*«Nonno, perché gli uomini combattono?»*

*Il vecchio, gli occhi rivolti al sole calante, al giorno che stava perdendo la sua battaglia con la notte, parlò con voce calma.*

*«Ogni uomo, prima o poi, è chiamato a farlo. Per ogni uomo c'è sempre una battaglia che aspetta di essere combattuta, da vincere o da perdere. Perché lo scontro più feroce è quello che avviene fra i due lupi.»*

*«Quali lupi, nonno?»*

*«Quelli che ogni uomo porta dentro di sé.»*

*Il bambino non riusciva a capire. Attese che il nonno rom-*

*pesse l'attimo di silenzio che aveva lasciato cadere fra loro, forse per accendere la sua curiosità. Infine, il vecchio che aveva dentro di sé la saggezza del tempo riprese con il suo tono calmo.*

*«Ci sono due lupi in ognuno di noi. Uno è cattivo e vive di odio, gelosia, invidia, risentimento, falso orgoglio, bugie, egoismo.»*

*Il vecchio fece di nuovo una pausa, questa volta per dargli modo di capire quello che aveva appena detto.*

*«E l'altro?»*

*«L'altro è il lupo buono. Vive di pace, amore, speranza, generosità, compassione, umiltà e fede.»*

*Il bambino rimase a pensare un istante a quello che il nonno gli aveva appena raccontato. Poi diede voce alla sua curiosità e al suo pensiero.*

*«E quale lupo vince?»*

*Il vecchio Cherokee si girò a guardarlo e rispose con occhi puliti.*

*«Quello che nutri di più.»*

Vivien aprì la portiera e scese dalla macchina. Accese il telefono, che non appena trovò campo si mise subito a squillare.

Lo portò all'orecchio e d'istinto rispose come se fosse seduta alla sua scrivania.

«Detective Light.»

«Sono Bellew. Dove sei?»

«Proprio qui sotto. Sto entrando.»

«Bene, scendo. Ci vediamo nell'atrio.»

Vivien salì i gradini, superò la porta a vetri e fu all'interno dell'edificio, un punto d'arrivo e di partenza per un campionario di umanità dolente e transitoria. Gente che la vita aveva schiantato, gente che aveva schiantato vite. Ognuno di loro aveva lasciato dietro di sé un residuo che portava immagini alla mente e che si respirava nell'aria. A sinistra, dietro un bancone che occupava tutta la parete, c'erano gli agenti in servizio. I loro piedi poggiavano su una pedana, in modo che chiunque si trovasse davanti a loro fosse costretto a guardare verso l'alto. Alle loro spalle un muro coperto di piastrelle che una volta erano state bianche. Come nelle fiabe, Vivien non sapeva risalire all'origine di quella volta. Ora alcune erano sbrecciate, la fuga era una ragnatela grigiastra e il bianco coperto da una patina opaca che solo il tempo passato male può dare.

Un uomo di colore con le mani ammanettate dietro la schiena era davanti al bancone, con un agente in divisa di fianco che lo teneva per un braccio e un altro dietro al desk che stava formalizzando i dettagli dell'arresto.

Vivien entrò e rispose con un gesto al cenno di saluto dell'agente. Girò a destra e si trovò in un'ampia stanza, dipinta di un colore anonimo, con sedie allineate al centro e un pannello bianco appeso al muro di fronte. Un altro stava su un cavalletto, accanto a una scrivania rialzata. Quella era la sala riunioni dove agli agenti in servizio veniva comunicato l'ordine del giorno e dove si impartivano le direttive generali per le operazioni.

Il capitano Alan Bellew, il suo diretto superiore, sbucò da una porta a vetri che si apriva su un corridoio, di fronte all'ingresso. La vide e venne verso di lei, col suo passo veloce che dava un senso di vigoria fisica. Era un uomo alto, pratico, capace, che amava il suo lavoro e sapeva farlo bene.

Conosceva la difficile situazione famigliare di Vivien. Nonostante la sua giovane età e il fardello che le pesava addosso, i suoi indiscutibili meriti sul lavoro l'avevano spinto a tenerla in particolare considerazione. Fra loro era nato un rapporto di stima reciproca che li aveva portati a collaborare con ottimi risultati. Sia umani che professionali. Uno dei colleghi di Vivien una volta l'aveva definita «La cocca del capitano», ma quando Bellew l'aveva saputo aveva preso da parte il detective e gli aveva fatto un breve discorso. Nessuno sapeva quello che gli aveva detto, ma da quel momento in poi ogni allusione era scomparsa.

Quando fu di fronte a lei, secondo il suo abituale modo di fare, andò subito al sodo.

«C'è appena stata una chiamata. Abbiamo un omicidio. Un cadavere che a quanto pare è vecchio di anni. È saltato fuori in un cantiere durante dei lavori di demolizione. Era murato nella parete divisoria fra due seminterrati.»

Fece una pausa. Quel tanto che bastava per darle il tempo di focalizzare la situazione.

«Mi piacerebbe che te ne occupassi tu.»

«Dov'è?»

Bellew fece un istintivo cenno con la testa verso un punto imprecisato.

«A due isolati da qui, sulla 23sima all'angolo con la Terza. La Scientifica dovrebbe essere già lì. Anche il coroner è per strada. Sul posto ci sono Bowman e Salinas per tenere sotto controllo la situazione, finché non arrivi.»

Vivien realizzò in quel momento dove erano diretti i due agenti che aveva visto partire poco prima.

«Non è un affare che riguarda quelli della Cold Case?»

La Cold Case Squad era il dipartimento della Polizia a cui erano delegati i casi di omicidio ancora irrisolti dopo parecchi anni. Freddi, per l'appunto. E stando alle parole del capitano, quello ci rientrava alla perfezione.

«Per ora ce ne occupiamo noi. Poi vedremo se sarà opportuno trasferirlo a loro.»

Vivien sapeva che per carattere il capitano Alan Bellew riteneva il 13° Distretto un suo territorio personale e che sopportava a fatica le intromissioni di agenti che non fossero alle sue dirette dipendenze.

Vivien fece un cenno di assenso.

«Okay. Ci vado subito.»

In quel momento, da una porta sul lato destro del bancone, dalla parte opposta dell'atrio, uscirono due uomini. Uno era più anziano, con i capelli grigi e il viso abbronzato.

Vela forse, o golf.

*O forse tutte e due*, pensò Vivien.

Il vestito scuro, la valigetta di cuoio e l'aria seria erano i tre elementi che gli appendevano al collo un cartello con scritta una parola: avvocato.

L'altro era più giovane, sui trentacinque anni. Indossava un paio di occhiali scuri e sul viso sciupato c'era una barba di qualche giorno. Il suo abbigliamento era decisamente più sportivo, anche se i vestiti portavano le tracce della notte che aveva passato in cella. E non solo di quella, visto che aveva un segno su un labbro e la manica sinistra della giacca era stracciata all'attaccatura della spalla.

I due uscirono senza guardarsi intorno. Vivien e Bellew li seguirono con gli occhi, finché scomparvero oltre il dondolio della porta a vetri. Il capitano fece un mezzo sorriso.

«Stanotte al Plaza abbiamo avuto ospite una celebrità.»

Vivien conosceva bene il significato di quella frase. Al piano superiore, sul lato di uno stanzone dove stavano una accanto all'altra le scrivanie dei detective, così vicine da sembrare ammassate come in una esposizione di mobili da ufficio, c'era una cella. Di solito ci venivano parcheggiati gli arrestati, a volte per una intera notte, in attesa di essere liberati su cauzione o trasferiti al carcere vicino a Chinatown. Ironicamente l'avevano battezzata *Il Plaza*, per la scomodità delle lunghe panche di legno assicurate alle pareti.

«Chi è quel tipo?»

«Russell Wade.»

«*Quel* Russell Wade? Quello che ha vinto il Pulitzer a venticinque anni? E che gli hanno tolto tre mesi dopo?»

Il capitano fece un cenno del capo. Il sorriso era scomparso dalle sue labbra.

«Già. Proprio lui.»

Vivien sapeva capire quando nella voce del suo superiore c'era una traccia di umana amarezza. Chiunque l'avrebbe provata di fronte a un sistematico e quasi compiaciuto tentativo di autodistruzione. Per motivi personali, anche lei conosceva bene quella situazione.

«L'abbiamo beccato ieri sera, in una retata in una bisca clandestina, ubriaco fradicio. Ha fatto resistenza all'arresto. Credo che si sia beccato pure un cazzotto da Tyler.»

Bellew archiviò subito quella breve parentesi fra le pratiche evase e rimise il motivo del loro incontro al centro della discussione.

«Con buona pace dei vivi, credo che ora tu debba occuparti di un morto. Ha aspettato tanto, non facciamolo aspettare ancora.»

«Penso che ne abbia tutto il diritto.»

Bellew la lasciò sola e Vivien si ritrovò fuori, nell'aria dolce di quel pomeriggio di tarda primavera. Scese i pochi gradini e per un istante ebbe alla sua destra una fugace visione di Russell Wade e dell'avvocato che sparivano in una limousine con autista. La macchina si mosse e le sfilò davanti. L'ospite di una notte al Plaza si era tolto gli occhiali e attraverso il vetro aperto i loro sguardi si incrociarono. Vivien entrò per un attimo in due intensi occhi scuri e rimase stupita dalla immensa tristezza che ci trovò dentro. Poi la macchina passò oltre e quel viso sparì nel movimento e dietro lo schermo del finestrino elettrico. Per un istante due pianeti ai confini opposti della galassia si erano sfiorati ma la distanza era stata ristabilita dalla semplice barriera di un cristallo oscurato.

Un attimo solo e Vivien ritornò chi era e a quello che il mondo si aspettava da lei. Il posto dove avevano trovato il corpo era talmente vicino che avrebbe fatto prima ad andarci a piedi. E intanto già stava elaborando le poche informazioni che erano in suo possesso. Un cantiere era spesso un luogo ideale dove far sparire per sempre una persona indesiderata. Non sarebbe stata la prima volta e nemmeno l'ultima. Un delitto, un corpo nascosto nel cemento, una vecchia storia di violenza e follia.

*Quale lupo vince?*

Lo scontro fra i lupi era iniziato con l'inizio del tempo. Nel viaggio dei secoli c'era sempre stato qualcuno che aveva nutrito il lupo sbagliato. Vivien si mosse, con l'inevitabile eccitazione che ogni volta la faceva avvicinare a un nuovo caso. E con la consapevolezza che, l'avesse risolto o meno, come ogni volta tutti ne sarebbero usciti sconfitti.

# CAPITOLO 9

Arrivò al cantiere risalendo la Terza Avenue.

Aveva camminato passando semafori, costeggiando vetrine di bar, incrociando gente, persona normale fra persone normali. Adesso doveva uscire dall'anonimato che fino a quel momento l'aveva confusa con la varia umanità intorno a lei per assumere un ruolo esclusivo. L'arrivo di un detective sulla scena di un delitto era un momento particolare, come per un attore l'apertura di un sipario. Nessuno avrebbe mosso un dito prima dell'arrivo dell'incaricato dell'indagine. Conosceva le sensazioni che avrebbe provato. E sapeva che, come sempre, sarebbe stata ben lieta di poterne fare a meno. Il luogo dove era stato commesso un omicidio, recente o datato che fosse, non era privo di un suo fascino nefando. Teatri di stragi erano diventati nel tempo addirittura delle mete turistiche. Per lei era un posto dove abbandonare le emozioni e svolgere il suo lavoro. Tutte le ipotesi che poteva aver costruito nella sua testa durante quel breve tragitto stavano per passare alla prova dei fatti.

La macchina della polizia era parcheggiata a lato del marciapiede, protetta dalle transenne di plastica arancione che delimitavano quella parte dell'area del cantiere che invadeva la corsia stradale. Bowman e Salinas, i due agenti mandati da Bellew, non si vedevano. Probabilmente erano all'interno, dove stavano circoscrivendo con le strisce gialle la zona in cui era stato trovato il corpo.

Gli operai erano radunati davanti all'ingresso di una delle due baracche ai lati del cantiere. In piedi, leggermente scostati, c'erano altri due uomini, un nero alto e grosso e un bianco con una giacca da lavoro di tela blu. Tutti i presenti sembravano avere il nervosismo come unico motore dei loro movimenti. Vivien riusciva a capire benissimo il loro stato d'animo. Non capita tutti i giorni di abbattere un muro e trovarsi davanti a un cadavere.

Si avvicinò ai due, mostrando il distintivo.

«Buongiorno. Credo stiate aspettando me. Sono il detective Vivien Light.»

Se erano rimasti sorpresi di vederla arrivare a piedi, non lo dimostrarono. Il sollievo per la sua presenza, per avere finalmente davanti qualcuno a cui fare riferimento, superava qualsiasi altra considerazione.

Il bianco parlò per tutti e due.

«Sono Jeremy Cortese, il capo cantiere. E questo è Ronald Freeman, il mio secondo.»

Vivien affrontò subito l'argomento, certa che anche i due non vedevano l'ora.

«Chi ha scoperto il cadavere?»

Cortese indicò il gruppo di operai dietro a loro.

«Jeff Sefakias. Stava abbattendo un muro e...»

Vivien lo interruppe.

«Va bene. Con lui parlerò dopo. Adesso vorrei fare un sopralluogo.»

Cortese mosse un passo verso l'ingresso del cantiere.

«Da questa parte. Le faccio strada.»

Freeman rimase dov'era.

«Se fosse possibile, vorrei evitare di rivedere quel... quella cosa.»

Vivien trattenne a stento un sorriso di simpatia. Lo fece

perché poteva essere travisato e sembrare un atteggiamento di derisione. Non c'era ragione di umiliare quella che a istinto le pareva una brava persona. Per l'ennesima volta Vivien dovette rendersi conto dell'estrema imprevedibilità di chi era preposto ad abbinare i corpi e le menti. La stazza di quell'uomo avrebbe messo paura a chiunque e invece era lui a essere impressionato da una scena cruenta.

In quel momento una grossa berlina scura si fermò a lato delle transenne. L'autista si precipitò ad aprire la portiera al passeggero sul sedile posteriore. Dalla macchina scese una donna. Era alta, bionda e doveva essere stata bella. Adesso era solo un manifesto della inutile battaglia di certe femmine contro l'imparzialità del tempo. Anche se l'abbigliamento era casual, i capi che indossava erano tutti firmati. Sapeva di boutique della Quinta Avenue, Sacks, sedute di massaggi in Spa esclusive, profumo francese e puzza sotto il naso. Senza degnare Vivien di un'occhiata, si rivolse direttamente a Cortese.

«Jeremy, che succede qui?»

«Come le ho detto al telefono, durante gli scavi abbiamo trovato il corpo di un uomo.»

«Va bene, ma i lavori non si possono certo fermare per questo. Ha idea di quanto costa ogni giorno questo cantiere all'impresa?»

Cortese si era stretto nelle spalle e aveva fatto un istintivo gesto con le mani in direzione di Vivien.

«Stavamo aspettando l'arrivo della Polizia.»

Solo in quel momento la donna parve accorgersi della sua presenza. La squadrò da capo a piedi, con un'espressione che Vivien decise non valeva la fatica di essere decifrata. Qualunque fosse stato l'esame, abbigliamento o aspetto o età, sapeva di non averlo superato.

«Agente, vediamo di risolvere al più presto questo increscioso incidente.»

Vivien piegò leggermente la testa di lato e le sorrise.

«Con chi ho il piacere di parlare?»

La donna tirò fuori un tono da proclama.

«Elisabeth Brokens. Mio marito è Charles Brokens, il proprietario della compagnia.»

«Bene, signora Elisabeth Brokens moglie di Charles Brokens proprietario della compagnia, un increscioso incidente potrebbe essere ad esempio il naso che le ha messo in faccia il suo chirurgo plastico. Quello che è successo qui, tutto il resto del mondo si ostina a chiamarlo omicidio. E come lei ben sa, questa pratica tende a essere perseguita dalla legge. Che, mi permetto di farle notare, ha la prelazione sul bilancio della compagnia.»

Smise di sorridere e cambiò tono di colpo.

«E se lei non si leva dai piedi la faccio arrestare per intralcio a un'indagine della Polizia di New York.»

«Come si permette? Mio marito è un amico personale del capo della Polizia e...»

«E allora vada a lamentarsi con lui, cara signora Elisabeth Brokens moglie di Charles Brokens amico personale del capo della Polizia. E mi lasci fare il mio lavoro.»

Le girò le spalle, lasciandola scolpita nel suo marmo a immaginare chissà quale ritorsione nei suoi confronti. Si avviò verso l'apertura nella recinzione che secondo il suo giudizio doveva essere l'ingresso del cantiere.

Jeremy Cortese le si mise di fianco. Il suo viso era beato e incredulo.

«Signorina, il giorno che avesse un cantiere da dirigere, sarei lieto di farlo gratis, per lei. La faccia della signora Brokens dopo il suo discorso resterà fra i ricordi più belli della mia vita.»

Ma Vivien quasi non sentì le sue parole. Ormai con la mente era già altrove. Come superarono la soglia si rese conto della situazione con un solo colpo d'occhio. Poco oltre i loro piedi, delimitato da una rete di protezione, si apriva un buco nel terreno, grande circa tre quarti dell'area del cantiere e profondo quanto un interrato. Il fondo era il pavimento di due edifici diversi ed era diviso a metà dalla linea di materiali differenti. Dalla parte opposta c'era ancora parte del piano a livello strada da demolire, ma il grosso del lavoro era stato fatto. In basso, i due agenti stavano finendo di circoscrivere un'area nell'angolo di sinistra. Un operaio era in piedi alle loro spalle, appoggiato a un muro, in attesa.

Cortese le fornì delle risposte prima che facesse le domande.

«La Sonora ha rilevato due vecchi edifici che stavano uno accanto all'altro. Li stiamo demolendo per costruire un condominio. Come vede, siamo quasi alla fine.»

Vivien indicò il pavimento diviso in due.

«Cosa c'era prima qui?»

«Di qua appartamenti e al piano strada un ristorante. Cucina italiana, mi pare. Abbiamo rimosso un sacco di vecchie attrezzature. Dall'altra parte un piccolo garage. Credo che sia stato realizzato successivamente alla costruzione dell'edificio, perché abbiamo trovato tracce di ristrutturazione.»

«Sa chi erano i proprietari?»

«No. Ma la compagnia ha di certo tutte le documentazioni che le servono.»

Cortese si mosse e Vivien lo seguì. Raggiunsero l'angolo alla loro destra, dove una scala di cemento, residuo delle costruzioni precedenti, scendeva al livello inferiore. Il cantiere deserto dava un senso di desolazione, con i martelli pneumatici appoggiati a terra e il grosso mezzo giallo con la benna perforatrice lasciato da una parte con il motore spento. C'era tutto intorno il malessere grigio della distruzione senza la promessa colorata della rinascita.

Mentre imboccavano la scala, due tecnici della Scientifica comparvero, carichi dei loro strumenti. Vivien fece un cenno e loro si avviarono per raggiungerli.

La detective e Cortese scesero la scala e arrivarono camminando in silenzio dai due agenti in attesa. Cortese si fermò a un paio di passi di distanza dalla linea gialla. Victor Salinas, un ragazzo alto e bruno che aveva un debole per Vivien e il cui sguardo non ne faceva mistero, attese che la detective arrivasse alla sua altezza e poi alzò la striscia gialla per permetterle di passare.

«Com'è la situazione?»

«A prima vista direi normale e complicata nello stesso tempo. Vieni a vedere.»

Nella parte finale il muro aveva una specie di intercapedine quadrata. Vivien girò la testa e vide che dalla parte opposta ce n'era un'altra uguale. Probabilmente uno o più pilastri, ormai demoliti, seguivano quella linea.

Davanti a lei, da uno squarcio nel cemento, sporgeva un avambraccio coperto da quello che restava di un giubbetto di panno. Un teschio con tracce di pelle incartapecorita e un residuo di capelli si intravedeva all'interno, con il suo sorriso allegorico da *Feria de los muertos* e il suo significato terreno di morte violenta.

Vivien si avvicinò al muro. Osservò con attenzione il braccio, il corpo, la stoffa della manica. Cercò di sbirciare dentro, cercando di cogliere ogni dettaglio, per costruire quella prima impressione che sovente si rivelava esatta.

Si girò e vide che quelli della Scientifica e un uomo sui quaranta con una giacca sportiva e un paio di jeans erano fuori delle transenne in attesa di istruzioni. Vivien non lo aveva mai visto ma dall'aria vagamente annoiata capì che doveva essere il medico legale. Probabilmente si era unito a loro mentre esaminava il corpo.

Vivien li raggiunse.

«Okay. Vediamo di tirarlo fuori di lì.»

Jeremy Cortese si fece avanti e indicò l'operaio che stava in piedi in disparte.

«Se volete, ho un mio uomo che non ha problemi alla vista di un cadavere. Conosce il suo mestiere e quando è libero aiuta suo cognato che ha un'impresa di onoranze funebri.»

«Lo chiami.»

Il capo cantiere fece un cenno all'operaio, che si mosse verso di loro. Era un tipo poco oltre la trentina, con un viso da ragazzo e tratti vagamente orientali. Dal casco spuntavano dei lucidi capelli scuri. Vivien pensò che nel suo albero genealogico ci dovesse essere qualcosa di asiatico.

Senza una parola li superò, si avvicinò alla parete e si chinò per prendere da terra il martello pneumatico.

Vivien si mise al suo fianco.

«Lei come si chiama?»

«Tom. Tom Dickson.»

«Bene Tom, questa è una faccenda delicata che deve essere portata a termine con estrema cautela. Tutto quello che c'è all'interno di questa nicchia potrebbe essere molto importante. Se per lei è uguale, preferirei usasse mazza e scalpello, anche se è un lavoro più lungo e faticoso.»

«Stia tranquilla. So quello che faccio. Troverà tutto come le serve.»

Vivien gli appoggiò una mano sulla spalla.

«Mi fido di te, Tom. Procedi.»

Dovette ammettere che quell'uomo sapeva davvero il fatto suo. Ampliò la breccia in modo che l'interno fosse accessibile, facendo cadere le macerie verso l'esterno ma senza spostare di un pollice la posizione del cadavere.

Vivien si fece dare una torcia elettrica da Salinas e si avvicinò per dare uno sguardo nella nicchia. La luce del giorno era ancora abbastanza forte ma all'interno c'era una leggera penombra che non permetteva di distinguere bene tutti i particolari. E Dio sapeva di quanti particolari ci fosse bisogno in un caso come quello. Fece correre il raggio luminoso sulle pareti e sui resti dell'uomo. L'esiguità dello spazio aveva impedito al corpo di scivolare a terra. Se ne stava appoggiato sul lato sinistro, la testa piegata in un angolo innaturale. Questo dettaglio aveva dato l'impressione, vedendolo dall'esterno, che avesse la testa appoggiata sulla spalla. L'ambiente chiuso e la scarsa umidità lo avevano parzialmente mummificato, per cui era molto più integro del normale. E dunque era molto più difficile ipotizzare da quanto tempo se ne stesse nascosto fra quelle pareti.

*Chi sei? Chi ti ha ucciso?*

Vivien sapeva che per le famiglie di persone scomparse la cosa peggiore era l'ansia di non sapere. Qualcuno e quando

*una sera, un giorno*

usciva di casa e senza una ragione non ci faceva più ritorno. E in assenza della prova di un corpo, per tutta la vita le persone a lui vicine si sarebbero chieste che cosa, dove e perché. Senza mai smettere di alimentare una speranza che solo il tempo sapeva spegnere con pazienza.

Si riscosse e tornò alla sua ispezione.

Quando illuminò il terreno, si accorse che a terra, vicino ai piedi del cadavere, c'era un oggetto coperto di polvere che a prima vista sembrava una specie di portafoglio. Si fece dare un paio di guanti di lattice, si infilò nell'apertura e si chinò per raccoglierlo. Poi si rialzò e fece un gesto ai tecnici della Scientifica e al medico legale.

«Prego signori, tocca a voi.»

Mentre i tecnici si mettevano all'opera, esaminò l'oggetto che aveva in mano.

Soffiò delicatamente per togliere il velo di polvere. Il materiale era una finta pelle che doveva essere stata nera o marrone e più che un portafoglio sembrava un portadocumenti. Con cautela lo aprì. I fogli di plastica dura all'interno erano incollati e si separarono con un leggero rumore di carta stracciata.

Dentro, una per ogni lato, c'erano due foto.

Sollevò la protezione e infilò delicatamente le dita per estrarle senza rovinarle. Le esaminò alla luce della torcia. Nella prima, un ragazzo in elmetto e divisa da combattimento era appoggiato a un carro armato e guardava con occhi seri l'obiettivo. Intorno c'era una vegetazione che richiamava un Paese esotico. La girò e dietro la accolse una scritta sbiadita dal tempo, che aveva quasi cancellato alcune lettere, ma non a sufficienza da renderle illeggibili.

*Cu Chi District 1971*

La seconda, molto meglio conservata, la sorprese. Il soggetto era lo stesso ragazzo che in quella precedente guardava il fotografo con aria riflessiva. Qui era in borghese, con una T-shirt a disegni psichedelici e dei pantaloni da lavoro. In quest'immagine aveva i capelli lunghi e sorrideva, tendendo verso l'obiettivo un grosso gatto nero. Studiò attentamente la persona e l'animale. All'inizio pensò che si trattasse di una deformazione provocata dalla prospettiva, ma poi si rese conto che la prima impressione era stata quella giusta.

Il gatto aveva solo tre zampe.

Dietro non c'era nessuna scritta.

Si fece dare da Bowman, l'altro agente, due buste di plastica e ci infilò il portadocumenti e le fotografie. Raggiunse Frank Ritter, il caposquadra della Scientifica con il quale aveva già collaborato in passato, e gliele porse.

«Vorrei che analizzaste questo materiale. Impronte digitali, se ce ne sono, e un esame dei vestiti della vittima con annessi e connessi. Inoltre vorrei un ingrandimento delle foto.»

«Vedremo quel che si può fare. Ma se fossi in te non ci farei troppo affidamento. Mi sembra tutto piuttosto datato.»

*E avevo bisogno che me lo dicessi tu...*

Vide che nel frattempo il cadavere era stato spostato e appoggiato con delicatezza su una barella. Il medico legale era in piedi davanti al corpo. Si avvicinò per esaminarlo. Quello che era stato un uomo aveva raggiunto il suo ultimo giorno indossando un giubbetto di panno e un paio di pantaloni che all'apparenza dovevano essere stati di una qualità del tutto ordinaria.

Il coroner girò intorno alla barella e si mise al fianco di Vivien. Limitarono le presentazioni al minimo indispensabile.

«Jack Borman.»

«Vivien Light.»

Sapevano tutti e due chi erano, dov'erano e cosa stavano facendo. Ogni altra considerazione, in quel momento, passava in secondo piano.

«Riesce a darmi un'idea delle cause della morte?»

«Dalla posizione della testa del cadavere, senza usare termini tecnici, posso azzardare che qualcuno gli ha spezzato l'osso del collo. Con che cosa non lo so. Sarò più chiaro dopo l'autopsia.»

«Da quanto tempo pensa che sia lì?»

«Dallo stato di conservazione del corpo direi circa una quindicina d'anni. Però contano anche le condizioni del luogo in cui era nascosto. Comunque ci arriveremo con le analisi dei tessuti. In questo credo potranno anche essere utili gli esami della Scientifica sulla stoffa dei vestiti.»

«Grazie.»

«Non c'è di che.»

Mentre il coroner si allontanava, Vivien si rese conto che tutto quello che si poteva fare era stato fatto. Diede l'ordine di rimuovere la salma, salutò i presenti e lasciò gli uomini alle loro incombenze. A questo punto, ritenne inutile parlare con l'operaio che aveva trovato per primo il corpo. Aveva dato a Bowman l'incarico di prendere i dati di tutte le persone che avrebbero potuto essere utili alle indagini. Le avrebbe sentite in un secondo tempo, compreso il signor Charles Brokens proprietario della compagnia che tutte le mattine si svegliava con quella moglie nel letto.

In un caso di omicidio come quello, i dati più interessanti di solito venivano dalle rilevazioni tecniche più che dalle testimonianze. Dopo di che avrebbe messo a punto un piano d'azione.

Fece a ritroso il percorso che l'aveva portata sul luogo di un delitto vecchio di anni e si ritrovò fuori dal cantiere. Gli operai la guardarono con un misto di ammirazione e soggezione. Se li lasciò alle spalle e si incamminò verso il Distretto per recuperare la macchina. Aveva bisogno di pensare e il fragoroso anonimato di New York era paradossalmente l'ambiente giusto.

Bellew le aveva assegnato un caso non facile. Forse perché la riteneva in grado di risolverlo, ma la stima in quel frangente era sinonimo di castagne da levare dal fuoco. E dai fatti emersi, erano castagne che nel fuoco ci stavano minimo da quindici anni, talmente abbrustolite da essere degli irriconoscibili pezzi di carbone.

Passò davanti alla vetrina di un bar e d'istinto diede uno sguardo all'interno. Seduto a un tavolo, con una ragazza bionda dai capelli lunghi, c'era Richard. I due stavano parlando e guardandosi in un modo che escludeva una semplice amicizia. Si sentì una guardona e si allontanò in fretta, prima che lui potesse vederla, anche se pareva non avere occhi che per la sua compagna. Non era stupita di trovarlo lì. Abitava da quelle parti e in quel bar c'erano stati insieme diverse volte.

*Forse sarebbe stato meglio qualche volta di più.*

Con lui aveva avuto una storia che era durata un anno, piena di risate, cibo e vino e sesso tenero e delicato. Un rapporto che era stato a un passo da poter essere definito amore.

Ma lei, con il suo lavoro e con la situazione di Sundance e di sua sorella, aveva trovato sempre meno possibilità di dedicarsi a loro due. Alla fine quel passo si era rivelato troppo lungo per le loro poche gambe e la storia era finita.

Mentre camminava, si rese conto che il suo problema era lo stesso di tutte le persone che si muovevano in quella strada e in quella città e in quel mondo, con la presunzione di vivere e la certezza di morire. Purtroppo non c'era nessun mondo alternativo e nessuno di loro, per quanto si illudesse di farlo durare il più possibile, aveva in realtà tempo a sufficienza.

# CAPITOLO 10

Ziggy Stardust sapeva mimetizzarsi.

Era capace di essere un perfetto nessuno fra i milioni di nessuno che ogni giorno respiravano l'aria di New York. Era un perfetto esempio di né questo né quello: né alto né basso, né grasso né magro, né bello né brutto. Uno splendido uomo da niente, di quelli che non si notano, che non si ricordano, che non si amano.

Il re del nulla.

Ma di questo nulla aveva fatto la sua arte. Questo, a modo suo, si riteneva: un artista. E nello stesso modo si definiva un viaggiatore. Percorreva in media ogni giorno più miglia sulla metropolitana di quanti non ne percorresse in una settimana un normale utente. Per Ziggy Stardust la Subway era il posto dei fessi. E luogo principale di una delle sue multiformi attività: il borseggio. Un'altra, collaterale ma non meno importante, era quella di essere il fornitore di fiducia di una serie di persone piene di soldi che amavano la polvere bianca e altri accessori senza rischi e senza problemi.

E da lui non ne avevano mai avuti.

Non era uno spaccio in grande stile ma era un gettito continuo, una specie di piccola rendita. Bastava una telefonata a un numero sicuro e i signori e le signore della *upper class* si vedevano recapitare a casa quello che serviva per le loro serate o ricevevano indirizzi per i loro giochini. Loro avevano il denaro, lui aveva quello per cui erano disposti a pagare. Questo incrocio di domanda e offerta era così naturale da far cadere ogni scrupolo, se mai Ziggy ne avesse avuti.

Saltuariamente, quando riusciva, vendeva informazioni a chi ne aveva bisogno. Talvolta anche alla Polizia, che in cambio di qualche soffiata produttiva fatta nel più rigoroso riserbo, chiudeva un occhio sui frequenti viaggi di Ziggy Stardust in metropolitana.

Ovviamente quello non era il suo vero nome. L'originale non se lo ricordava più nessuno. A volte nemmeno lui. Quel soprannome gli era arrivato addosso tanto tempo prima, quando qualcuno aveva notato una sua somiglianza con David Bowie all'epoca in cui era uscito il disco *Ziggy Stardust and the Spiders from Mars*. Non ricordava più chi era stato e sotto l'effetto di quale sostanza fosse stata ravvisata tale somiglianza, ma la definizione era rimasta.

Era l'unica cosa che lo estraeva un poco dall'anonimato nel quale aveva sempre cercato di vivere. Lui non camminava in mezzo alla strada. Si muoveva rasentando i muri e sempre nella zona più in ombra. Quando era in grado di scegliere, preferiva essere dimenticato, piuttosto che ricordato. La sera rientrava nel suo buco a Brooklyn, guardava la televisione e girava per Internet e usciva solo per telefonare. Tutte le chiamate di lavoro le faceva da un telefono pubblico. A casa, su un mobile, aveva sempre un rotolo di quarti di dollaro, per ogni evenienza. Un sacco di gente non aveva capito che non a caso il cellulare si chiamava in quel modo. Era nello stesso tempo un telefono e il veicolo che ti portava in galera. E quelli che ci finivano per una intercettazione da un telefonino se lo meritavano. Non perché erano delinquenti, ma perché erano stupidi.

Anche adesso, mentre scendeva la scala che portava alla stazione di Bleecker Street, con il suo costume da passeggero qualunque, non riusciva a fare a meno di radicarsi nel suo convincimento. Meglio far credere a tutti di non essere nessuno, piuttosto che prima o poi qualcuno decidesse di dimostrartelo.

Arrivò sulla piattaforma e salì su un vagone della linea verde diretto verso Uptown. L'aprirsi e il chiudersi delle porte scorrevoli, l'ingresso e l'uscita costante di passeggeri stanchi e con l'unico desiderio di essere altrove volevano dire spinte, corpi a contatto, odore di sudore. Ma significavano anche portafogli e distrazione, i due elementi alla base del suo lavoro. C'era sempre una borsetta leggermente aperta, una tasca mal chiusa, una sacca vicino a qualcuno immerso in un libro così avvincente da fargli dimenticare tutto il resto. Qualche volta, Ziggy aveva pensato con un sorriso che per gli autori di best seller tuffanaso c'erano gli estremi di un'accusa di complicità per i borseggi che giornalmente avvenivano sulla metropolitana.

Certo non erano più i tempi d'oro. Adesso le carte di credito la facevano da padrone e c'erano in giro sempre meno contanti. Proprio per questo aveva deciso di allargarsi, diversificando le sue attività, come consigliavano i broker alla televisione.

Questo pensiero lo sorprese. Non aveva mai identificato se stesso come una persona a cui si potesse applicare quella definizione. Nella testa gli apparve l'immagine della sua carta da visita.

*Ziggy Stardust*
Broker

Per poco non si mise a ridere.

*Attenzione la porta sta per chiudersi*, recitò la voce programmata nell'altoparlante.

Si spostò verso la parte anteriore della carrozza, quella più affollata. Superò un paio di persone, facendosi largo fra gomiti appesi e zaffate di aglio. Seduto di fianco alla porta c'era un tipo con una giacca verde militare. Non riuscì a definire la sua età. Dal punto in cui stava non lo vedeva bene perché da sotto la giacca spuntava il cappuccio blu di una tuta a nascondergli in parte il viso. Aveva la testa leggermente reclinata di lato e sembrava che il dondolio della carrozza lo avesse fatto assopire. Accanto ai suoi piedi c'era una borsa di tela scura, della dimensione di una ventiquattro ore.

Ziggy ebbe un leggero senso di formicolio ai polpastrelli. C'era una parte di lui che manifestava una percezione quasi extrasensoriale, quando individuava una vittima. Una specie di indole nascosta che a volte gli aveva dato l'idea di essere nato apposta per fare quello. Certo, l'abbigliamento di quel tipo non rivelava in nessun modo che nella borsa potesse esserci qualcosa di valore. Tuttavia le mani appoggiate in grembo non erano quelle di un uomo che svolge lavori pesanti e l'orologio sembrava di marca.

Secondo lui c'era qualcosa che andava oltre l'apparenza. Il suo istinto raramente lo aveva tradito e col tempo aveva imparato a fidarsi.

Una volta, senza ispirazione alcuna, aveva sfilato il portafoglio a un tipo in giacca e cravatta solo perché sfiorandolo aveva sentito al tatto un cappotto di cachemire che da solo doveva valere più di quattromila dollari. Senza nessun'altra premonizione salvo l'illusoria referenza di quel tessuto, si era mosso. Poco dopo, nel portafoglio di quel tipo ci aveva trovato sette dollari, una carta di credito finta e un abbonamento della metropolitana.

Pezzente.

Si avvicinò all'uomo con la giacca verde, tenendosi dall'altro lato della porta. Attese un paio di fermate. Il numero di passeggeri stava aumentando. Si spostò verso il centro e poi, come per lasciare libero l'ingresso, si ritrovò accanto a lui.

La borsa di tela stava in terra. Era vicino ai suoi piedi, sulla sinistra, il manico nella posizione perfetta per essere *presa alla fermata giusta* scendendo mentre altri passeggeri salivano. Controllò che l'uomo avesse sempre la testa nella stessa posizione. Non si era mosso. Molti si assopivano sui treni, specie quelli che avevano un lungo viaggio da fare. Ziggy si convinse che il tipo apparteneva a quella categoria di persone. Attese di arrivare alla stazione della Grand Central, dove di solito il flusso dei passeggeri che entravano e uscivano era maggiore. Non appena si aprirono le porte, con un movimento estremamente veloce e naturale, prese la borsa e scese. Subito la nascose con il corpo.

Con la coda dell'occhio, mentre cercava di sciogliersi fra la gente, gli parve di vedere una giacca verde scendere dalla vettura, un istante prima che partisse.

*Merda.*

La Grand Central era sempre piena di sbirri e se quel tipo lo aveva sgamato, c'era il caso che ne venisse fuori una bella piazzata. E magari qualche giorno al fresco. Superò un paio di poliziotti, un uomo più anziano e una ragazza di colore, più giovane, che stavano chiacchierando giusto fuori dalla stazione. Non successe nulla. Nessuno arrivò di corsa gridando «Al ladro!» per attirare l'attenzione dei due agenti. Preferì non girarsi, per dare al tipo che lo seguiva l'impressione di non essersi accorto di nulla.

Uscì sulla 42sima e piegò subito a destra e poi ancora a destra, sulla Vanderbilt. C'era un tratto poco trafficato e quello era il posto giusto per controllare se il tipo con la giacca militare lo seguiva veramente oppure no. Rientrò nel Terminal dall'ingresso laterale, approfittando dell'occasione per gettare uno sguardo distratto alla sua destra. Non vide girare l'angolo nessuno che potesse assomigliare alla persona in questione. Ma ancora non significava nulla. Se quello era un tipo sveglio, sapeva come fare per seguire qualcuno senza farsene accorgere. Esattamente come lui conosceva il modo per seminare qualcuno che lo stava pedinando. Si chiese di nuovo come mai il tipo non avesse avvertito i poliziotti. Se si era accorto subito del furto e gli era andato dietro per occuparsi personalmente di recuperare la borsa, questo poteva avere due significati.

Primo: correva il rischio che fosse un tipo pericoloso. Secondo: nella borsa ci poteva essere qualcosa di valore ma che era meglio non finisse sotto gli occhi della Polizia. E nell'ipotesi che questo secondo punto si fosse rivelato esatto, cresceva parecchio l'interesse di Ziggy per il contenuto. Ma nello stesso tempo il tipo diventava *molto* pericoloso.

Il suo presentimento luminoso si stava girando a poco a poco verso un cielo meno sereno. Scese al livello inferiore affollato di ristoranti etnici e gente che a ogni ora beveva e mangiava, dopo l'arrivo o prima della partenza. L'enorme sala era piena di insegne, colori, odori di cibo e un senso di fretta. E quest'ultima era quella che lo coinvolgeva di più, anche se si stava imponendo di camminare con passo normale.

Si trovò dall'altra parte e mentre saliva la scalinata di nuovo girò lo sguardo per controllare la strada dietro a sé. Nessuna persona sospetta. Iniziò a rilassarsi. Forse era stata solo un'impressione. Forse iniziava a diventare troppo vecchio per quel lavoro.

Seguì le indicazioni e rientrò nella metropolitana. Si diresse verso la stazione della linea viola, quella che portava in alto, nel Queens. Aspettò l'arrivo di un treno e seguì il flusso di passeggeri che salivano in vettura. Una precauzione dovuta. Alla luce del ragionamento di poco prima, l'uomo con la giacca verde, ammesso che lo stesse seguendo davvero, non avrebbe mai tentato nulla contro di lui in un posto affollato. Attese con aria indifferente fino a quando la solita voce annunciò che le porte stavano per chiudersi.

Solo allora, con uno scatto, tornò sulla banchina, come un passeggero che di colpo si rende conto di avere sbagliato vettura. Si lasciò alle spalle lo sferragliare del treno in partenza e si mosse di nuovo verso la linea verde che scendeva a Downtown per poi proseguire fino a Brooklyn.

Fece il viaggio in più tappe, aspettando a ogni fermata il convoglio successivo, continuando con aria indifferente a far vagare lo sguardo intorno a lui. Anonimo fra gente scazzata e anonima, con a tratti quelle macchie di colore umano che a New York facevano da termine di paragone. Ammesso che qualcuno avesse tempo e voglia di farne.

Quando decise che tutto era tranquillo, dopo l'ultima fermata trovò un posto a sedere. Si mise comodo e attese, la borsa in grembo, vincendo la curiosità di aprirla e di scoprire cosa c'era dentro. Meglio a casa, dove avrebbe potuto esaminare tutto con calma, senza fretta.

Ziggy Stardust sapeva aspettare.

Lo aveva fatto per tutta la vita, fin da quando era ragazzo e aveva iniziato ad arrabattarsi in mille modi per unire il pranzo con la cena. Aveva continuato in seguito, senza cadere nell'errore marchiano dell'avidità. Accontentandosi, ma con l'incrollabile certezza che un giorno tutto sarebbe cambiato, di colpo. La sua vita, la sua casa, il suo nome.

Addio Ziggy Stardust, bentornato *signor* Zbigniew Malone.
Cambiò ancora una linea prima di arrivare a una stazione
nei paraggi di casa sua. Abitava a Brooklyn, nel quartiere dove c'era la maggior concentrazione di haitiani e dove addirittura le scritte di alcuni ristoranti erano ancora in francese.
Un mondo multietnico, con donne dal culo enorme e voce
acuta e ragazzi dal passo strascicato e il berretto con la visiera girata da una parte. Al confine con quella zona il mondo
ordinato e composto del quartiere ebreo, villette con prati
ben curati e Mercedes nel vialetto d'ingresso. Persone silen-
ziose, che si muovevano come ombre scure, i visi seri sotto i
loro cappelli neri. Ziggy, ogni volta che li vedeva, aveva l'impressione che pregassero anche quando contavano il denaro.

Però a lui andava bene così. In attesa del giorno in cui
avrebbe potuto permettersi di dire adesso basta e scegliere.

Sul muro della casa dove abitava, quello senza finestre
che dava sulla strada, qualcuno aveva dipinto un murale.
L'artista non era granché, ma quei colori, in un posto così
stinto e slavato, gli avevano sempre messo allegria. Superò
l'ingresso e scese i gradini che portavano verso il seminterrato che era casa sua. Un'unica stanza con un minuscolo bagno, mobili dozzinali e consumati e l'odore di cucina esotica
che scendeva dai piani superiori. Il letto sfatto era appoggiato contro la parete di fronte, sotto la finestra vicina al soffitto
che portava in casa la poca luce che arrivava dall'esterno.
Tutto sembrava far parte di un tempo addietro, anche il toc-
co di modernità del televisore ad alta definizione, del pc e
della stampante All-in-one, sui quali era posato un velo di
polvere.

L'unica nota strana, inusuale, era una libreria alla parete di
sinistra, piena di volumi perfettamente ordinati e disposti in
ordine alfabetico. Altri erano sparsi per la casa. Addirittura

una pila di libri faceva da tavolino da notte sulla parte destra del letto.

Ziggy appoggiò la borsa sul tavolo ingombro di vecchie riviste e si tolse la giacca, buttandola su una poltrona. Prese la borsa e andò a sedersi sul letto. La aprì e iniziò a svuotarla e ad appoggiare sul lenzuolo il suo contenuto. C'erano due quotidiani, il «New York Times» e «Usa Today», una scatola di plastica gialla e blu che si rivelò essere un mini-kit di attrezzi da lavoro, un rotolo di filo di rame e uno di nastro adesivo grigio, quello che usano gli elettricisti. Poi tirò fuori quello che tendeva la borsa e dava il maggior peso. Un album portafoto con la copertina di pelle marrone e fogli di carta ruvida dello stesso colore, pieni di vecchie immagini in bianco e nero, gente che non conosceva in posti che non conosceva. Tutte foto piuttosto datate. Dall'abbigliamento, a spanne avrebbe detto che si trattava degli anni Settanta. Scorse qualche pagina. Un'immagine attrasse la sua attenzione. La tolse dalle linguette adesive che la fissavano alla carta e rimase qualche istante a fissarla. Un ragazzo con i capelli lunghi e sulle labbra un sorriso che non riusciva a salire fino ai suoi occhi, aveva in braccio un grosso gatto nero. Lo scatto, in modo del tutto casuale, era riuscito a catturare una strana appartenenza reciproca, come se quei due esseri viventi, nelle rispettive specie, fossero uno il riflesso dell'altro.

La fece scivolare nel taschino della camicia. Continuò nella sua esplorazione del contenuto della borsa. Estrasse un oggetto di plastica nero, di forma rettangolare, leggermente più lungo e più stretto di un pacchetto di sigarette, fermato a metà da un giro di nastro per evitare che si aprisse. A una estremità c'era una serie di pulsanti di diverso colore.

Ziggy rimase un attimo a guardarlo, interdetto. Sembrava un telecomando artigianale. Rudimentale forse, ma l'impressione era quella. Lo appoggiò di fianco alle altre cose e tirò fuori dalla borsa l'ultimo oggetto che conteneva. Era una grossa busta marrone, un poco spiegazzata, con scritto un nome e un indirizzo già in parte sbiaditi dall'usura. Dalle dimensioni si sarebbe detto che era servita per spedire il volume con le foto.

La aprì per controllare l'interno e ci trovò dei fogli di carta comune scritti a mano con una calligrafia rozza ma abbastanza leggibile. La scrittura di un uomo che forse non aveva molta dimestichezza con le parole, sia parlate che scritte.

Ziggy iniziò a leggere. I primi fogli erano piuttosto noiosi, pieni di un racconto di vita esposto in modo rude e a volte disarticolato. Lui era uno che leggeva libri e sapeva riconoscere la mano di un uomo che aveva studiato e che sapeva scrivere. Quella non lo era.

Però si accorse che la lettura non era priva di un certo fascino, nonostante la prosa non certo da scrittore. Per quello che raccontava, piuttosto che come. Continuò a leggere con sempre maggiore attenzione e a poco a poco l'attenzione divenne interesse e infine una specie di febbre. Al termine della lettera, non poté fare a meno di scattare in piedi. Sentì un leggero brivido percorrergli la schiena e i peli delle sue braccia rizzarsi come per effetto di un campo elettrico.

Ziggy Stardust non riusciva a credere ai suoi occhi. Si risedette lento, con le gambe aperte e lo sguardo verso un punto imprecisato. Più del tempo che dello spazio.

La grande occasione era arrivata.

Quello che aveva in mano poteva valere milioni di dollari, trovando la gente giusta. Gli girava la testa all'idea. I possibili vantaggi per lui gli fecero dimenticare le sicure conseguenze per altri.

Appoggiò i fogli sul letto con attenzione esagerata, quasi

fossero oggetti fragili. Poi iniziò a pensare come trarre profitto da quella fortuna inaspettata. A come muoversi e come fare per distillare il materiale in modo da suscitare il massimo interesse e avere il massimo tornaconto.

E soprattutto a chi contattare.

Diversi pensieri fecero diversi passaggi alla velocità della luce nel suo cervello.

Accese la stampante e mise i fogli sul tavolo accanto al monitor del computer. La prima cosa importante era fare delle fotocopie. Una copia sarebbe bastata a suscitare l'interesse di chiunque e quel chiunque avrebbe dovuto essere disposto a sborsare una bella cifra pur di entrare in possesso dell'originale. Che doveva rimanere in suo possesso fino alla conclusione dell'affare. Una volta fatte le fotocopie, avrebbe tenuto con sé solo la parte sufficiente a lasciare immaginare senza rivelare nulla di decisivo. Il resto lo avrebbe distrutto. La copia autentica di quella lettera benedetta l'avrebbe messa in una busta e l'avrebbe spedita a una casella di posta anonima della quale a volte si serviva. Lì avrebbe riposato finché qualcuno non gli avesse dato motivo di andarla a ritirare.

E quel motivo poteva essere rappresentato solo da una bella quantità di denaro.

Iniziò a fotocopiare, disponendo di volta in volta gli originali di fianco alla copia. Ziggy era un tipo preciso, sul lavoro. E quello era il lavoro più importante che gli fosse mai capitato nella vita.

Pose uno degli ultimi fogli sul vetro dello scanner, abbassò il coperchio e premette il pulsante di avvio. La luce di scansione percorse la macchina fino ad avere in memoria la pagina completa. Al momento di stampare, il sensore avvertì che la carta era finita e un led arancione si mise a lampeggiare sul lato sinistro dell'apparecchio.

Ziggy andò a prendere dei fogli da una risma che teneva appoggiata su uno scaffale della libreria e li introdusse nel cassettino.

In quel momento sentì un rumore alle sue spalle, un leggero *crac* metallico, come quello di una chiave che si spezza nella toppa. Si girò in tempo per vedere la porta che si apriva e per vedere un uomo con una giacca verde.

*No, non ora, non adesso che era tutto a portata di mano...*

E invece davanti a sé aveva una mano che reggeva un coltello.

Di certo era la lama con cui aveva forzato quello straccio di serratura. E dallo sguardo dell'uomo capiva che non si sarebbe limitato a quello.

Sentì che le gambe gli cedevano e non ebbe la forza di dire nulla. Mentre l'uomo avanzava verso di lui, Ziggy Stardust si mise a piangere. Per la paura del dolore e per la paura della morte.

Ma soprattutto per la delusione.

CAPITOLO 11

La Volvo si muoveva senza difficoltà in mezzo al traffico che la stava trascinando verso il Bronx. A quell'ora, salire verso nord poteva essere un vero e proprio viaggio. Tuttavia, una volta uscita da Manhattan, Vivien aveva trovato un flusso abbastanza fluido. Da che si era lasciata alla destra il Triborough Bridge, aveva percorso la Bruckner Expressway in un tempo relativamente breve.

Il sole stava scendendo alle sue spalle e la città si preparava al tramonto. Il cielo aveva una luminosità azzurro cupo, netta al punto tale da parere lavorata a mano. Il colore che solo la brezza di New York sapeva regalare, quando arrivava a ripulire quel piccolo tratto di infinito che ognuno si illudeva di avere sopra di sé.

Il telefono della macchina interruppe la musica che veniva dalla radio. L'aveva lasciata in sottofondo, a basso volume, un suono con regole e intenzioni precise a mescolarsi con il brusio informe del traffico.

Attivò il vivavoce e diede a chi la chiamava il permesso di entrare. Nella sua macchina e nei suoi pensieri.

«Vivien?»

«Sì.»

«Ciao, sono Nathan.»

Precisazione inutile. Aveva riconosciuto la voce di suo cognato. L'avrebbe riconosciuta anche in mezzo al fragore di una battaglia.

*Cosa vuoi, pezzo di merda?* pensò.

«Cosa vuoi, pezzo di merda?» disse.

Ci fu un attimo di silenzio.

«Non riuscirai mai a perdonarmi, vero?»

«Nathan, il perdono è per chi si pente. Il perdono è per chi cerca di riparare al male che ha fatto.»

L'uomo dall'altra parte attese un attimo, per dare modo a quelle parole di perdersi nella distanza che li separava. In ogni senso.

«Hai visto Greta di recente?»

«E tu?»

Vivien lo aggredì, sentendo salire quella voglia di picchiarlo che provava ogni volta che si trovava in sua presenza o semplicemente lo sentiva. In quel momento, se fosse stato seduto al suo fianco, gli avrebbe spezzato il naso con una gomitata.

«Quanto tempo è che non vedi tua moglie? Quanto tempo è che non vedi tua figlia? Per quanto tempo ancora credi di poterti nascondere?»

«Vivien, io non mi nascondo. Io...»

«Io un cazzo, brutto figlio di puttana!»

Aveva urlato. E aveva sbagliato a farlo. Il disprezzo che provava per quell'uomo non doveva essere manifestato con un ruggito. Doveva essere espresso con il sibilo del serpente.

E serpente divenne.

«Nathan, tu sei un vigliacco. Lo sei sempre stato e sempre lo sarai. E quando ti sei trovato davanti a delle difficoltà troppo grandi per te hai fatto l'unica cosa che sai fare: sei scappato.»

«Io ho sempre provveduto a tutte le loro necessità. A volte ci sono scelte che...»

Lo interruppe bruscamente.

«Tu non avevi scelte. Avevi delle responsabilità. E te le

dovevi assumere. Quello straccio di assegno che mandi tutti i mesi non è sufficiente a compensare la tua latitanza. E nemmeno a mettere in pace la tua coscienza. Dunque adesso non chiamarmi per sapere come sta tua moglie. Non chiamarmi per sapere come sta tua figlia. Se vuoi sentirti meglio, alza quel maledetto culo sul quale sei seduto e vai a vederlo di persona.»

Premette con tanta rabbia il pulsante di fine comunicazione che per un istante ebbe timore che si fosse rotto. Rimase per qualche istante a guardare davanti a sé, guidando e ascoltando il battito forsennato del suo cuore. Poche lacere lacrime di rabbia le scesero lungo le guance. Se le asciugò con il dorso della mano e cercò di calmarsi.

Per dimenticare il posto dove era stata quel mattino e il posto verso il quale stava andando ora, si rifugiò nell'unico luogo sicuro che aveva: il suo lavoro.

Cercò di lasciarsi alle spalle ogni altro pensiero e ordinò alla sua mente di concentrarsi sull'indagine che si preparava ad affrontare. Richiamò le immagini di quel braccio che sporgeva dalla breccia di un muro, la desolazione di quella testa incartapecorita appoggiata a una spalla che era solo un residuo di pelle e ossa.

Anche se la pratica le aveva insegnato che tutto era possibile, quella stessa esperienza le faceva temere che sarebbe stato molto difficile risalire all'identità dell'uomo nel cemento. Di solito i cantieri erano un posto molto appetito dalla malavita per nascondere le vittime dei loro regolamenti di conti. Trattandosi di professionisti, spesso i cadaveri venivano sepolti nudi o stracciando dai vestiti tutte le etichette, nel caso remoto di un ritrovamento. Qualcuno addirittura cancellava le impronte digitali con l'acido. Esaminando il corpo, aveva notato che questo non era stato fatto e che le etichette

erano al loro posto, per quanto fossero parecchio deteriora-
te. Significava che forse non si trattava di un professionista,
ma di un omicida occasionale che non aveva avuto la freddezza e l'esperienza di eliminare ogni possibile traccia.

Ma chi poteva avere la possibilità di nascondere il corpo
in un blocco di cemento? Era abbastanza difficile per chiunque, a meno di non avere la complicità di un addetto ai lavori. O forse il colpevole era proprio uno di loro. Uno che lavorava per un'impresa edile. Il delitto, quale ne fosse il
movente, poteva essere l'azione isolata di un uomo comune
verso un altro uomo comune, senza nessun coinvolgimento
da parte della malavita organizzata.

L'unica pista era rappresentata da quelle foto, soprattutto
da quel bizzarro gatto nero a tre...

«Cazzo!»

Si era fatta prendere dai suoi pensieri e non si era accorta
che lo svincolo per la Hutchinson River Parkway era bloccato da una coda di macchine. Frenò bruscamente, deviando
verso sinistra per non tamponare l'auto che la precedeva. Il
guidatore di un grosso pick-up alle sue spalle suonò con forza il clacson. Vivien vide dallo specchietto retrovisore che
sporgendosi verso il parabrezza le stava mostrando il dito
medio.

Di solito detestava ricorrere a certi mezzi quando non era
in servizio, ma quella sera decise che aveva fretta. La propria
distrazione, più che il gesto dell'uomo, l'aveva innervosita.
Prese il lampeggiante magnetico dietro al sedile, aprì il finestrino, lo accese e lo appoggiò sul tetto.

Con un sorriso, vide l'uomo abbassare di colpo la mano
e ritrarsi. Le macchine davanti a lei, nei limiti del possibile,
accostarono per agevolare il suo passaggio. Si fece strada in
direzione di Zerega Avenue e un paio di isolati dopo aver

svoltato sulla Logan si trovò di fianco alla chiesa di Saint Benedict.

Parcheggiò la XC60 in un posto libero dal lato opposto della strada. Rimase un attimo a osservare la facciata in mattoni chiari, la breve scalinata che portava ai tre portoni d'ingresso sormontati da archi a tutto sesto, le colonne e i fregi che li decoravano.

Era una costruzione recente. La sua storia non andava cercata nel passato, ma in quello che stava costruendo nel presente per il futuro. Mai Vivien avrebbe pensato che un posto come quello potesse un giorno diventarle così familiare.

Scese dalla macchina e attraversò la strada.

C'era già nell'aria quella penombra che confonde il colore dei gatti ma restava ancora luce a sufficienza per riconoscere una persona. Stava per avviarsi verso il priorato quando vide padre Angelo Cremonesi, uno dei vicari della parrocchia, uscire dal portone centrale insieme ad altre due persone, un uomo e una donna. Di solito le confessioni erano il sabato dalle quattro alle cinque ma nessuno era troppo fiscale e gli orari si rivelavano sempre abbastanza elastici.

Vivien salì i pochi gradini e lo raggiunse. Il prete rimase ad attenderla e la coppia che era con lui si allontanò.

«Buonasera, signorina Light.»

«Buonasera, reverendo.»

Vivien gli strinse la mano. Era un uomo che aveva superato la sessantina, con i capelli bianchi, un aspetto vigoroso e uno sguardo mite. La prima volta che lo aveva incontrato le aveva ricordato Spencer Tracy in un vecchio film.

«È venuta a prendere sua nipote?»

«Sì. Ho parlato con padre McKean e tutti e due crediamo sia arrivato il momento di provare a farle passare un paio di giorni a casa. Lunedì mattina la riporto qui.»

Pronunciarne il nome le richiamò alla mente il viso e lo sguardo di Michael McKean. Aveva un volto espressivo e occhi che davano la sensazione di poter arrivare dentro le persone e oltre le pareti. Senza tuttavia forzare nessuna serratura o abbattere nessun muro. Forse era questa sua capacità di vedere oltre che lo faceva essere presente ogni volta che c'era bisogno di lui.

Il vicario, un uomo docile ma un poco pignolo, tenne a precisare i fatti.

«Padre McKean oggi non c'è e si scusa per questo. I ragazzi sono ancora al molo. Una persona gentile di cui non ricordo il nome ha offerto loro un giro in barca a vela. Mi ha appena chiamato John. Sa del vostro accordo con Michael e ha detto di avvertirla che stavano finendo di sistemare le loro cose e che fra poco saranno qui.»

«Molto bene.»

«Vuole attendere nel priorato?»

«No grazie, padre. Li aspetto in chiesa.»

«Allora a presto, signorina Light.»

Il sacerdote si allontanò. Forse aveva scambiato la sua intenzione di attendere in chiesa per devozione. Vivien non si pose il problema. In realtà tutto quello che desiderava in quel momento era restare da sola.

Spinse il battente del portone e superò l'atrio rivestito in legno chiaro, lasciandosi alle spalle le due statue di santa Teresa e san Gerardo poste in una nicchia nella parete. Un'altra porta, più leggera, la condusse all'interno vero e proprio della chiesa.

Faceva fresco e c'erano penombra e silenzio. E quella promessa di benvenuto e di riparo offerta dall'altare all'estremità opposta dell'unica navata.

Ogni volta che entrava in una chiesa, Vivien faceva fatica

a trovarci la presenza di Dio. Aveva passato parte del suo poco tempo per le strade ma già troppi demoni aveva incontrato, sentendosi sempre e solo un essere umano debole e impaurito nell'affrontarli. Lì, in quel posto, con quelle immagini, con quell'ansia di sacro costruito dal bisogno dell'uomo, nella luce delle candele accese per fede e speranza, non riusciva a condividere nemmeno un frammento di quella fede e di quella speranza.

*La vita è un posto in affitto. A volte Dio è un personaggio scomodo da avere in giro per casa.*

Si sedette in uno degli ultimi banchi. Si rese conto di una cosa. In quello che per tutti i credenti era un luogo di pace e di salvezza, lei aveva una pistola appesa alla cintura. E nonostante tutto si sentiva inerme.

Chiuse gli occhi e sostituì la luce incerta con l'oscurità. Mentre aspettava che arrivasse Sundance, sua nipote, arrivarono anche i ricordi. Il giorno in cui…

*…era seduta alla sua scrivania, piazzata proprio davanti al Plaza, nel caos di carte, telefonate, fatti di brutta gente e brutte vite, battute e discorsi oziosi fra colleghi sui turni di servizio. In una sequenza che non avrebbe dimenticato mai più, dalla porta che dava sulla scala era uscito a sorpresa il detective Peter Curtin. Era stato in forza al 13° Distretto fino a qualche tempo prima. Poi in un conflitto a fuoco durante un'operazione era stato ferito in modo piuttosto serio. Ne era uscito bene fisicamente ma dal punto di vista emozionale si era accorto di non essere più la stessa persona. Anche su pressione della moglie, aveva chiesto e ottenuto il trasferimento a un incarico più tranquillo. E adesso stava alla Buoncostume.*

*Era venuto direttamente alla sua scrivania.*

*«Ciao, Peter. Che ci fai da queste parti?»*

«*Ho bisogno di parlarti, Vivien.*»

*C'era una nota di imbarazzo nella sua voce e questo aveva spento il sorriso con cui l'aveva accolto.*

«*Certo, dimmi pure.*»

«*Non qui. Ti va di fare due passi?*»

*Sorpresa, Vivien aveva lasciato la sua scrivania e poco dopo si erano trovati all'esterno. Curtin si era incamminato verso la Terza Avenue e Vivien gli si era messa di fianco. C'era tensione e lui aveva cercato di alleggerirla. Non era riuscita a capire bene a favore di chi.*

«*Come va qui? Bellew tiene sempre tutti sulla corda?*»

*Vivien si era fermata.*

«*Non girare intorno al cespuglio, Peter. Che succede?*»

*Il suo collega guardava da un'altra parte. Ed era una parte che a Vivien non piaceva per nulla.*

«*Lo sai anche tu come va in questa città. Escort e roba del genere. Asian Paradise, Ebony Companions, Transex Dates. E l'ottanta per cento di quelle che reclamizzano come Spa, massaggi eccetera, sono in realtà delle specie di case di appuntamenti. Succede in tutto il mondo. Ma questa è Manhattan. Questo è il centro del mondo e qui succede tutto di più...*»

*Peter si era fermato e si era finalmente deciso a guardarla negli occhi.*

«*Abbiamo avuto una soffiata. Un posto di lusso, nell'Upper East Side. Frequentato da uomini a cui piacciono le ragazze molto giovani. A volte ragazzi. Tutti minorenni, in ogni caso. Siamo entrati e abbiamo beccato diverse persone. E...*»

*Aveva fatto una pausa che per Vivien era stata una premonizione. Con poca voce in gola aveva pronunciato una supplica lunga una sola lettera.*

«*E?*»

*E la premonizione si era trasformata in realtà.*

«*Una di queste era tua nipote.*»
Tutto il mondo di colpo era salito su una giostra. Vivien aveva sentito dentro una cosa che avrebbe volentieri sostituito con la morte.

«*Sono stato io a entrare nella camera dove...*»
Peter non aveva avuto la forza di aggiungere altro. Quel silenzio tuttavia lasciò campo libero alla fantasia di Vivien e fu peggio delle peggiori parole.

«*Per fortuna la conoscevo e sono riuscito per miracolo a tenerla fuori dal casino.*»
Peter le aveva appoggiato le mani sulle braccia.

«*Se salta fuori questa storia si mettono di mezzo gli assistenti sociali. Con una situazione famigliare come la vostra ci sta che venga affidata alle cure di qualche istituto. È una ragazza che ha bisogno di aiuto.*»
Vivien lo aveva guardato negli occhi.

«*Non mi stai dicendo tutto, Peter.*»
Un attimo di pausa. Poi una risposta che lui non avrebbe voluto dare e che lei non avrebbe voluto sentire.

«*Tua nipote si droga. In una tasca le abbiamo trovato della cocaina.*»

«*Quanta?*»

«*Non a sufficienza per ipotizzare che spacci. Ma se ne deve fare un bel po' al giorno, se è arrivata al punto di...*»
Al punto di prostituirsi per avere i soldi, *aveva finito nella sua testa Vivien.*

«*Dov'è adesso?*»
Peter aveva fatto un cenno con la testa verso un punto indefinito lungo la strada.

«*Nella mia auto. Una collega la sta tenendo d'occhio.*»
Vivien gli aveva stretto una mano. Per trasmettere e per ricevere.

«*Grazie, Peter. Sei un amico. Te ne devo non una, ma mille.*»
*Si erano avviati verso la macchina. Vivien aveva percorso
quel breve tragitto come una sonnambula, con l'urgenza e il timore di trovarsi di fronte sua nipote, con...*

...la stessa ansia con la quale adesso la stava aspettando.

Un rumore di passi alle sue spalle la costrinse a riaprire
gli occhi e la riportò a un presente che era solo un poco migliore del passato.

Si alzò e si girò verso l'ingresso. Si trovò di fronte sua nipote. Aveva in mano una sacca sportiva. Era bella come sua
madre e come sua madre era in qualche modo stata spezzata.
Ma per lei c'era una speranza. Doveva esserci.

John Kortighan era rimasto indietro, sulla soglia. Protet-
tivo e vigile, come sempre. Ma discreto al punto da non voler invadere con la sua presenza quel momento di intimità.
Le rivolse un semplice cenno del capo che era nello stesso
tempo un saluto e una conferma. Vivien ricambiò il saluto
del braccio destro di padre McKean, il sacerdote che aveva
fondato Joy, la comunità che in quel momento si stava prendendo cura di Sundance e di altri ragazzi con esperienze come la sua.

Vivien sfiorò con una mano la guancia della nipote. Ogni
volta che la incontrava non poteva fare a meno di sentirsi in
colpa. Per tutto quello che non aveva fatto. Per essere così
impegnata a occuparsi di gente lontana da non capire che chi
aveva più bisogno di lei stava a un solo passo di distanza. E
che a suo modo aveva chiesto aiuto, senza che nessuno l'a-
scoltasse.

«È bello rivederti, Sunny. Sei molto bella oggi.»

La ragazza sorrise. C'era nei suoi occhi un'aria maliziosa
ma senza provocazione.

«Tu sei bella, Vunny. Io sono splendida, dovresti saperlo.»

Avevano ripreso quel gioco, di quando lei era bambina, di quando si erano scambiate quei soprannomi che ne erano in qualche modo il codice. Di quando Vivien le pettinava i capelli e le raccontava che un giorno sarebbe diventata una donna splendida. Forse una modella, forse un'attrice. E insieme immaginavano tutto quello che avrebbe potuto essere.

*Tutto, meno quello che effettivamente è stato...*

«Che dici, andiamo?»

«Certo. Io sono pronta.»

Aveva sollevato leggermente la sacca che conteneva il cambio di abiti per quei giorni che avrebbero passato insieme.

«Ti sei portata i vestiti da rock?»

«Uniforme al seguito.»

Vivien era riuscita ad avere due biglietti per il concerto degli U2 del giorno dopo, al Madison Square Garden. Sundance era una fan della band e questa circostanza aveva favorito non poco la concessione di quei due giorni di licenza da Joy.

«Allora andiamo.»

Si avvicinarono a John. Era un tipo di statura media, dal fisico energico, vestito con un semplice paio di jeans e una felpa. Aveva un viso aperto, occhi senza sorprese e l'aria propositiva di chi pensa più al futuro che al passato.

«Ciao, Sundance. Ci vediamo lunedì.»

Vivien tese la mano. L'uomo la strinse, con una presa salda.

«Grazie, John.»

«Grazie a te. Divertiti e falla divertire. Andate pure, io mi fermo ancora un poco qui.»

Uscirono, lasciando l'uomo nella calma della chiesa.

La sera aveva cacciato ogni traccia di luce naturale per

vestirsi ad arte di luci artificiali. Salirono in macchina e si avviarono verso Manhattan, il trionfo di quel make-up luminoso. Vivien guidava tranquilla e ascoltava quello che la nipote le diceva, lasciando campo libero a qualunque argomento lei decidesse di trattare.

Non nominò la madre e nemmeno la ragazza lo fece, come se per un tacito accordo ogni pensiero oscuro fosse bandito da quel momento. Non era per ingannare o ignorare la memoria. Ognuna delle due custodiva dentro di sé, senza bisogno di dirlo, la certezza che quello che stavano provando a ricostruire non era per loro due soltanto.

Continuarono in quel modo, finché Vivien ebbe la sensazione che a ogni giro delle ruote, a ogni battito del polso, perdevano un poco del loro ruolo di zia e nipote per diventare un poco più amiche. Sentì che qualcosa dentro si scioglieva, che sbiadiva l'immagine di Greta che tormentava i suoi giorni e l'immagine di Sundance nuda fra le braccia di un uomo più vecchio di suo padre che tormentava le sue notti.

Si erano lasciate alle spalle Roosevelt Island e stavano costeggiando l'East River verso Downtown quando accadde. Circa mezzo miglio davanti a loro, sulla destra, di colpo una luce arrivò a sovrapporsi e a cancellare tutte le altre e per un attimo sembrò il concentrato di tutte le luci del mondo.

Poi la strada parve tremare sotto le ruote della macchina e attraverso i finestrini aperti arrivò il rombo avido di un'esplosione.

## CAPITOLO 12

Russell Wade era appena rientrato a casa quando all'improvviso un lucido bagliore inatteso arrivò dal Lower East Side. Le grandi finestre dal soffitto al pavimento del soggiorno divennero la cornice di quel lampo, così vivido da sembrare quasi un gioco. Ma il lampo non si spense e continuò ad ardere nascondendo tutte le luci in lontananza. Attraverso il filtro dei vetri antisfondamento arrivò sordo un rombo che non era tuono ma la sua umana distruttiva imitazione. E poi una sinfonia eterogenea di dispositivi d'allarme, messi in funzione dallo spostamento d'aria, isterici senza ferocia, come inutili piccoli cani abbaianti dietro a un'inferriata.

La vibrazione gli fece fare istintivamente un passo indietro. Sapeva quello che era successo. Lo aveva capito subito. L'aveva già visto e provato sulla sua pelle, altrove. Sapeva che quel bagliore significava incredulità e sorpresa, dolore e polvere, urla, feriti, bestemmie e preghiere.

Significava morte.

E, in un bagliore altrettanto improvviso, un flash di immagini e ricordi.

*«Robert, ti prego...»*

*E suo fratello già preso dall'ansia che stava controllando le macchine e gli obiettivi e che i rullini fossero al loro posto nelle*

*tasche del giubbetto. Senza guardarlo in faccia. Forse si vergo-*
*gnava per questo. Forse nella sua mente stava già vedendo le*
*foto che avrebbe scattato.*

*«Non succederà nulla, Russell. Tu devi solo stare qui tran-*
*quillo.»*

*«E tu dove vai?»*

*Robert aveva sentito l'odore della sua paura. Era abituato a*
*quell'odore. Tutta la città ne era impregnata. Si respirava nel-*
*l'aria. Come un brutto presentimento che si avvera, come un*
*incubo che non sparisce al risveglio, come le urla di moribondi*
*che non finiscono dopo la loro morte.*

*Lo aveva guardato con occhi che forse lo vedevano per la*
*prima volta da che erano arrivati a Pristina. Un ragazzo spa-*
*ventato che non doveva essere lì.*

*«Devo andare là fuori. Devo esserci.»*

*Russell aveva capito che non poteva essere che così. E nel-*
*lo stesso momento aveva realizzato che non avrebbe mai po-*
*tuto, neanche in cento vite, essere come suo fratello. Era tor-*
*nato in cantina, sotto la botola coperta dal vecchio tappeto*
*farinoso e Robert era uscito dalla porta. Nel sole nella polve-*
*re nella guerra.*

*Era stata l'ultima volta che lo aveva visto vivo.*

Come reazione a quel pensiero, corse in camera da letto,
dove sulla scrivania era appoggiata una delle sue macchine
fotografiche. La prese e tornò alla finestra. Spense tutte le luci per evitare il riflesso e scattò diverse inquadrature di quel
bagliore lontano, ipnotico, circondato da un'aura di luce
malsana. Sapeva che quelle foto non sarebbero state di nessuna utilità ma lo fece per punire se stesso. Per ricordare chi
era, cosa aveva fatto, cosa non aveva fatto.

Erano passati anni da che suo fratello era uscito da quella

porta trafitta dal sole, amplificando per qualche istante il tic-
chettare lontano di raffiche di mitra.

Nulla era cambiato.

Da quel giorno in poi, non c'era stato mattino che non si
fosse svegliato con quell'immagine davanti agli occhi e quel
suono nelle orecchie. Da allora in poi, ogni suo inutile scatto
era stato solo un nuovo fotogramma di quella sua antica paura. Mentre continuava a inquadrare e a premere il pulsante,
iniziò a tremare. Un tremito di rabbia, animale, senza gemiti,
di puro istinto, come se fosse la sua anima in realtà a rabbrividire dentro di lui e avesse il potere di scuotere e percuotere
il suo corpo.

Lo schiocco dell'obiettivo divenne nevrotico

*cli-clok*

*cli-clok*

*cli-clok*

*cli-clok*

*cli-clok*

come nella isterica furia omicida di chi ha sparato addosso alla sua vittima

*Robert*

tutte le cartucce a disposizione e che tuttavia non riesce a
smettere di tirare il grilletto e continua, per inerzia dei nervi,
ottenendo in cambio solo lo scatto vuoto e secco del percus-
sore.

*Basta, cazzo!*

Puntuale come una replica dovuta, arrivò dall'esterno il
suono acuto e urgente delle sirene.

Lampi senza collera.

Lampi di luce accesa buona sana veloce. Polizia, pompieri, ambulanze.

La città era colpita, la città era ferita, la città chiedeva aiuto.

E tutti accorrevano, da tutte le parti, con la rapidità che la misericordia e la civiltà mettevano loro a disposizione.

Russell smise di scattare e al chiarore che proveniva dall'esterno trovò il telecomando del televisore. Lo accese e lo trovò automaticamente sintonizzato su NY1. In quel momento erano in programma le previsioni del tempo. La trasmissione fu interrotta due secondi dopo che lo schermo si era illuminato. L'uomo davanti alle cartine con il sole e la pioggia fu sostituito senza preavviso da un primo piano di Faber Andrews, uno degli anchorman del canale. Una voce profonda, un volto serio e compreso nella situazione, non per mestiere, ma per umanità.

«Abbiamo appena avuto notizia che una forte esplosione ha sconvolto un palazzo nel Lower East Side di New York City. Le prime voci parlano di un numero imprecisato di vittime, ma che pare piuttosto elevato. Non abbiamo modo di riportare altro. Attualmente non conosciamo le cause e i motivi di questo fatto funesto che speriamo in seguito di poter ridimensionare nella sua gravità e non dover definire criminale. Il ricordo di avvenimenti altrettanto luttuosi del recente passato è ancora nel ricordo di tutti. In questo momento tutta la città, tutta l'America, forse tutto il mondo stanno aspettando con il fiato sospeso di sapere. I nostri corrispondenti si sono già mossi per raggiungere il luogo dell'incidente e fra poco saremo in grado di darvi notizie più aggiornate. Per ora è tutto.»

Russell si spostò sulla CNN. Anche qui stavano dando un annuncio che, con visi e parole differenti, era nel senso uguale a quello di NY1. Tolse l'audio, lasciando alle immagini il compito di riferire. Rimase seduto sul divano davanti al televisore, con la sola lanugine luminosa dello schermo a fargli compagnia. Le luci della città oltre le vetrate sembravano provenire dal freddo e dalla lontananza dello spazio siderale. E in basso, a sinistra, c'era quella luce da sole assassino a divorare tutte le altre stelle. Quando i suoi gli avevano regalato quell'appartamento, era stato contento di essere al ventinovesimo piano e che da lì ci fosse una vista stupenda su tutta Downtown, con il Brooklyn e il Manhattan Bridge sulla sinistra e il Flatiron a destra e il New York Life Insurance Building proprio di fronte a lui.

Ora quella vista era solo un altro motivo di angoscia.

Tutto era successo così in fretta. Tutto era andato così veloce da che era stato rilasciato dopo la notte in prigione. Eppure, se ci ripensava, le immagini nella sua testa si muovevano come al rallentatore. Era chiaro ogni istante, ogni sfumatura, ogni colore, ogni sensazione. Come una condanna a rivivere quegli istanti all'infinito.

Come fosse di nuovo e per sempre Pristina.


*Il viaggio dal Distretto di Polizia a casa era iniziato in silenzio. E secondo le sue intenzioni, così avrebbe dovuto essere per tutto il tempo. L'avvocato Corneill Thornton, un vecchio amico di famiglia, lo aveva capito e fino a un certo punto si era adeguato.*

*Poi la tregua era finita. Ed era arrivato l'attacco.*

*«Tua madre è molto in pensiero per te.»*

*Senza guardarlo, Russell aveva risposto con un'alzata di spalle.*

*«Mia madre è sempre in pensiero per qualcosa.»*

*Gli erano venuti in mente la figura inappuntabile e il viso levigato di Margareth Taylor Wade, appartenente all'alta borghesia di Boston, che nella scala di valori di quella città poteva essere considerata una vera e propria aristocrazia. Boston era la città più europea di tutta la East Coast, forse d'America. Dun-*

*que la più esclusiva. E lei ne era una delle rappresentanti di maggiore spicco. Margareth si muoveva con grazia ed eleganza nel mondo con il suo viso dolce da donna che non meritava quello che la vita le aveva riservato: un figlio ucciso durante un reportage di guerra nell'ex Jugoslavia e l'altro protagonista di una vita che, se possibile, era un dolore ancora peggiore.*

*Forse non si era mai ripresa, né da una cosa né dall'altra. Ma continuava la sua vita di distinzione e memoria perché erano imprescindibili da lei. Con suo padre, Russell non parlava dal giorno successivo a quella maledetta faccenda del Pulitzer.*

*Dal loro atteggiamento nei suoi confronti, fin dai primi tempi, Russell aveva sempre ricavato un sospetto. Forse ognuno dei due pensava che era morto il fratello sbagliato.*

*L'avvocato aveva continuato nel suo approccio, che Russell sapeva benissimo dove sarebbe arrivato.*

*«Le ho detto che sei ferito. Lei pensa sarebbe opportuno che tu ti facessi vedere da un medico.»*

*A Russell venne da sorridere.*

Opportuno…

*«Mia madre è ineccepibile. Oltre che la parola giusta al momento giusto, sa sempre scegliere anche la più elegante.»*

*Thornton si era appoggiato allo schienale di cuoio. Le sue spalle si erano rilassate come succede di fronte alle situazioni senza speranza.*

*«Russell, io ti conosco da quando eri un ragazzino. Non pensi che…»*

*«Avvocato, lei non è qui per condannare o per assolvere. Per quello ci sono i giudici. Né per farmi prediche. Per quello ci sono i preti. Lei deve solo tirami fuori dai pasticci, quando le viene richiesto.»*

*Russell si era girato a guardarlo con un mezzo sorriso.*

*«Mi pare che sia pagato per farlo. Profumatamente, con*

*una parcella oraria che è il corrispettivo del salario settimanale di un operaio.»*

*«Tirarti fuori dai pasticci, dici? È quello che continuo a fare. Ultimamente mi pare che accada più sovente di quanto sia legittimo aspettarsi.»*

*L'avvocato aveva fatto una pausa. Come per decidere se dire o non dire. Infine aveva scelto la prima soluzione.*

*«Russell, ognuno ha il diritto, sancito dalla Costituzione e dal suo cervello, di distruggersi come meglio crede. E tu hai una fantasia estremamente creativa, in quella direzione.»*

*Lo aveva guardato negli occhi e da avvocato difensore si era trasformato in compiaciuto carnefice.*

*«Da ora in poi, sarò lieto di rinunciare alla parcella. Dirò a tua madre, quando servirà, di rivolgersi altrove. E me ne starò seduto, con un sigaro e un bicchiere di buon whisky in mano, a guardare lo spettacolo della tua demolizione.»*

*Null'altro era stato detto perché null'altro c'era da dire. La limousine lo aveva lasciato davanti a casa, sulla 29sima, fra la Park e la Madison. Era sceso senza salutare e senza aspettare un saluto. Il tutto alla luce di un velato disprezzo umano e di una efficace indifferenza professionale. Era salito nel suo appartamento, dopo aver afferrato al volo le chiavi che gli tendeva il doorman. Aveva appena aperto la porta che il telefono si era messo a squillare. Russell era certo di sapere chi era. Aveva sollevato la cornetta e aveva detto*

*«Pronto?»*

*aspettandosi di sentire una voce. E quella voce era arrivata.*

*«Ciao, fotografo. Ti ha detto male ieri, eh? Al gioco e con gli sbirri.»*

*Russell aveva visualizzato un'immagine. Un uomo di colore, grosso, con perenni occhiali scuri e con un doppio mento che il pizzetto cercava invano di mascherare, la mano piena di anelli che reggeva un cellulare, sprofondato nel sedile posteriore della sua Mercedes.*

*«LaMarr, non sono nello stato d'animo giusto per sentire le tue stronzate. Che vuoi?»*

*«Lo sai che voglio, giovanotto. Soldi.»*

*«In questo momento non li ho.»*

*«Bene. Temo che farai meglio ad averli quanto prima.»*

*«Che hai intenzione di fare? Spararmi?»*

*Dall'altra parte era arrivata una risata piena di forza e di scherno. E una minaccia ancora più umiliante.*

*«La tentazione è forte. Ma non sono così scemo da metterti in una cassa con in tasca i cinquantamila dollari che mi devi. Semplicemente ti manderò un paio di miei ragazzi che ti spiegheranno alcune cose della vita. Poi ti lascerò il tempo di guarire. E poi te li manderò di nuovo, finché li accoglierai con in mano i miei soldi, che nel frattempo saranno diventati sessantamila, se non di più.»*

*«Sei un pezzo di merda, LaMarr.»*

*«Sì. E non vedo l'ora di dimostrarti fino a che punto. Ciao, fotografo delle mie chiappe. Prova con* La Ruota della Fortuna, *magari ti andrà meglio.»*

*Russell aveva riattaccato, le mascelle contratte, annegando nei fili l'eco della risata di LaMarr Monroe, uno dei più grandi figli di puttana che popolavano le notti di New York. Purtroppo, Russell sapeva che non parlava a vanvera. Era un tipo che manteneva quello che prometteva, specie quando correva il rischio di perdere la faccia.*

*Era andato in camera da letto e si era spogliato, gettando i vestiti a terra. La giacca strappata era finita nella spazzatura. Si era spostato in bagno, si era imposto di farsi una doccia e la barba, con la tentazione di mettere la schiuma sullo specchio invece che sul viso. Per non vedere la sua faccia. Per non*

*vedere la sua espressione. Dopo, si era trovato da solo in casa.
E per lui quella definizione significava essere a casa senza nulla
da bere, senza un tiro di cocaina e senza un centesimo in tasca.*

*L'appartamento in cui viveva era ufficiosamente suo ma in
realtà era intestato a una società della famiglia. Anche i mobili erano stati scelti con gusto da un arredatore pagato da sua
madre fra la vasta scelta a prezzo popolare dell'Ikea e di altri
magazzini simili. Il motivo era semplice. Tutti sapevano che
Russell si sarebbe rivenduto qualunque cosa di valore con cui
fosse venuto a contatto e che i soldi li avrebbe investiti a un
tavolo da gioco.*

*Cosa che era successa con regolarità in passato.*

*Auto, orologi, quadri, tappeti.*

*Tutto.*

*Con furia distruttiva e precisione maniacale.*

*Russell si era seduto su un divano. Avrebbe potuto telefonare a Miriam o a un'altra delle modelle che frequentava in
quel periodo, ma averle in giro per casa significava a un certo
punto essere in grado di mettere sul piano del tavolo un poco
di polverina bianca. E avere il denaro per portarle fuori. In
quel momento, in cui non aveva niente dentro, sentiva il desiderio di avere almeno delle cose intorno. E ognuna di quelle
cose costava denaro. Un pensiero aveva attraversato la sua
mente.*

*O meglio, un nome.*

*Ziggy.*

*Aveva conosciuto quell'ometto stinto diversi anni prima.
Era un informatore di suo fratello, uno che a volte gli faceva
soffiate su movimenti interessanti di quella vita della città che
lui definiva «oltre la linea di frontiera», quelli che era giusto
sapere perché ogni fatto poteva diventare notizia. Dopo la
morte di Robert erano rimasti in contatto, per motivi ben*

*diversi. Uno dei quali era che, in memoria di suo fratello, gli procurava quello che gli serviva e gli faceva credito. E qualche piccolo prestito quando, come adesso, era con l'acqua alla gola. Russell ignorava il motivo di quell'attaccamento e di quella fiducia. Ma era un dato acquisito e quando era necessario ne approfittava.*

*Purtroppo Ziggy non usava il cellulare e la trafila per arrivare a lui era troppo lunga. Dopo alcuni passeggi nervosi fra il soggiorno e la camera da letto, aveva preso una decisione. Era sceso in garage e aveva tirato fuori la macchina, che guidava di rado e malvolentieri. Forse perché era una Nissan da poche migliaia di dollari e sul libretto di circolazione non c'era il suo nome. Controllò che nel serbatoio ci fosse benzina a sufficienza per l'andata e il ritorno. Sapeva dove abitava Ziggy e si era avviato seguendo gli strattoni del traffico verso Brooklyn. Il viaggio era stato una specie di automatismo. Aveva visto scorrere la città senza vederla, per ripagare il fatto che la città non vedeva lui.*

*Il labbro gli faceva male e gli occhi gli bruciavano, nonostante gli occhiali da sole.*

*Aveva passato il ponte ignorando gli skyline di Manhattan e di Brooklyn Heights e si era addentrato nei quartieri dove gente qualunque viveva una vita qualunque. Posti senza illusioni e senza risultati, disegnati a tratto ruvido con i colori sbiaditi della realtà, posti che frequentava spesso perché erano quelli in cui nascevano le bische clandestine e dove chiunque poteva trovare quello che gli serviva.*

*Bastava avere pochi scrupoli e parecchio denaro.*

*Era arrivato a casa di Ziggy quasi senza accorgersene. Aveva parcheggiato poco oltre l'edificio e dopo alcuni passi si era trovato a spingere la porta d'ingresso e a scendere i gradini che portavano al seminterrato. Qui non c'erano portieri e il citofono era una formalità ormai superata da tempo. In fondo alla scala aveva piegato a sinistra. I muri erano fatti di mattoni industriali verniciati frettolosamente di un colore che un tempo doveva essere stato beige. Le pareti erano tutte macchiate e c'era nell'aria odore di cavolo lesso e di umidità. Appena girato l'angolo, si era trovato di fronte una sequenza di porte marrone sbiadito. Una persona stava uscendo da quella verso cui era diretto, in fondo al corridoio, sulla destra. Un uomo con una giacca militare verde e un cappuccio blu alzato a coprire la testa, che si era mosso a passo deciso verso l'altra parte del corridoio, per sparire dietro l'angolo opposto, sulla scala che portava all'ingresso sul cortile.*

*Russell non ci aveva fatto molto caso. Aveva pensato fosse solo uno dei mille contatti che doveva avere ogni giorno quel trafficone di Ziggy. Quando era arrivato all'altezza dell'uscio, aveva trovato il battente accostato. Aveva spinto la maniglia e il suo sguardo aveva inquadrato la stanza e poi tutto era successo con la velocità di un lampo e la scansione a fotogrammi di una moviola.*

*Ziggy in ginocchio a terra con la camicia tutta macchiata di sangue che stava cercando di tirarsi in piedi aggrappandosi a una sedia*

lui che si avvicinava e la mano scarna dell'uomo arpionata al suo braccio

*Ziggy appoggiato al bordo del tavolo con la mano tesa verso la stampante*

lui che non capiva

*Ziggy con il dito che premeva un tasto lasciando una traccia rossa*

lui che ascoltava senza sentire il fruscio del foglio stampato che usciva sul carrello

*Ziggy con in mano una foto*

lui terrorizzato

*e infine Ziggy che con una contrazione aveva gettato fuori l'ultimo respiro e l'ultimo fiotto di sangue dalla bocca aperta. Era caduto a terra con un rumore sordo e Russell si era trovato in piedi, in mezzo alla stanza, con in mano una foto in bianco e nero e un foglio stampato, tutti e due macchiati di rosso.*

*E negli occhi l'immagine di suo fratello steso insanguinato nella polvere.*

*Muovendosi come un manichino, senza alcuna coscienza dei suoi gesti, aveva infilato il foglio e la foto in una tasca. Poi, seguendo la logica e l'istinto degli animali, era fuggito lasciando la ragione dietro di sé, in quel posto che sapeva di cavolo lesso e di umidità e di presente e di passato. Aveva raggiunto la macchina senza incontrare nessuno. Era partito imponendosi di non andare veloce per non attirare l'attenzione. Aveva guidato come in trance fino a che il respiro era tornato normale e il battito del cuore una anomalia risolta. A quel punto aveva fermato la macchina in un vicolo e si era messo a riflettere. Si era detto che fuggendo aveva fatto senza dubbio una scelta istintiva ma nello stesso momento era certo che fosse anche la scelta sbagliata. Avrebbe dovuto chiamare la Polizia. Ma questo significava dover spiegare il motivo della sua presenza lì e della sua frequentazione con Ziggy. E quel trafficone in chissà quali pasticci si era infilato. Inoltre era possibile che il tipo con la giacca verde potesse essere la persona che aveva accoltellato quel poveraccio. L'idea che potesse, per un motivo qualunque, decidere di tornare indietro non era una bella prospettiva. Non voleva essere un secondo cadavere adagiato accanto a quello di Ziggy.*

*No. Meglio fare finta di nulla. Nessuno l'aveva visto, non aveva lasciato tracce dietro di sé e da quelle parti era pieno di gente che si faceva i fatti suoi. Inoltre, ogni abitante del quartiere aveva per natura una certa riluttanza ad aprirsi con i poliziotti.*

*Mentre rifletteva e decideva che linea seguire, si era accorto che la manica destra della giacca era macchiata di sangue. Aveva svuotato le tasche gettando ogni cosa sul sedile del passeggero. Aveva controllato che non ci fosse nessuno nei paraggi quindi era sceso a buttare l'indumento in un cassonetto dei rifiuti. Con un cenno di autoironia che lo aveva sorpreso, date le circostanze, si era detto che al ritmo di due giacche gettate al giorno, presto avrebbe avuto seri problemi con il guardaroba.*

*Era salito in macchina ed era tornato a casa. Dal garage, con l'ascensore era salito direttamente al suo piano. Questo avrebbe evitato al portiere la fatica di ricordare che era uscito con la giacca ed era rientrato in maniche di camicia.*

*Aveva appena appoggiato la sua roba sul tavolo quando era arrivata l'esplosione.*

Si alzò dal divano e andò a riaccendere la luce, gli occhi rivolti al bagliore a est e il pensiero che non riusciva a staccarsi da quello che era successo nel pomeriggio. Gli venne da chiedersi una cosa, ora che ragionava a mente fredda. Perché Ziggy aveva impiegato le ultime forze e gli ultimi momenti di vita per stampare quel foglio rimasto in sospeso e per metterlo fra le sue mani insieme alla foto? Cosa c'era sopra di tanto importante da giustificare quel comportamento?

Si avvicinò al tavolo, prese la foto e la fissò per qualche istante, senza sapere chi fosse e senza capire che cosa potesse significare quel viso di ragazzo bruno che reggeva in mano un gatto nero. Il foglio invece era la fotocopia di una lettera scritta a mano, con un tratto senza dubbio maschile. Iniziò a leggere, cercando di decifrare la calligrafia ruvida e imprecisa.

E mentre scorreva le parole e ne capiva il senso, si ripeteva che non poteva essere vero. Dovette rileggerla tre volte per convincersi. Dopo, senza fiato, appoggiò di nuovo la lettera e la foto sul tavolo, con la sola macchia del sangue di Ziggy a confermare che invece era tutto reale, che non si trattava di un sogno.

Ritornò a rivolgere lo sguardo verso l'incendio che continuava ad ardere laggiù in fondo.

Aveva la testa confusa. Mille pensieri gli attraversavano la mente senza che riuscisse a fissarne nemmeno uno. L'annunciatore di NY1, prima, non aveva detto l'indirizzo preciso del posto dove quel palazzo si era disintegrato. Di certo lo avrebbero riferito in un notiziario successivo.

Lo doveva assolutamente sapere.

Tornò sul divano e ridiede voce al televisore per avere ulteriori informazioni dai telegiornali. Senza sapere bene se aspettarsi una smentita o una conferma.

Rimase lì, chiedendosi se il vuoto nel quale si sentiva precipitare fosse la morte. Se suo fratello provava la stessa cosa, ogni volta che si avvicinava a una notizia o stava per scattare una delle sue foto. Nascose il viso fra le mani e nella penombra delle palpebre chiuse si rivolse all'unica persona che avesse davvero contato qualcosa per lui. Come ultimo appiglio, cercò di immaginare quello che avrebbe fatto Robert Wade se si fosse trovato nella sua situazione.

# CAPITOLO 13

Padre Michael McKean era seduto su una poltrona davanti a un vecchio televisore, nella sua camera a Joy, la sede della comunità che aveva fondato a Pelham Bay. Era una stanza all'ultimo piano, un abbaino con parte del soffitto a spiovere, i muri bianchi e un pavimento di larghe tavole di abete. Nell'aria c'era ancora un vago sentore dell'impregnante con cui era stato trattato, una settimana prima. I mobili da poco prezzo che componevano l'arredamento spartano erano stati recuperati dove capitava. Tutti i volumi appoggiati sulla libreria, sulla scrivania e sul tavolino da notte erano arrivati in quella casa seguendo lo stesso percorso. Molti erano regali dei parrocchiani, alcuni fatti espressamente a lui. Tuttavia, padre McKean per sé aveva sempre scelto le cose più usurate e compromesse. Un poco per il suo carattere ma soprattutto perché, se c'era la possibilità di avere una miglioria nella vita di tutti i giorni, preferiva che fossero i ragazzi a beneficiarne. Le pareti erano spoglie, a parte il crocifisso sopra il letto e la macchia di un unico poster. Riproduceva il dipinto in cui Van Gogh aveva ritratto con i suoi colori inventati e la sua prospettiva da visionario la povertà della sua stanza nella Casa Gialla ad Arles. Pur essendo due ambienti completamente differenti, entrando si aveva l'impressione che quelle due stanze si comprendessero, che in qualche modo comunicassero e che quel quadro sul muro bianco fosse in realtà un'apertura attraverso la quale era possibile avere accesso a un posto lontano e a un tempo diverso.

Oltre i vetri della finestra senza tende, si intravedeva il mare riflettere l'azzurro ventoso del cielo di fine aprile. Quando era bambino, in giornate serene come quella, sua madre gli diceva che il sole dava all'aria un colore come gli occhi degli angeli e che il vento non permetteva loro di piangere.

Una piega amara diede una nuova forma alla sua bocca e una diversa espressione al suo viso. Quelle parole piene di fantasia e colore erano state trasmesse a una mente ancora così pulita da saperle raccogliere e trattenere nella memoria per sempre. Ma il notiziario della CNN in quel momento aveva altre parole e altre immagini per il suo presente, chiamate a comporre per la memoria futura scene che da sempre solo la guerra aveva il triste privilegio di rappresentare.

E la guerra, come tutte le epidemie, prima o poi arrivava dappertutto.

In primo piano c'era il viso di Mark Lassiter, un inviato dal viso consapevole eppure come incredulo per quello che stava vedendo e dicendo, che portava sotto gli occhi e nei capelli e sul colletto della camicia il segno di una notte passata in bianco. Dietro di lui le macerie di un palazzo sventrato dalle quali uscivano ancora delle beffarde volute di fumo grigiastro, figlie morenti delle fiamme che avevano illuminato a lungo l'oscurità e lo sgomento degli uomini. I vigili del fuoco avevano lottato tutta la notte per sedarle e ancora adesso, su un lato, i lunghi getti degli idranti indicavano che l'opera non era del tutto finita.

«Quello che vedete alle mie spalle è il palazzo che ieri sera è stato parzialmente distrutto da una fortissima esplosione. Gli esperti, dopo una prima sommaria indagine, sono ancora all'opera per stabilirne le cause. Finora nessuna rivendicazione è arrivata a stabilire se si tratti di un attentato di stampo terroristico o di un semplice per quanto tragico incidente. La sola cosa certa è che il bilancio delle vittime e dei dispersi è piuttosto elevato. I soccorritori stanno lavorando senza sosta e senza risparmio di mezzi per estrarre da sotto le macerie i corpi di quanti hanno perso la vita con la speranza mai spenta di trovare eventuali superstiti. Ecco le impressionanti immagini dalla telecamera montata sul nostro elicottero che mostrano senza bisogno di eccessivi commenti l'entità di questa tragedia che sta sconvolgendo la città e l'intero Paese e che riporta alla mente altre immagini e altre vittime che gli uomini e la storia non smetteranno mai di ricordare.»

L'inquadratura era cambiata e la voce di Lassiter si trovò a fare da sottofondo a delle riprese aeree. Vista dall'alto, la scena era ancora più straziante. L'edificio, una costruzione in mattoni rossi di ventidue piani, era stato stroncato a metà in senso longitudinale dall'esplosione. La parte destra aveva collassato ma, invece di far implodere l'edificio, era scivolata di lato lasciando uno spuntone eretto come un dito a indicare il cielo. La linea di frattura era netta al punto tale che su quel fianco si vedevano le stanze senza la parete esterna e residui di mobili e di quegli oggetti che significavano per gli essere umani la vita di tutti i giorni.

All'ultimo piano, un lenzuolo bianco era rimasto infilato su un traliccio e adesso si muoveva desolato al vento e allo spostamento d'aria delle pale dell'elicottero, come una bandiera di resa e di lutto. Fortunatamente la parte che si era staccata era scivolata verso una zona alberata, un piccolo parco con giochi per i bambini, un campo da basket e due da tennis, che aveva accolto le macerie evitando di colpire altri edifici e di far aumentare il numero delle vittime. L'esplosione, sfogandosi verso il lato dell'East River, aveva ignorato gli edifici dalla parte opposta, anche se tutti i vetri, per un discreto raggio, erano stati polverizzati dallo spostamento d'aria. Intorno al palazzo ferito e fra le sue macerie, era un delirio colorato di mezzi di soccorso e di uomini che si affannavano pieni di vigore e di speranza in quella lotta contro il tempo.

Il commentatore tornò in primo piano sostituendo il proprio viso a quelle immagini di desolazione e morte.

«Il sindaco Wilson Gollemberg ha decretato lo stato di emergenza e si è precipitato sulla scena del disastro. Ha partecipato attivamente per tutta la notte alle operazioni di soccorso. Abbiamo una sua prima dichiarazione, registrata ieri sera subito dopo il suo arrivo sul posto.»

Ancora un cambio di inquadratura, con quel tanto di perdita di qualità che una registrazione fatta in quelle condizione comportava. Il sindaco, un uomo alto e dal viso aperto che dava l'impressione di vibrare di ansia e nello stesso tempo trasmettere fiducia e fermezza, era illuminato dalle luci bianche e immobili delle telecamere, che combattevano il controluce di fiamme senza legge alle sue spalle. In quel momento di confusione e di emergenza aveva rilasciato poche parole a commento di quello che era appena successo.

«Per ora non è possibile fare bilanci e trarre conclusioni. Una sola cosa posso promettere, da sindaco a tutti miei cittadini e da americano a tutti gli americani. Se esistono uno o più responsabili di questo atto nefando, voglio che sappiano fin da ora che per loro non ci sarà scampo. La loro viltà e la loro ferocia avranno la punizione che si meritano.»

Ancora il telecronista in diretta da un luogo che per molta gente non sarebbe stato mai più lo stesso.

«Per il momento è tutto dal Lower East Side di New York. Una conferenza stampa è prevista a breve. Vi chiederò la linea se ci saranno ulteriori sviluppi. Qui Mark Lassiter, a voi studio.»

L'immagine e la risposta degli anchorman seduti alla scrivania nello studio arrivarono in contemporanea allo squillo del cellulare, posato su un tavolino accanto alla poltrona. Il sacerdote tolse l'audio al televisore e rispose alla chiamata. Dall'apparecchio uscì la voce leggermente sfocata dall'emozione di Paul Smith, il parroco di Saint Benedict.

«Michael, stai vedendo la televisione?»

«Sì.»

«È terrificante.»

«Sì, lo è.»

«Tutta quella gente. Tutti quei morti. Tutta quella disperazione. Non riesco a capacitarmi. Cosa può avere in mente chi ha fatto una cosa del genere?»

Padre McKean si trovò vittima di una strana e desolata stanchezza, quella che colpisce l'umanità di un uomo quando è costretta a fronteggiare la completa assenza di umanità in altri uomini.

«C'è una cosa della quale temo dobbiamo renderci conto, Paul. L'odio non è più un sentimento. Ormai sta diventando un virus. Quando arriva a infettare l'animo, la mente si perde. E le difese delle persone sono sempre più deboli.»

Dall'altra parte ci fu un attimo di silenzio, come se il vecchio sacerdote stesse riflettendo sulle parole che aveva appena udito. Poi espresse un dubbio, che forse era il vero motivo della sua chiamata.

«Con quello che è appena successo credi sia il caso di celebrare la messa solenne? Non pensi che una cosa in tono più dimesso sarebbe meglio, viste le circostanze?»

Nella parrocchia di Saint Benedict, quella delle dieci e quarantacinque era la più importante delle messe della do-

menica. Per questo negli orari in bacheca era definita messa
solenne. Sulla tribuna sopra l'ingresso della chiesa, dove era
sistemato l'organo a canne, prendeva posto il coro. Altri vo-
calist durante la funzione cantavano salmi direttamente sul-
l'altare. L'inizio della funzione comprendeva una piccola
processione alla quale, oltre l'officiante e quattro chierichetti
in tunica bianca, partecipavano anche alcuni fedeli, sempre
diversi, scelti fra i parrocchiani.

McKean ci pensò un attimo e scosse la testa, come se dal-
l'altra parte il parroco lo potesse vedere.

«Non credo, Paul. Io penso che la messa solenne, proprio
oggi, sia nello stesso tempo una presa di posizione e una risposta precisa a questa barbarie. Da qualunque parte arrivi.
Non smetteremo di pregare Dio nel modo che riteniamo più
degno. E nello stesso modo solenne renderemo onore alle
vittime innocenti di questa tragedia.»

Fece una breve pausa, prima di proseguire.

«L'unica cosa che credo si potrebbe fare è cambiare la
lettura. Nella liturgia di oggi è previsto un passo dal Vangelo
secondo Giovanni. Io lo sostituirei con il Discorso della
Montagna. Le Beatitudini, intendo. Fa parte del vissuto di
tutti, anche dei non credenti. Io penso sia molto significativo
in una giornata come questa, in cui la misericordia non deve
essere sopraffatta dall'ansia istintiva di rivalsa. La vendetta è
la giustizia imperfetta di questo mondo. Noi parliamo alla
gente di una giustizia che non è terrena e dunque non conta-
minata dall'errore.»

Dall'altra parte ci fu un istante di silenzio.

«Luca o Matteo?»

«Luca. Il passaggio di Matteo comprende una parte di ritorsione che non è in linea con quelli che sono i nostri sentimenti. E le cantate potrebbero essere *The whole world is*

*waiting for love* e *Let the valley be raised.* Ma per questo ritengo giusto consultarsi anche con il maestro Bennett, il direttore del coro.»

Ancora una pausa e poi il sollievo del dubbio fugato nella risposta del parroco.

«Sì, penso che tu abbia ragione. C'è solo una cosa che ti chiederei. E sono certo di interpretare il parere di tutti.»

«Dimmi.»

«Vorrei fossi tu a tenere il sermone, durante la messa.»

Padre McKean ebbe un istintivo moto interiore di tenerezza. Il reverendo Smith era una persona sensibile e fragile, facile alla commozione. Sovente la sua voce si spezzava, quando doveva affrontare argomenti che coinvolgevano a fondo la sua sensibilità.

«Va bene, Paul.»

«A fra poco, allora.»

«Parto fra pochi minuti.»

Appoggiò il cellulare sul tavolino, si alzò e andò alla finestra. Rimase con le mani nelle tasche a guardare senza vederlo il giornaliero panorama della sua finestra. Forme e colori di sempre, familiari, mare vento alberi, che quel giorno sembravano estranei spettatori di un mondo a parte, immagini senza comprensione e difficili da comprendere. Il servizio che aveva appena visto in televisione continuava a sovrapporsi a quello che aveva davanti agli occhi. Gli tornarono in mente i tempi feroci intorno all'11 Settembre, il giorno che aveva cambiato il tempo e il mondo da prima a dopo.

Ripensò a quanti crimini erano stati commessi in nome di Dio, quando Dio non c'entrava per nulla. Di qualunque dio si stesse parlando. D'istinto, a Michael McKean, l'uomo e non il sacerdote, venne da chiedersi una cosa. Qualche tempo prima, Giovanni Paolo II aveva chiesto scusa al mondo per il comportamento della Chiesa cattolica di circa quattro-cento anni prima, all'epoca dell'Inquisizione. Fra quattro-cento anni, di che cosa il Papa di allora avrebbe chiesto scusa per quello che stavano facendo adesso? Di cosa avrebbero chiesto scusa *tutti* gli uomini che nel mondo professavano una fede?

La fede era un dono, come l'amore e l'amicizia e la fidu-cia. Non poteva nascere dalla ragione. La ragione poteva so-lo, in certi casi, aiutare a tenerla viva. Era l'altro binario, quello che correva parallelo in una direzione che non era da-to sapere. Ma se la fede faceva perdere la ragione, si perdeva-no con lei l'amore, l'amicizia, la fiducia, la bontà.

E dunque la speranza.

Aveva intorno a sé, da che Joy era nata, ragazzi in cui quello era stato un sentimento sconosciuto fin dall'inizio o perduto nel corso del loro breve e infelice viaggio. Quello che avevano avuto, in cambio della speranza, era stata una terribile sicurezza. Che la vita fosse fatta di vicoli, di espe-dienti, di penombra, di desideri mai realizzati, di botte, di af-fetto negato, di cose belle riservate ad altri. Che andando contro la vita e contro se stessi nulla avevano da perdere, perché nel nulla vivevano.

E così in quel nulla molti si perdevano.

Bussarono alla porta. Il sacerdote lasciò la finestra e andò ad aprire. Nel riquadro si trovò davanti la figura di John Kortighan, il responsabile laico di Joy. La positività fatta per-sona. E Dio sapeva di quanta positività ci fosse bisogno ogni giorno in un posto come quello.

John si occupava di tutti gli aspetti pratici di una strut-tura che era, sotto un profilo tecnico, abbastanza semplice da gestire ma nello stesso tempo, per diversi motivi, parec-chio complessa. Era organizzatore, amministratore, procuratore e un sacco di altre cose che finivano per «ore», non ultima quella di essere un vero signore. Quando aveva accettato di occuparsi di Joy in cambio di uno stipendio non molto elevato e non sempre puntuale, il reverendo McKean si era trovato dapprima incredulo e in seguito euforico, come davanti a un bel regalo inatteso. Non si era sbagliato nel valutarlo e non aveva mai avuto ragione di pentirsi della sua scelta.

«I ragazzi sono pronti, Michael.»

«Molto bene. Andiamo.»

Prese la giacca dall'attaccapanni, uscì dalla stanza e accostò la porta. Non si curò di chiudere a chiave. A Joy non esistevano chiavistelli o serrature. Quello che aveva da sempre cercato di trasmettere ai suoi ragazzi era che non si trovavano in un carcere ma in un luogo dove la libera scelta governava le azioni e i movimenti di tutti. Ognuno di loro era autonomo e in qualunque momento poteva lasciare la comunità, se lo avesse ritenuto opportuno. Molti di loro erano approdati a Joy proprio perché nel posto in cui vivevano prima si erano sentiti imprigionati.

Padre McKean ne era conscio e sapeva che la battaglia contro la droga era lunga e difficile. Sapeva che ognuno dei suoi ragazzi lottava contro una necessità fisica che poteva trasformarsi in un autentico malessere. Nello stesso tempo ognuno doveva confrontarsi con tutto quello che, dentro e intorno a lui, lo aveva spinto nella peggiore delle oscurità, quella in cui ci si può trovare anche quando non è buio. Con la certezza che il supplizio fisico poteva cessare e tutto il resto poteva essere nascosto o scordato col semplice gesto di prendere una pastiglia, aspirare della polvere bianca, infilarsi un ago nelle vene.

A volte, purtroppo, qualcuno non ce la faceva. Qualche

mattino si svegliavano e si trovavano di fronte a un letto vuoto e a una sconfitta che era difficile assorbire e metabolizzare. In quel momento erano gli altri ragazzi che si stringevano intorno a lui. Quella dimostrazione di affetto e di fiducia dava senso a tutte le cose e la forza per continuare, con molta amarezza e un poco di esperienza in più.

Mentre scendevano le scale, John non riuscì a evitare un commento a quello che era successo la sera prima a Manhattan. Probabilmente non si stava parlando d'altro, nel mondo.

«Hai visto i notiziari?»

«Non tutti ma parecchi.»

«Io stamattina ho avuto da fare. Ci sono stati sviluppi?»

«No. O almeno non sviluppi a conoscenza della stampa.»

«Secondo te chi è stato? Terroristi islamici?»

«Non saprei. Non sono riuscito a farmi un'idea precisa. Probabilmente nessuno è riuscito a farsela. L'altra volta la rivendicazione è stata immediata.»

Non era il caso di specificare. Tutti e due sapevano quale potesse essere definita l'altra volta.

«Ho un cugino in Polizia, proprio in un Distretto nel Lower East Side. L'ho sentito stamattina. Era sul posto. Non ha potuto sbilanciarsi ma ha detto che è una gran brutta faccenda.»

John si fermò un istante sull'ultimo pianerottolo, come se quello che stava per dire necessitasse di una precisazione.

«Voglio dire, molto più brutta di quanto sembra.»

Ripresero a scendere e arrivarono al fondo delle scale in silenzio. Tutti e due chiedendosi che cosa al mondo avesse il potere di trasformare un fatto di sangue come quello in qualcosa di ancora peggiore. Attraversarono la cucina attrezzata per i bisogni di una comunità di una trentina di persone, dove tre ragazzi di turno e la signora Carraro, la cuoca, stavano lavorando per preparare il pasto della domenica.

Era un locale piuttosto ampio, che dava sul retro della casa, illuminato da grandi finestre, con i fuochi al centro sotto la cappa di aspirazione e i banconi e i frigoriferi ai lati.

Padre McKean si avvicinò a un fornello, affiancandosi alla donna che gli dava le spalle e che non l'aveva visto arrivare. Sollevò il coperchio e lasciò che una voluta di vapore profumato di sugo salisse a perdersi nella cappa.

«Buongiorno signora Carraro, con che cosa ci avvelenate oggi?»

Janet Carraro, una donna di mezza età dalle forme abbondanti e, per sua stessa definizione, a due libbre dall'essere grassa, ebbe un sobbalzo. Si pulì le mani sul grembiule, tolse il coperchio dalle mani del sacerdote e lo riappoggiò sulla pentola.

«Padre McKean, per sua norma e regola questo è un sugo che può considerarsi un peccato di gola.»

«Dunque oltre che per i nostri corpi dobbiamo temere per le nostre anime?»

I ragazzi che stavano pulendo e affettando delle verdure su un tagliere di legno dall'altra parte della stanza sorrisero. Quel tipo di schermaglie era abituale fra i due, una piccola rappresentazione frutto del reciproco affetto a uso e consumo del divertimento comune. La cuoca prese un cucchiaio di legno, lo intinse nel sugo e lo porse con aria di sfida al sacerdote.

«Tenga e constati di persona, uomo di poca fede. E si ricordi san Tommaso.»

McKean avvicinò il cucchiaio alle labbra soffiando per raffreddarlo e poi lo infilò in bocca. L'aria dubbiosa dei primi istanti venne sostituita da un'espressione estatica. Riconobbe subito il sapore robusto del sugo all'amatriciana della signora Carraro.

«Le chiedo scusa, signora Carraro. Questo è il miglior ragù che abbia mai assaggiato.»

«È un sugo all'amatriciana.»

«Allora sarà il caso di riferirglielo, altrimenti continuerà a sapere di ragù.»

La cuoca finse di indignarsi.

«Se lei non fosse la persona che è, per questa affermazione metterei una dose gigantesca di peperoncino nel suo piatto, quando sarà il momento. E non è ancora del tutto escluso che non lo faccia.»

Ma il tono della sua voce e il viso sorridente smentivano le sue parole. Gli fece un gesto con il cucchiaio verso la porta.

«E adesso se ne vada e lasci lavorare le persone, se vuole mangiare quando torna. Ragù o amatriciana che sia.»

Il sacerdote trovò John Kortighan in piedi accanto alla porta che dava sul cortile, con un sorriso sulle labbra per il piccolo spettacolo a cui aveva appena assistito. Mentre gli teneva la porta aperta espresse il suo giudizio critico.

«Molto divertente. Tu e la signora Carraro potreste farlo di mestiere.»

«Lo ha già fatto Shakespeare. *Ragù or not ragù, this is the question*, ricordi?»

La sonora risata del suo collaboratore li seguì all'aperto e si perse senza echi nell'aria fresca. Si ritrovarono nel cortile e si avviarono verso il lato destro della costruzione, dove un pulmino scalcinato con a bordo i ragazzi era in attesa.

Padre McKean si fermò e alzò un istante gli occhi verso il cielo sereno. Nonostante il breve scambio di battute, gli era arrivata addosso una improvvisa sensazione di disagio, alla quale non riusciva a dare un nome.

Tuttavia, quando salì sul mezzo e salutò i ragazzi, la tenerezza e la gioia di essere insieme allontanarono un attimo il pensiero che gli era arrivato come una brutta notizia poco prima. Ma mentre il vecchio furgone percorreva la strada sterrata verso l'uscita della proprietà, lasciandosi dietro la casa a sbiadire in una nuvola di polvere, quella sensazione di minaccia incombente tornò a prendere possesso dei suoi pensieri. Rivide tutte le immagini passate alla televisione ed ebbe l'impressione che il vento, quello che impediva agli angeli e agli uomini di piangere, all'improvviso avesse smesso di soffiare.

# CAPITOLO 14

*Beati i poveri in spirito, perché di essi è il regno dei cieli.*
*Beati gli afflitti, perché saranno consolati.*
*Beati i miti, perché erediteranno la terra.*
*Beati quelli che hanno fame e sete della giustizia, perché*
*saranno saziati.*
*Beati i misericordiosi, perché troveranno misericordia.*
*Beati i puri di cuore, perché vedranno Dio.*
*Beati quelli che si adoperano per la pace, perché saranno*
*chiamati figli di Dio.*
*Beati i perseguitati a causa della giustizia, perché di essi è*
*il regno dei cieli.*
*Beati voi quando vi insulteranno, vi perseguiteranno e,*
*mentendo, diranno ogni sorta di male contro di voi per*
*causa mia.*
*Rallegratevi ed esultate, perché grande è la vostra ricom-*
*pensa nei cieli.*

Il reverendo McKean era in piedi davanti al leggio sulla sinistra dell'altare, sopraelevato di un paio di gradini rispetto al pavimento della chiesa. Quando la sua voce profonda arrivò alla fine della lettura, rimase un attimo in silenzio, con gli occhi fissi sulla pagina, per lasciare alle sue parole il tempo di percorrerla. Non era un viaggio lungo ma di certo in quel momento non era un viaggio facile. Infine rialzò il capo e fece scorrere lo sguardo per la chiesa piena di gente.

Poi iniziò a parlare.

«Le frasi che avete appena sentito appartengono a uno dei sermoni più famosi di Gesù. Lo è diventato non solo per la bellezza di queste parole, per la loro forza evocativa, ma per la sua importanza nei secoli a venire. In questi pochi passi è compresa l'essenza della dottrina che per gli ultimi tre anni della sua vita ha predicato. Colui che facendosi uomo ha portato sulla terra un nuovo patto fra gli uomini e il Padre, con il suo messaggio ci ha indicato la speranza ma non ci ha invitati alla resa. Non significa che ognuno di noi deve accettare passivamente quello chc può arrivare di ingiusto, di doloroso, di funesto in un mondo fatto da Dio ma governato dagli uomini. Tuttavia ci ricorda che la nostra forza e il nostro sostegno nella lotta di ogni giorno stanno nella Fede. E ce la chiede. Non ce la impone, semplicemente come un amico ce la chiede.»

Fece una pausa e chinò di nuovo gli occhi sul leggio davanti a lui. Quando rialzò la testa lasciò senza vergogna che ogni persona presente vedesse le lacrime che gli scorrevano sulle guance.

«Tutti voi sapete quello che è successo nella nostra città ieri sera. Le immagini terribili che ognuno di noi ha negli occhi non sono nuove, come non sono nuovi lo sgomento, il dolore, la pietà quando ci si trova di fronte a prove come quella che siamo stati chiamati a superare.»

Lasciò ai presenti un istante per capire, per ricordare.

«Che *tutti* siamo stati chiamati a superare, fino all'ultimo uomo, perché il dolore che colpisce uno solo di noi colpisce tutto il genere umano. Essendo fatti di carne, con le nostre debolezze e le nostre fragilità, quando arriva un fatto luttuoso e inatteso, un fatto incomprensibile che coinvolge la nostra esistenza e supera la nostra tolleranza, il primo istinto è quello di chiedersi perché Dio ci ha abbandonato. Di chiedersi perché, se siamo suoi figli, permette che accadano queste cose. Lo fece anche Gesù, quando sulla croce aveva sentito la sua parte umana esigere il tributo di dolore che la volontà del Padre gli aveva richiesto. E badate bene che in quel momento Gesù non aveva Fede…»

Fece una pausa. C'era in chiesa un silenzio nuovo, quella domenica.

«In quel momento Gesù *era* la Fede.»

Il sacerdote aveva sottolineato in modo particolare quella frase, prima di proseguire.

«Se è successo all'uomo che è venuto al mondo con la volontà di portarci la redenzione, è comprensibile che possa accadere anche a noi, che di quella volontà e di quel sacrificio siamo i beneficiari e della quale rendiamo grazie ogni volta che ci accostiamo a un altare.»

Una nuova pausa e la sua voce ritornò per tutti quella di un confidente e non di un predicatore.

«Vedete, un amico si accetta per quello che è. A volte dobbiamo farlo anche quando non capiamo, perché la fiducia in certi casi deve andare oltre la comprensione. Se agiamo in questo modo per un amico, che è e resta un essere umano, a maggior ragione lo dovremo fare per Dio, che è nostro padre e che è nello stesso tempo il nostro migliore amico. Quando non capiamo, dobbiamo offrire in cambio quella Fede, che ci viene chiesta anche se siamo poveri, afflitti, se abbiamo fame e sete, se siamo perseguitati, insultati, accusati ingiustamente. Perché Gesù ci ha insegnato che viene dalla nostra bontà, dalla purezza del nostro cuore, dalla nostra misericordia, dal nostro desiderio di pace. E noi, ricordando le parole di Gesù sulla montagna, avremo quella Fede. Perche ci ha promesso che se quello che viviamo è un mondo imperfetto, se quello in cui invecchiamo è un tempo imperfetto, quello che un giorno avremo in cambio sarà un posto meraviglioso, tutto nostro. E non ci sarà tempo, perché sarà per sempre.»

Con un sincronismo ammirevole, alla fine del suo sermone il suono evocativo dell'organo a canne si diffuse per la chiesa, sostenendo il coro che intonava un canto che parlava del mondo e del suo bisogno d'amore. Ogni volta che padre McKean ascoltava le voci affiatate dei cantori in quella fusione perfetta di armonia, non poteva fare a meno di sentire un brivido percorrergli le braccia. Pensò che la musica fosse uno dei più grandi doni fatti agli uomini, uno dei pochi che riuscisse a coinvolgere lo spirito al punto tale da ripercuotersi sul corpo. Si allontanò dal leggio e raggiunse il suo posto vicino ai chierichetti dall'altra parte dell'altare. Rimase in piedi, seguendo il rituale della messa e nello stesso tempo continuando a osservare i fedeli che affollavano la chiesa.

I suoi ragazzi, a parte quelli che erano di turno per i lavori a Joy, erano seduti nei primi banchi. Come per tutto il resto, aveva lasciato libera scelta riguardo alla preghiera o la presenza alle funzioni. Joy era un posto di conversione umana, prima che di conversione religiosa. Il fatto che la comunità facesse capo a un sacerdote cattolico, per sua decisione doveva essere ininfluente ai fini delle scelte dei ragazzi. Ma era conscio del fatto che quasi tutti venivano in chiesa perché c'era lui e perché capivano che lui aveva piacere di saperli partecipi a un momento di aggregazione collettiva.

E questo, per il momento, gli bastava.

La chiesa di Saint Benedict era al centro di un quartiere residenziale del Bronx chiamato Country Club, popolato per la massima parte da gente di origine italiana e ispanica, le cui caratteristiche fisiche erano facilmente riconoscibili nella maggior parte dei presenti. Nell'ingresso della chiesa, attaccate al muro intorno alla statua della Santa Vergine, c'erano delle targhe in ottone poste in memoria di defunti della parrocchia. In prevalenza i cognomi erano italiani o spagnoli. Infatti, nell'arco della giornata, per favorire le due etnie venivano celebrate messe in entrambe le lingue.

Al momento della comunione, padre McKean si avvicinò all'altare e ricevette l'ostia direttamente dalle mani del parroco, che non mancò di rivolgergli uno sguardo di compiacimento per il suo sermone. Fra la magia della musica che sottolineava lo scambio di un segno di pace e l'odore dell'incenso che si spargeva nell'aria, la voce del reverendo Paul Smith condusse in preghiera la messa fino alla fine.

Poco dopo, come consuetudine, i sacerdoti si trovarono all'uscita della chiesa per salutare i fedeli e scambiare qualche impressione, per sentire le loro storie o discutere le nuove iniziative della parrocchia. Durante i mesi invernali questo incontro avveniva nell'atrio ma in quella bella giornata di fine aprile i portoni erano spalancati e si ritrovarono tutti sparsi sui gradini all'esterno.

Padre McKean ricevette i complimenti per il suo commento al Vangelo ed Ellen Carraro, la sorella più anziana della loro cuoca, non mancò di presentarsi con gli occhi ancora lucidi per esprimergli la sua commozione e ricordargli la sua artrite. Roger Brodie, un falegname in pensione che a volte prestava gratuitamente la sua opera alla parrocchia, gli promise che il giorno dopo sarebbe stato a Joy per una riparazione al tetto. A poco a poco i gruppi si sciolsero e tutti ritornarono verso le loro macchine e le loro case. Molti erano venuti a piedi, vista la vicinanza delle loro abitazioni.

Il parroco e padre McKean si ritrovarono da soli.

«Sei stato emozionante oggi. Sei una grande persona, Michael. Per quello che dici e per come lo dici. Per quello che fai e come lo fai.»

«Grazie, Paul.»

Il reverendo Paul Smith girò la testa e rivolse uno sguardo a John Kortighan e ai ragazzi che erano sul marciapiede in fondo alla scalinata e stavano aspettando per tornare a Joy. Quando girò la testa verso di lui, McKean gli lesse negli occhi l'imbarazzo.

«Ti devo chiedere un sacrificio, se la cosa non ti è di troppo peso.»

«Dimmi.»

«Angelo non sta bene. So che la domenica è un giorno importante per te e i tuoi ragazzi ma non te la sentiresti di sostituirlo per la messa delle dodici e trenta?»

«Non è un problema.»

I ragazzi avrebbero sentito la sua mancanza ma in quella giornata così particolare sapeva di non essere dell'umore giusto per condividere la compagnia della tavola. Quel senso di oppressione non lo aveva abbandonato del tutto e riteneva fosse meglio non esserci piuttosto che essere un corpo d'umore estraneo.

Scese gli scalini e raggiunse i ragazzi in attesa.

«Mi spiace, ma temo che dovrete pranzare senza di me. Ho un impegno qui in parrocchia. Vi raggiungerò dopo. Dite alla signora Carraro che mi tenga qualcosa in caldo, se non avrete spazzolato tutto.»

Lesse la delusione sul viso di alcuni di loro. Jerry Romero, il più anziano del gruppo, quello che da più tempo era ospite di Joy e che per molti suoi compagni era un punto di riferimento, si fece portavoce del malcontento comune.

«Mi sa che per farti perdonare questa sera dovrai concedere una seduta di Fastflyx.»

Fastflyx era un servizio di noleggio postale di film in DVD che Joy aveva avuto gratuitamente dalla compagnia grazie alle arti diplomatiche di John. In quel posto di fatica e di rinunce che era la comunità, anche un film visto insieme risultava essere un piccolo lusso.

McKean puntò il dito contro il ragazzo.

«Questo è un bieco ricatto, Jerry. E lo dico a te e ai tuoi complici. Tuttavia mi sento costretto a cedere sotto il peso della volontà comune. Inoltre credo che proprio ieri sia arrivata una sorpresa. Anzi, una doppia sorpresa.»

Fece un gesto con le mani per prevenire le richieste dei ragazzi.

«Ne parliamo dopo. Adesso andate che gli altri vi stanno aspettando.»

Discutendo fra loro i ragazzi si mossero verso la Batmobile, il soprannome che avevano dato al pulmino. McKean li guardò mentre si allontanavano. Erano una massa colorata di vestiti e un groviglio di problemi troppo grandi per la loro giovane età. Alcuni erano dei soggetti non facili con cui relazionarsi. Ma erano la sua famiglia e per un tratto della loro vita Joy sarebbe stata la loro.

John si trattenne un istante prima di raggiungerli.

«Vuoi che torni a prenderti?»

«Non ti preoccupare, mi farò dare un passaggio da qualcuno.»

«Okay. A dopo, allora.»

Rimase in strada finché il mezzo non si avviò e sparì svoltando l'angolo. Poi salì i gradini e rientrò in chiesa, che in quel momento era deserta. Solo una coppia di donne si era trattenuta in un banco vicino all'altare, per un prosieguo personale di quel contatto collettivo con Dio che era stata la messa.

Sul lato destro, subito dopo l'ingresso, c'era il confessionale. Era in legno chiaro e lucido, con i due ingressi coperti da tende di velluto bordeaux. Una luce rossa, accesa o spenta, indicava la presenza del sacerdote all'interno e una più piccola, di lato, se era libero o meno. La parte riservata al confessore era uno spazio angusto con l'unico conforto di una sedia di vimini, sotto una applique schermata che dall'alto diffondeva una luce tenue sulla tappezzeria azzurra. La parte del penitente era molto più spartana, con l'inginocchiatoio e la griglia che permetteva una riservatezza di cui molti necessitavano in un momento così intimo.

Qui padre McKean si rifugiava a volte, senza accendere la luce né segnalare in alcun modo la sua presenza all'interno. Rimaneva per qualche tempo a riflettere sulle necessità economiche della sua opera, a raccogliere le idee quando erano uccelli migratori, a concentrarsi sul caso di un ragazzo particolarmente difficile. Per arrivare alla conclusione che tutti lo erano e che tutti meritavano la stessa attenzione, che con il denaro che avevano a disposizione compivano degli autentici miracoli e che avrebbero continuato a compierli. E che le idee, anche le più difficili da seguire, prima o poi mostravano il posto dove avevano fatto il nido.

Quel giorno, come tanti altri, scostò la tenda, entrò e si sedette, senza accendere la piccola luce sopra la sua testa. La sedia era vecchia ma comoda e la penombra un alleato. Il sacerdote stese le gambe e appoggiò la testa contro il muro. Le immagini che erano uscite dalla televisione a sconvolgere gli occhi e le coscienze avevano un prezzo per chiunque, anche per chi non era stato toccato direttamente dalla tragedia. Per il solo fatto di esistere. C'erano giorni come quello in cui la sua vita saliva su una bilancia e la difficoltà maggiore era capire. Nonostante quello che aveva detto durante la messa, non solo di capire gli uomini ma anche la volontà del Dio che serviva. Di tanto in tanto si chiedeva come sarebbe stata la sua esistenza se non avesse seguito il richiamo di quella che il mondo ecclesiastico definiva vocazione. Avere una moglie, dei figli, un lavoro, una vita normale. Aveva trentotto anni e tanti anni prima, al momento della scelta, gli avevano detto a cosa rinunciava. Tuttavia era un avvertimento e non un'esperienza. Ora a volte sentiva un vuoto a cui non sapeva dare un nome, ma nello stesso tempo era certo che un vuoto simile facesse parte del vissuto di ogni essere umano che camminava sulla terra. Lui aveva la sua rivalsa giornaliera sul nulla vivendo ogni giorno a contatto con i suoi ragazzi e aiutandoli a non farne mai più parte. In definitiva, si disse che la cosa più difficile non era capire, ma dopo aver capito continuare, nonostante la fatica, a percorrere la strada. In quel momento, era la cosa più vicina alla Fede che potesse offrire a se stesso e agli altri.

E a Dio.

«Eccomi, padre McKean.»

La voce entrò all'improvviso e senza preavviso. Arrivò dalla penombra e da un mondo senza pace che per qualche istante era stato dimenticato. Si appoggiò al bracciolo e si sporse verso la grata. Dall'altra parte, nella luce incerta, una figura appena intravista e una spalla coperta da un tessuto verde.

«Buona giornata. Cosa posso fare per te?»

«Nulla. Credo che lei mi stesse aspettando.»

Quelle parole lo misero a disagio. La voce era cupa ma tranquilla, come di qualcuno che non ha nessuna paura dell'abisso al quale è affacciato.

«Ci conosciamo?»

«Molto bene. O per nulla, se preferisce.»

Il disagio divenne un leggero senso di angoscia. Il sacerdote trovò rifugio nelle uniche parole che potevano offrirglielo.

«Sei entrato in un confessionale. Devo pensare che vuoi confessarti?»

«Sì.»

Il monosillabo era arrivato deciso ma noncurante.

«E allora dimmi i tuoi peccati.»

«Io non ne ho. Non cerco assoluzione perché non ne ho bisogno. E in ogni caso so che non me la darebbe.»

Dalla sua parte, il sacerdote rimase interdetto di fronte a quella dichiarazione di inutilità. Dal tono della voce aveva percepito che non veniva da una semplice presunzione ma da qualcosa di molto più ampio e devastante. In un altro momento il reverendo Michael McKean forse avrebbe reagito diversamente. Ora aveva ancora gli occhi e le orecchie pieni di immagini e suoni di morte e il senso di disfatta che prende dopo una notte quasi insonne.

«Se questo è il tuo pensiero, allora cosa posso fare per te?»

«Nulla. Volevo solo lasciare a lei un messaggio.»

«Che messaggio?»

Un attimo di silenzio. Ma non era esitazione. Era solo il tempo di permettere all'altro di sgombrare la mente da ogni altro pensiero che non fosse quello.

«Sono stato io.»

«A fare cosa?»

«Sono stato io a fare esplodere il palazzo nel Lower East Side.»

Padre McKean rimase senza fiato.

Le immagini si sovrapposero. Polvere, ambulanze, le

urla dei feriti, il colore del sangue, i cadaveri trasportati in un telo, il pianto dei sopravvissuti, lo strazio di chi aveva perso tutto. Le dichiarazioni alla televisione. E un'intera città, un intero Paese di nuovo percorsi dalla paura che era, come aveva detto qualcuno, l'unico vero cavaliere dell'apocalisse. E l'ombra indistinta che stava dall'altra parte di quella sottile barriera asseriva di essere la responsabile di tutto questo.

La ragione gli impose di prendere tempo e di riflettere con lucidità. Nel mondo esistevano persone malate che amavano addossarsi la colpa di omicidi e disastri dei quali non c'era la minima possibilità che fossero responsabili.

«Lo so che cosa sta pensando.»

«Cosa?»

«Che sono un mitomane, che non c'è nulla che provi che quello che sto dicendo sia vero.»

Michael McKean, uomo di ragione e sacerdote per credo, in quel momento era solo un animale con tutti i sensi tesi. E ogni frammento del suo istinto ancestrale gli urlava che l'uomo dall'altra parte del confessionale diceva la verità.

Ebbe bisogno di respirare qualche istante, prima di proseguire. L'altro capì ed ebbe rispetto del suo silenzio. Quando ritrovò la voce, il sacerdote si appellò a una pietà che sapeva già non avrebbe trovato.

«Che senso hanno per te tutte quelle morti, tutto quel dolore?»

«Giustizia. E la giustizia non dovrebbe mai creare dolore. Ne è stata dispensata tanta, in passato, ed è diventata oggetto di culto. Perché mai questa volta dovrebbe essere diverso?»

«Che cosa intendi per giustizia?»

«Il Mar Rosso che si apre e si chiude. Sodoma. Gomorra. Ho molti altri esempi, se vuole.»

La voce tacque per un attimo. Dalla sua parte del confessionale, che in quel momento gli sembrava il luogo più freddo del mondo, padre McKean avrebbe voluto urlare che quelle erano solo favole della Bibbia, che non era giusto prenderle alla lettera, che...

Si trattenne e perse l'attimo per controbattere. Il suo interlocutore lo intese come un invito a continuare.

«Gli uomini hanno avuto due vangeli, uno per la loro anima e uno per le loro vite. Uno religioso e uno laico. Tutti e due hanno insegnato agli uomini più o meno le stesse cose. La fratellanza, la giustizia, l'uguaglianza. Ci sono state persone che li hanno diffusi nel mondo e nel tempo.»

La voce pareva arrivare da un posto molto più lontano della minima distanza che li separava. Adesso era diventata un soffio ed era incrinata dalla delusione. Quella che genera rabbia e non lacrime.

«Ma quasi nessuno ha avuto la forza di vivere secondo gli insegnamenti che predicava.»

«Tutti gli uomini sono imperfetti. Fa parte della natura. Come puoi non provare compassione? Non sei pentito di quello che hai fatto?»

«No. Perché lo farò ancora. E lei sarà il primo a saperlo.»

Padre McKean nascose il viso fra le mani. Quello che gli stava capitando era troppo per un uomo. Se le parole di quell'individuo corrispondevano alla verità, era una prova superiore alle sue forze. Alle forze di chiunque vestisse un abito sacerdotale. La voce lo incalzò. Non feroce, ma suadente. Piena di comprensione.

«Nelle sue parole, durante la messa. C'era dolore. C'era partecipazione. Ma non c'era vera Fede.»

Tentò una vana ribellione, non a quelle parole, ma alla sua paura.

«Come puoi dire questo?»

L'uomo continuò, come non avesse sentito la domanda.

«Io l'aiuterò a ritrovarla, Michael McKean. Io posso.»

Ci fu una nuova pausa. Poi le tre parole che davano inizio all'eternità.

«Io sono Dio.»

CAPITOLO 15

Per certi versi, Joy era il regno del quasi.

Tutto era quasi funzionante, quasi lucido, quasi moderno. Il tetto era quasi a posto e la tinta all'esterno quasi non aveva bisogno di ritocchi. I pochi dipendenti fissi quasi regolarmente ricevevano uno stipendio, i collaboratori esterni quasi sempre ci rinunciavano. Tutto era di seconda mano e in quella fiera del frusto qualsiasi cosa nuova spiccava come la luce di un faro in lontananza. Ma era anche il posto dove ogni giorno, con fatica, si costruiva un pezzo nuovo della zattera.

Mentre guidava la Batmobile lungo la strada sterrata in direzione della casa, John Kortighan sapeva che nell'auto con lui c'era un gruppo di ragazzi per i quali la vita era stata una pessima consigliera. Poco per volta aveva divorato la loro fiducia e si erano trovati soli così a lungo da confondere la solitudine con l'abitudine. Ognuno, con quell'originalità tipica del fato avverso, aveva trovato un personale e distruttivo modo di perdersi, con l'indifferenza del mondo a coprire le sue tracce.

Ora in quel posto potevano insieme provare a ritrovarsi, capendo che per logica e non per caso avevano diritto a un'alternativa. E lui si sentiva fortunato e gratificato per essere stato scelto a fare parte di quell'impresa.

Per quanto dura e disperata fosse.

John superò il cancello e poco dopo il furgone attraversava il cortile per andarsi a fermare sotto la tettoia del parcheggio. I ragazzi scesero e si diressero verso l'ingresso posteriore della cucina, discutendo e scherzando fra loro. La domenica era per tutti un giorno particolare, un giorno senza fantasmi.

Jerry Romero espresse il parere di tutti.

«Ragazzi che fame.»

Gli fece eco con un'alzata di spalle Hendymion Lee, un ragazzo dalle èvidenti ascendenze orientali.

«Sai che novità? Tu hai sempre fame. Sono certo che se tu fossi il Papa, la comunione arriverebbero a darla con delle fette di salame, invece che delle ostie.»

Jerry si avvicinò a Hendymion e con il braccio gli strinse la testa in una morsa da wrestler.

«Se dipendesse da te, muso giallo, la farebbero con le bacchette.»

Ridevano tutti e due.

Shalimar Bennett, una ragazza di colore con dei buffi capelli sparati e il corpo di una gazzella, si intromise nello scherzo.

«Jerry che diventa Papa? Non potrebbe nemmeno diventare prete. Non regge il vino. Alla sua prima messa si sbronzerebbe e lo caccerebbero.»

John sorrise, mentre si attardava in mezzo al cortile e li vedeva sparire all'interno della casa. Non si faceva ingannare da quell'atmosfera rilassata. Sapeva quanto quell'equilibrio fosse fragile, come in ognuno di loro il ricordo e la tentazione fossero tutt'uno, in attesa di trasformarsi in un ricordo e basta. Tuttavia era bello quello a cui assisteva ogni giorno, al tentativo di rinascita e alla costruzione di un possibile futuro. Con la certezza da un miliardo di dollari che fosse anche

merito suo e con la presunzione da pochi centesimi di continuare a farlo finché avesse potuto.

Solo, in piedi in mezzo al cortile, la sua ombra nascosta
dal sole a picco nei contorni del suo corpo, John Kortighan
alzò gli occhi nel cielo azzurro a osservare la casa.

La sede di Joy era posta ai confini di quella parte del
Pelham Bay Park attaccata al Bronx, in una proprietà di circa
sei acri affacciata sul tratto di mare che come un dito si insi-
nuava verso nord a frugare la terra. La costruzione principale
era un edificio di due piani con la forma di una C squadrata,
costruita secondo i dettami architettonici che caratterizzano
le case del New England, con l'uso preponderante del legno e
dei mattoni scuri. Il lato libero era aperto verso la costa verde
che oltre il canale, per contrasto, scendeva come una mano
verso sud a respingere il mare.

Qui c'era l'ingresso, affacciato sul giardino, attraverso il
quale si accedeva alla casa attraverso una veranda a forma
di un mezzo ottagono, illuminata dalle grandi porte a vetri.
Al pianterreno c'erano la cucina con dispensa, la sala da
pranzo, una piccola infermeria, una biblioteca e una sala
con giochi e Tv. Su uno dei lati corti, due camere da letto
con un bagno in comune per le persone dello staff che come lui risiedevano in pianta stabile a Joy. Al secondo piano
le camere da letto dei ragazzi e nell'abbaino la camera di
padre McKean.

Il lato lungo era affacciato sul cortile, dove era stato realizzato un edificio secondario, sede di un laboratorio dove
trovava spazio chi, invece dello studio, optava per delle attività di carattere manuale. Alle spalle del laboratorio l'orto,
che arrivava fino al confine a ovest della proprietà, chiuso da
un frutteto. In un primo tempo era stato portato avanti come
esperimento, con l'idea di fornire una distrazione che avvici-

nasse gli ospiti di Joy a qualcosa di fisico, di paziente e di premiante nello stesso tempo. Poco per volta, per la sorpresa di tutti, la produzione di frutta e verdura era aumentata fino a rendere la comunità quasi autosufficiente. Addirittura, in occasione di raccolti particolarmente abbondanti, una rappresentanza dei ragazzi scendeva al mercato di Union Square a vendere i propri prodotti.

La signora Carraro si affacciò sulla porta della cucina, asciugandosi la mano nel grembiule.

«Cos'è questa storia che mangiamo senza don Michael?»

«È stato trattenuto. Deve dire la messa delle dodici e mezza.»

«Bene, non morirà nessuno se aspettiamo un poco. In questo posto la domenica non si pranza senza quell'uomo.»

«Va bene, colonnello.»

John indicò l'interno della cucina, dal quale proveniva l'eco sopra tono della conversazione dei ragazzi.

«Però lo dice lei ai caimani.»

«Non fiateranno. E vorrei ancora vedere.»

«Ne sono certo.»

John la vide sparire oltre la soglia, con il suo miglior viso da battaglia. Anche se i ragazzi erano in evidente soprannumero e la signora Carraro in evidente stato di inferiorità, non aveva dubbi su chi l'avrebbe spuntata. John lasciò i ragazzi a cavarsela da soli con la loro cuoca. Era una donna dall'apparenza dolce e remissiva ma in diverse occasioni aveva dimostrato un carattere molto volitivo. Sapeva che quando prendeva una decisione era difficile farle cambiare idea, specie se questa decisione andava a favore di padre Michael McKean.

Si mosse verso sinistra e costeggiò la casa, camminando piano, respirando l'aria che sapeva di leggero salmastro.

Pensando.

Il sole era già caldo e la vegetazione stava iniziando a esplodere, con quel fragore verde e silenzioso che ogni volta sorprendeva il cuore e la vista mentre abbatteva i muri grigi e freddi dell'inverno. Arrivò sul fronte della casa e si inoltrò per i sentieri del giardino, sentendo la ghiaia scricchiolare sotto la suola delle scarpe. Fino al punto oltre il quale aveva davanti solo la tavola lucida del mare e il verde del parco, dall'altra parte del canale. Si fermò con le mani in tasca e il viso nella brezza leggera, con l'odore dell'acqua e quel senso apparentemente statico del tutto è possibile che la primavera significava.

Si girò di nuovo a guardare la casa.

Mattoni e assi.

Vetro e cemento.

Tecnica e lavoro manuale.

Tutte cose umane.

Quello che c'era all'interno di quelle pareti, mattoni o legno che fossero, andava oltre. Significava qualcosa. E lui, per la prima volta nella sua vita, si sentiva parte di quel qualcosa, a prescindere dal punto di partenza e di arrivo e dagli inevitabili incidenti di viaggio.

John Kortighan non era un credente. Non era mai riuscito a nutrire nessuna fiducia, né in Dio né negli uomini. E di conseguenza nemmeno in se stesso. Tuttavia Michael McKean in qualche modo era riuscito ad aprire una crepa nel muro, quello che la gente in apparenza aveva costruito contro di lui e che lui per rivalsa aveva rinforzato dalla sua parte. Dio era rimasto tuttora un concetto nebuloso e lontano, nascosto dietro la nitida umanità del suo rappresentante. Ma in qualche modo, anche se non gliel'aveva mai detto, il sacerdote oltre a quella dei ragazzi stava salvando anche la sua vita.

Al piano superiore, dietro i vetri che riflettevano il cielo, intravide delle figure in movimento. Di certo erano dei ragazzi che stavano andando nelle loro stanze. Ognuno aveva la sua esperienza, il suo spezzone di vita. Messi tutti insieme dal caso come i cristalli in un caleidoscopio, costruivano un'immagine vivida e fragile. Come tutte le cose instabili, non era facile da decifrare ma era sorprendente nei suoi colori.

Si mosse e tornò sui suoi passi. Entrò in casa dall'ingresso principale. Imboccò la scala che portava di sopra. Mentre saliva, passo dopo passo, gradino dopo gradino, sorprese liberi i suoi pensieri.

La storia di Joy era molto semplice e molto complessa nello stesso tempo. E come spesso succede in questi casi, la sua fondazione aveva alle spalle un evento tragico, come se certe proposte avessero necessità di nascere dal dolore per trovare la forza di diventare realtà.

John non era ancora arrivato nel quartiere ma ne aveva sentito parlare da Michael, il cui racconto stringato era stato integrato da un paio di conversazioni più approfondite con il parroco di Saint Benedict.

Era...

*...un venerdì e si stava celebrando un funerale.*

*Un ragazzo di diciassette anni, Robin Wheaters, era stato trovato morto per overdose in un angolo del parco, dall'altra parte del ponte, all'incrocio della Shore con la City Island Road. Una coppia che faceva jogging aveva intravisto attraverso il fogliame un corpo steso a terra, coperto a metà da un cespuglio. Si erano avvicinati e lo avevano trovato rantolante e privo di conoscenza. L'ambulanza e la corsa in ospedale erano risultate inutili. Robin si era spento poco dopo fra le braccia della madre, accompagnata sul posto da un'auto della Polizia, che aveva avvertito quando l'assenza immotivata del figlio si era protratta per tutta la notte. Nessuno in famiglia aveva mai avuto il minimo sospetto di un suo coinvolgimento con le droghe. Le cause della morte avevano gettato un ulteriore raccapriccio sulla fine già di per sé agghiacciante del ragazzo. L'autopsia e l'assenza di tracce sul corpo avevano rivelato che con ogni probabilità per lui era stata la prima volta. Il suo destino portava scritto che non ce ne dovesse essere una seconda.*

*La madre era la sorella vedova di Barry Lovito, un avvocato di origine italiana che esercitava a Manhattan ma che aveva scelto di continuare a vivere a Country Club, nel Bronx. Era un uomo ricco, impegnato e scapolo, che nella vita si era battuto duramente per arrivare a occupare uno dei posti in cima alla piramide. E ci era riuscito al punto tale che adesso la piramide era quasi tutta sua.*

*Quando le circostanze lo avevano richiesto, aveva accolto in casa il nipote con la madre, per quel senso della famiglia proprio degli italiani. La donna aveva una salute instabile e un carattere tendente a somatizzare e la perdita del marito non era stata di certo una buona medicina per i suoi guai fisici e psichici. Robin dal canto suo era un ragazzo sensibile, malinconico e suggestionabile. Quando si era sentito abbandonato a se stesso, le pessime compagnie come corvi erano volate al suo fianco. Spesso succede, quando la solitudine non è cercata.*

*In chiesa c'erano tutti e due, lo zio e la madre. L'avvocato Lovito indossava un abito scuro dalla fattura impeccabile che lo qualificava in mezzo a tutti come una persona facoltosa. Aveva le mascelle serrate e teneva lo sguardo fisso davanti a sé, per il dolore e forse per il senso di colpa. Quel ragazzo per lui era il figlio che non aveva mai avuto e del quale, dopo una vita spesa a inseguire il successo, iniziava a sentire la mancanza. In seguito alla morte di suo cognato si era illuso di poterne prendere il posto, senza sapere che il primo dovere di un genitore è esserci, senza dilazioni e senza deleghe.*

*La donna aveva il viso scarno e scavato dalla pena. I suoi occhi rossi e infossati dicevano che non aveva più lacrime e la sua espressione che con il figlio stava seppellendo anche ogni desiderio di continuare a vivere. Era uscita seguendo il feretro e appoggiandosi al fratello, il corpo sottile in un tailleur nero che di colpo sembrava divenuto di un paio di taglie troppo grande.*

*Padre McKean era sul fondo della chiesa, circondato da un gruppo di adolescenti, molti dei quali erano amici di Robin. Aveva assistito alla funzione con quel senso di inadeguatezza che lo prendeva sempre davanti alla perdita immotivata di una giovane vita. Portava da sempre dentro di sé un concetto di luce che apparteneva a un essere umano ancor prima che a un religioso. Quella vita stroncata era una sconfitta di tutti, anche sua, perché non sempre erano in grado di sostituire quello che veniva a mancare con qualcosa di altrettanto valido.*

*E il mondo intorno era pieno di rami e di serpenti.*

*Barry Lovito uscendo dalla chiesa aveva girato la testa dalla sua parte e lo aveva visto in mezzo ai ragazzi. Il suo sguardo si era fermato un istante più a lungo del prevedibile sulla figura del reverendo Michael McKean. Poi aveva girato la testa e, sempre sorreggendo la sorella, aveva proseguito la sua triste passeggiata fino alla macchina e fino al cimitero.*

*Tre giorni dopo il sacerdote se lo era trovato di fronte, accompagnato dal parroco. Dopo le presentazioni di rito, Paul li aveva lasciati soli. Era evidente che il legale era venuto per parlare con lui, anche se ne ignorava il motivo. McKean era a Saint Benedict da poco meno di un anno e aveva scambiato con lui solo dei saluti, fino a quel momento. Come se gli avesse letto nel pensiero, l'avvocato aveva percepito la sua curiosità e si era affrettato a soddisfarla.*

«So che si sta chiedendo che cosa sono venuto a fare. E soprattutto che cosa sono venuto a dire. Le ruberò solo un attimo.»

*Si era incamminato verso il vicariato, a passo lento.*

«Ho appena rilevato una proprietà, su verso il parco. È una casa grande, con un bell'appezzamento di terreno. Sei acri, più o meno. Il tipo di abitazione che può accogliere fino a trenta persone. Vista sul mare e sulla costa.»

*Padre McKean doveva aver assunto un'espressione interdetta, perché un mezzo sorriso era apparso sul viso del suo interlocutore. Aveva fatto un gesto rassicurante con la mano.*

«Non tema. Non sto cercando di vendergliela.»

*Lovito aveva riflettuto un attimo, incerto se ampliare il preambolo. Poi aveva deciso che non era necessario.*

«Vorrei che quella casa diventasse la sede di una comunità dove ragazzi con i problemi di mio nipote trovassero un aiuto e un conforto. Non è facile, ma vorrei provarci, almeno. So che questo non mi ridarà Robin ma forse mi ridarà qualche ora di sonno senza incubi.»

*Lovito aveva girato la testa a guardare altrove. Entrambi sapevano bene che erano tutte e due cose impossibili.*

«In ogni caso questo è un mio problema.»

*L'avvocato aveva fatto una pausa dalla quale era uscito togliendosi gli occhiali scuri. Si era piazzato davanti a lui con il piglio deciso dell'uomo che non ha paura né di dire né di fare.*

*Né di ammettere le proprie colpe.*

«Padre McKean, io sono un uomo pratico e, qualunque sia la mia motivazione, il risultato è quello che conta e che nel tempo resta in evidenza. È mio desiderio che questa comunità *non sia solo un'ipotesi ma diventi una realtà. E desidero che sia lei a occuparsene.»*

*«Io? Perché io?»*

*«Mi sono informato su di lei. E le mie informazioni hanno confermato quello che in realtà avevo intuito non appena l'ho vista in mezzo a quei ragazzi. Oltre a tutte le sue qualifiche, so che lei ha un grande ascendente e una grande capacità di comunicare con i giovani.»*

*Il sacerdote lo aveva guardato come se già stesse vedendo altrove. L'avvocato, uomo che aveva imparato a conoscere gli uomini, aveva capito. Secondo la logica del suo lavoro, aveva voluto prevenire ogni possibile obiezione.*

*«Al denaro in massima parte provvederò io. Posso farle avere anche un contributo statale a fondo perduto.»*

*Gli aveva concesso un istante.*

*«E se le può interessare ho già parlato con delle persone all'arcidiocesi. La cosa non avrebbe nessun tipo di obiezione. Può chiamare l'arcivescovo se non mi crede.»*

*Dopo un lungo colloquio con il cardinale Logan, aveva accettato e l'avventura era partita. La casa era stata ristrutturata ed era stato costituito un fondo per garantire a Joy una cifra mensile che potesse far fronte a gran parte delle spese. Grazie all'influenza dell'avvocato Lovito si era sparsa la voce e i primi ragazzi erano arrivati. E padre Michael McKean era lì ad aspettarli.*

Dopo un poco era arrivato lui, trovando tutto perfetto nel suo quotidiano costante divenire. Anche se la perfezione non era di questo mondo e Joy non era un'isola abbastanza lontana per essere un'eccezione a questa regola.

La madre di Robin si era spenta come un fuoco abbandonato sulla spiaggia pochi mesi dopo l'inaugurazione, divorata dal suo stesso dolore. L'avvocato se ne era andato l'anno successivo, stroncato da un infarto mentre lavorava quattordici ore al giorno per diventare padrone dell'intera piramide. Come spesso succede, aveva lasciato dietro di sé molto denaro e molta avidità. Alcuni lontani parenti erano emersi dalle nebbie dell'indifferenza e avevano impugnato il testamento che assegnava l'intero suo patrimonio a Joy. Le motivazioni della causa legale erano molteplici e diverse fra loro, ma avevano tutte lo stesso intento: quello di concedere agli attori della causa di mettere le mani sul denaro. E in attesa del verdetto, ogni ulteriore emolumento alla comunità era stato congelato. Al presente, la sopravvivenza di Joy era un fatto difficile da pronosticare. Ma, nonostante l'amarezza, un valido motivo per lottare.

E lo avrebbero fatto insieme, lui e Michael.

Per sempre.

Si trovò, quasi senza accorgersene, davanti alla camera del sacerdote, all'ultimo piano. Controllò che nessuno stesse salendo le scale. Con una leggera ansia, figlia naturale del proibito, John spinse la porta ed entrò. L'aveva già fatto altre volte, provando solo una strana eccitazione senza colpa per quella violazione dell'intimità di una persona. Chiuse l'uscio alle sue spalle e mosse qualche passo incerto all'interno della stanza. I suoi occhi erano una macchina da presa che registrava per l'ennesima volta ogni dettaglio, ogni particolare. Ogni colore. Sfiorò con le dita una Bibbia appoggiata sulla scrivania, prese in mano un pullover gettato su una sedia e infine andò ad aprire l'armadio. Tutto lo scarso guardaroba di Michael era davanti ai suoi occhi, appeso alle grucce. Rimase fermo a guardare gli abiti e a respirare l'odore dell'uomo che fin dal primo istante lo aveva affascinato e attratto. Al punto da doversene allontanare, in certi momenti, per timore che quello che provava gli si leggesse in viso. Chiuse l'armadio e si avvicinò al letto. Fece scorrere le dita sulla coperta e poi si sdraiò a pancia in sotto, facendo aderire il viso al punto del cuscino dove si era posata la testa di Michael McKean. Respirò a pieni polmoni. Quando era da solo e pensava a Michael, c'erano volte in cui desiderava essere con lui. Altre volte, come adesso, che desiderava *essere* lui. Ed era convinto che, rimanendo lì, prima o poi ci sarebbe riuscito…

Il cellulare iniziò a squillare da qualche parte nelle sue tasche. Scese dal letto in fretta, col fiato in gola, come se quel suono fosse il segnale che il mondo lo aveva scoperto. Trovò con mano incerta l'apparecchio e rispose.

«John, sono Michael. Sto arrivando. La messa la dice Paul al posto mio.»

Rimase turbato, come se l'uomo dall'altra parte potesse vederlo e sapere il posto in cui si trovava. Ma nonostante arrivasse filtrata dal proprio imbarazzo, la voce nel telefono non era quella che John era abituato ad associare al viso di Michael. Sembrava spezzata o angosciata o tutte e due le cose insieme.

«Mike, che c'è? Stai bene? È successo qualcosa?»

«Non ti preoccupare. Fra poco sono lì. Non è successo niente.»

«Va bene. A dopo, allora.»

John spense il telefono e rimase a osservarlo come se così potesse decifrare le parole che aveva appena sentito. Conosceva Michael McKean a sufficienza per capire quando qualcosa lo colpiva al punto da non essere più la persona che tutti erano abituati a conoscere.

E questa era una di quelle volte.

Quando gli aveva chiesto se fosse successo qualcosa, aveva

risposto che non era successo niente. Ma, nonostante le sue rassicurazioni, la sua voce aveva il tono di una persona a cui è successo di tutto. Lasciò la stanza che era ritornata di colpo un luogo qualunque e chiuse la porta. Per tutto il tempo che impiegò a tornare di sotto, non riuscì a non sentirsi un uomo inutile e solo.

# CAPITOLO 16

La forchetta si allungò a prendere due spaghetti dalla pentola che bolliva.

Vivien, facendo attenzione a non scottarsi, li portò alla bocca e li assaggiò. Erano a mezza cottura. Scolò la pasta e la depose nel sugo che attendeva in padella. La fece saltare per alcuni minuti a fuoco vivo finché non fu evaporata l'acqua in eccesso e arrivò al punto giusto di consistenza, come da piccola le aveva insegnato la nonna. Quella che, al contrario del resto della famiglia, non si era mai rassegnata al fatto che il suo cognome, nel corso del tempo, da Luce fosse diventato Light. Appoggiò la padella sul piano atermico e con la pinza iniziò a dividerla nei due piatti appoggiati dall'altra parte dell'isola.

Non aveva ritenuto necessario sedersi al tavolo e aveva apparecchiato due posti con delle tovagliette in bambù sul bancone, dall'altra parte dei fuochi.

Alzò la voce per farsi sentire da sua nipote, che stava in fondo al corridoio, nella camera da letto.

«È pronto.»

Poco dopo Sundance sbucò nella zona giorno del piccolo appartamento di Vivien. Si era appena fatta una doccia e aveva ancora i lunghi capelli umidi. La luce che proveniva dalla finestra la investì. Aveva addosso una T-shirt e un paio di jeans eppure sembrava una regina. Nonostante le poche tracce paterne, era il ritratto di sua madre.

Bella, esile, fragile.

Difficile da capire e facile da ferire.

Vivien sentì una stretta al cuore. C'erano momenti in cui il dolore, che si portava dentro rappreso come un grumo di sangue, di colpo si scioglieva e la invadeva tutta. Era pena per tutto quello che era stato, era rimpianto per tutto quello che poteva essere e che la sorte non aveva voluto che fosse. Era una risata di scherno per quei pochi istanti in cui, da essere umano, si era trovata a pensare che la vita era bella. Per i sogni di tutti che erano diventati la terra di nessuno.

Nonostante questo sorrise a sua nipote.

Non doveva permettere al senso delle cose perdute di entrare con la sua onda lunga a guastare quelle che si potevano ancora recuperare. E a compromettere quelle nuove e durature che si potevano costruire nel tratto di futuro che ancora le spettava. Non sempre il tempo riparava tutte le ferite. A Vivien bastava che non ne procurasse altre. Al resto, per quello che era in suo potere, avrebbe provveduto lei. Non per mettere a tacere il senso di colpa che si portava dentro. Solo per impedire che Sundance lasciasse troppa voce al suo.

La ragazza si sedette sullo sgabello e chinò la testa sul piatto, per aspirare il profumo della pasta. I capelli caddero sulla tavola come il pianto di un salice.

«Che hai fatto?»

«Cose semplici. Spaghetti al pomodoro e basilico.»

«Mmmh. Buoni.»

«Parere espresso sulla fiducia?»

Sundance alzò verso di lei gli occhi azzurri e puliti come se non fosse successo niente, come se quella profondità le appartenesse per nascita e non per riflesso interiore.

«I tuoi spaghetti sono sempre buoni.»

Vivien sorrise e fece un gesto di esagerato compiacimento. «Promozione sul campo. Che meraviglia. Credo che metterò questa affermazione sul mio annuncio nei Cuori Solitari.»

Si sedette di fianco a Sundance. Iniziarono a mangiare in silenzio, consce ognuna della presenza dell'altra.

Vivien, dopo quello che era successo, non aveva mai parlato direttamente con sua nipote dei fatti che l'avevano vista protagonista. Per quello c'era stato uno psicologo, attraverso un percorso difficile, tortuoso e blindato che ancora non si era del tutto concluso. A volte Vivien si chiedeva se lo sarebbe stato mai. Ma lei era l'unica rimasta come punto di riferimento, dopo che sua sorella Greta era caduta vittima di un'Alzheimer precoce che la stava trascinando giorno dopo giorno verso il nulla. Nathan, il padre di Sundance, che nel nulla c'era nato e la sola cosa che sapeva fare era mascherarlo, aveva pensato bene di andarsene altrove, cercando di dimenticare qualcosa che non lo avrebbe mai abbandonato. Se non altro aveva lasciato dietro di sé denaro a sufficienza per provvedere a sua moglie e sua figlia. Vivien sovente aveva pensato, conoscendolo infine e del tutto, che questo era il massimo che si potesse aspettare da lui. Che in ogni caso qualunque altra cosa fosse arrivata da quella parte sarebbe stata più un danno che non un aiuto.

Finirono la pasta quasi nello stesso momento.

«Hai ancora fame? Ti faccio un hamburger, se vuoi.»

«No. Sono a posto così. Grazie, Vunny.»

Sundance si alzò e si diresse verso la televisione, che Vivien aveva lasciato volutamente spenta durante il pasto. La vide prendere il telecomando dal bracciolo del divano e puntarlo verso l'apparecchio. Le immagini e le voci di Eyewitness Channel entrarono nella stanza.

E uno spettacolo di desolazione e di morte apparve sullo schermo.

Vivien tolse i piatti dal bancone e andò a posarli nell'acquaio. Le immagini che il canale trasmetteva erano un drammatico corollario di quello che avevano vissuto da vicino e in prima persona.

La sera prima, quando l'esplosione aveva bloccato il respiro del mondo e il traffico della città, Vivien si era subito sintonizzata su un canale radio, certa che entro pochi istanti avrebbero saputo che cosa era successo. E in effetti, dopo una piccola eternità, il programma di musica che era in onda era stato interrotto per dare l'annuncio dell'esplosione, con i pochi dettagli disponibili concessi dalla tempestività. Tutte e due erano rimaste in silenzio, ad ascoltare i commenti dell'annunciatore e nello stesso tempo a vedere i bagliori delle fiamme davanti a loro, così vivide e violente da sembrare ardere anche le anime oltre che le cose. L'incendio aveva continuato a divampare di fianco alla macchina, mentre superavano Alphabet City all'altezza della 10ma Strada, costeggiando il fiume e la parallela Avenue D. Vivien era certa che da lì a poco il traffico in quella zona sarebbe stato bloccato, per cui aveva scelto di fare un lungo giro per arrivare a casa, nella zona di Battery Park. Aveva imboccato il Williamsburg Bridge e percorso tutta la Brooklyn-Queens Expressway per sbucare a Downtown attraverso il tunnel. Per tutto il tempo non avevano quasi detto una parola, continuando a saltare di canale in canale per avere aggiornamenti.

Una volta a casa si erano precipitate ad accendere la Tv. E le immagini da incubo metropolitano che erano apparse confermavano quello che di persona si erano trovate a testimoniare. Avevano seguito le trasmissioni fino a tardi, commentando quello che vedevano. Avevano ascoltato le parole del sindaco e un breve commento in diretta dalla Casa Bianca finché la stanchezza aveva avuto il sopravvento sullo sconforto.

Si erano addormentate una di fianco all'altra, nel letto di Vivien, nelle orecchie ancora il tuono dell'esplosione, sentendo quella vibrazione della terra che era seguita allo scoppio come se nel ricordo non dovesse mai finire.

Vivien aprì il rubinetto e lasciò scorrere l'acqua sui piatti sporchi di sugo. Aggiunse alcune gocce di detersivo. La schiuma nacque dal nulla come un gioco innocente, mentre sentiva alle sue spalle le voci dei cronisti che non aggiungevano nulla di nuovo a quello che già sapevano, a parte l'aggiornamento sul numero delle vittime che continuava a crescere.

Lo squillo del telefono fu un segno di vita fra tutti quei racconti di morte. Vivien si asciugò le mani e prese il cordless. Le arrivò alle orecchie la voce del capitano Alan Bellew, forte e incisiva come sempre ma con una leggera nota di stanchezza di fondo.

«Ciao, Vivien. Sono Bellew.»

Non l'aveva mai chiamata a casa e tantomeno nei suoi giorni di riposo. Immaginò subito quale potesse essere il seguito di quella conversazione.

«Dimmi.»

Non ci fu nemmeno il bisogno di precisare l'argomento. Lo sapevano fin troppo bene tutti e due.

«È un casino. Sono appena uscito da una lunga riunione a One Police Plaza con il capo della Polizia e i responsabili di ogni Distretto. Sto recuperando tutti i miei uomini. Stasera vi vorrei vedere per mettervi al corrente della situazione.»

«È così grave?»

«Sì. Quello che sa la stampa non è ancora niente. Anche se devo dire che pure noi per il momento non ne sappiamo molto di più. C'è la possibilità neppure troppo remota che la città possa trovarsi sotto attacco. In ogni caso vi spiegherò tutto di persona. Alle nove al Distretto.»

«D'accordo. Ci vediamo.»

La voce del capitano scese di tono e divenne quella di un amico dopo essere stata quella di un superiore in un momento di emergenza.

«Mi dispiace, Vivien. Lo so che ultimamente hai lavorato sodo e conosco quello che ti porti dietro. So che stasera dovevi accompagnare tua nipote al concerto degli U2. In ogni caso sappi che per motivi di ordine pubblico tutte le manifestazioni che prevedono il raduno di molte persone sono state sospese fino a nuovo ordine.»

«Lo so. Lo ha appena detto la televisione.»

Il capitano fece una pausa. Di partecipazione e non di imbarazzo.

«Come sta Sundance?»

Bellew aveva due figlie poco più grandi di sua nipote. Vivien pensò che probabilmente aveva i loro visi negli occhi mentre le faceva quella domanda.

«Bene.»

Lo disse piano, come ci si accosta a un'illusione e non a una certezza. L'uomo dall'altra parte capì e non andò oltre.

«A stasera allora.»

«Ciao, Alan. Grazie.»

Vivien chiuse la comunicazione e appoggiò il telefono di fianco al lavandino. Rimase per un istante a guardare i due piatti come se fossero immersi nelle profondità dell'oceano invece che in pochi pollici di acqua.

Quando si girò, Sundance era in piedi davanti a lei dall'altra parte del bancone. Era adulta in quel momento, aveva occhi antichi in un corpo da ragazzina. Tutto quello che aveva intorno le stava provando che ogni cosa che si possiede può essere spazzata via senza preavviso. Vivien sentì più che mai la volontà di insegnarle e di dimostrarle che nello stesso modo molte cose belle possono arrivare.

Come, non lo sapeva ancora. Ma avrebbe imparato. E avrebbe salvato tutte e due.

Sua nipote le sorrise, come se avesse letto sul suo viso quel pensiero.

«Dobbiamo tornare a Joy, vero?»

Vivien assentì con il capo.

«Mi dispiace.»

«Vado a preparare la borsa.»

La ragazza si allontanò e sparì nel corridoio, verso la camera da letto. Vivien andò alla piccola cassaforte, nascosta senza troppa fantasia dietro un quadro. Dopo aver composto sul pannello elettronico la combinazione, dall'interno prese la pistola e il distintivo.

Sundance era in fondo al corridoio che l'aspettava con la sacca in mano. Non c'era traccia di delusione sul suo viso. Vivien avrebbe preferito trovarcela, invece di una prematura abitudine a una vita che procede in quel modo e che non sempre si può cambiare.

Quel pomeriggio avevano programmato di andare a correre insieme lungo l'Hudson e poi concedersi una serata di spettacolo e di aggregazione, perse fra la folla del concerto eppure consapevoli di essere insieme, in un momento di buona euforia come solo la musica può dare.

E invece…

Scesero in strada e si avvicinarono alla macchina. La giornata era stupenda ma in quel particolare momento il sole, la brezza leggera e l'azzurro intenso sembravano addirittura beffardi, una vanità compiaciuta della natura piuttosto che un regalo agli esseri umani.

Vivien fece scattare il telecomando e aprì la portiera. Sundance gettò la borsa sul sedile posteriore e poi venne a sedersi al suo fianco. Mentre stava per avviare il motore, la voce esile della ragazza la colse impreparata.

«Sei stata a trovare la mamma, ultimamente?»

Vivien rimase sorpresa e sospesa. Erano parecchi mesi che fra loro quell'argomento non veniva toccato. Si voltò verso sua nipote. Stava guardando fuori dal finestrino, come se avesse pudore di quella domanda o timore della risposta.

«Sì. Ci sono stata. Ieri.»

«Come sta?»

*Dove sta, sarebbe la domanda più giusta.*

Vivien non espresse quel pensiero istintivo. Cercò di avere una voce il più possibile normale mentre le diceva la verità, come aveva deciso di fare.

«Non bene.»

«Pensi che potrei vederla?»

Vivien sentì una improvvisa mancanza di fiato, come se l'aria all'interno della macchina si fosse rarefatta di colpo.

«Non so se sia una buona idea. Non credo che ti riconoscerebbe.»

Sundance la guardò con il viso rigato di lacrime.

«Io riconosco lei. E questo mi basta.»

Vivien si sentì invadere da una tenerezza devastante. Da che sua nipote si era trovata immischiata in quella brutta storia, era la prima volta che la vedeva piangere. Non sapeva se quando era da sola si fosse mai lasciata attrarre dal conforto illusorio delle lacrime. Con lei e con tutte le persone con cui era venuta a contatto era rimasta sempre presente a se stessa, come se avesse eretto un muro fra sé e la sua umanità per impedire al dolore di entrare.

Di colpo rivide la ragazza di un tempo e rivisse tutti i momenti belli passati insieme. Si sporse sul sedile e la abbracciò, per cercare di cancellare quelli brutti che tutte e due dovevano dimenticare. Sundance si rifugiò in quell'abbraccio e rimasero a lungo immobili, lasciando tutto lo spazio che avevano dentro a quella corrente di emozioni, ognuna stringendo in pugno il biglietto di ritorno da un lungo viaggio.

Vivien sentì la voce rotta dai singhiozzi di sua nipote provenire da un punto imprecisato fra i suoi capelli.

«Oh, Vunny, mi dispiace per quello che ho fatto. Mi dispiace tanto. Non ero io, non ero io, non ero io…»

Continuò a ripetere quelle parole finché Vivien la strinse più forte e le appoggiò una mano sul capo. Sapeva che quello era un momento importante delle loro vite e pregò qualunque entità fosse responsabile delle esistenze degli uomini di farle trovare le parole giuste.

«Shhhhhh. È tutto passato adesso. È tutto passato.»

Disse quella frase due volte, per convincerla e per convincersi.

Vivien la tenne in quel modo finché i singhiozzi di Sundance si calmarono. Quando si staccarono, Vivien si sporse verso il cruscotto, lo aprì e tirò fuori una scatola di Kleenex.

La porse alla ragazza.

«Tieni. Se andiamo avanti così fra poco questa macchina diventerà un acquario.»

Disse quella frase scherzosa per alleggerire la tensione e per suggellare quel nuovo patto fra loro. Sundance accennò a un sorriso. Prese un fazzoletto e si asciugò gli occhi.

Vivien fece la stessa cosa.

La voce decisa della ragazza la sorprese mentre si asciugava gli occhi.

«C'era un uomo.»

Vivien rimase in attesa. In silenzio. La cosa più sbagliata da fare sarebbe stata quella di dimostrare impazienza e di incalzare le confidenze della ragazza. Sundance proseguì senza bisogno di incoraggiamenti. Adesso che il muro era caduto, sembrava che ogni cosa oscura nascosta dall'altra parte avesse urgenza di ritrovare la luce del sole.

«Uno che ho conosciuto e che mi dava delle cose. Uno che organizzava...»

La voce della ragazza si ruppe. Vivien capì che era ancora difficile per lei pronunciare certe parole e usare certe espressioni.

«Ti ricordi come si chiama?»

«Il nome vero non lo conosco. Tutti lo chiamavano Ziggy Stardust. Penso fosse un soprannome.»

«Sai dove sta? Hai un numero di telefono?»

«No. L'ho visto una volta sola. Poi mi ha chiamato sempre lui.»

Vivien tirò un lungo respiro per calmare i battiti del suo cuore. Sapeva con che cosa avrebbe dovuto combattere nei prossimi giorni. Con la sua rabbia e con il suo istinto. Col desiderio di scovare quella carogna e di entrare nel posto dove viveva e scaricargli un intero caricatore nella testa.

Guardò sua nipote. Per la prima volta lo sguardo che ne ebbe in cambio era senza ombre. Adesso sapeva che poteva parlare con lei in un modo nuovo, che lei avrebbe capito.

«C'è qualcosa che sta succedendo in questa città. Qualcosa di molto brutto che forse potrebbe costare molte vite umane. Per questo tutta la Polizia di New York è in stato d'allarme e per questo stasera devo essere al Distretto. Per cercare di evitare che succeda ancora quello che è appena successo.»

Le lasciò il tempo per assimilare quello che aveva detto. E per prepararla a quello che stava per dire.

«Ma ti prometto una cosa. Non avrò pace finché non avrò messo quest'uomo in condizione di non fare del male a nessuno. Mai più.»

Sundance fece solo un cenno di assenso col capo. In quel momento fra loro non serviva altro. Vivien accese il motore e diresse la macchina verso Joy, che ancora per un poco sarebbe stata la casa di sua nipote. Era ansiosa di comunicare al reverendo McKean i progressi che c'erano stati, ma mentre entrava nel traffico non poteva impedirsi di avere un altro pensiero fisso in mente. Chiunque fosse questo fantomatico Ziggy Stardust, la sua vita sarebbe diventata un inferno.

# CAPITOLO 17

Vivien superò le porte a vetri ed entrò nel Distretto.

Lasciò fuori dalla porta una splendida e azzurra mattinata di sole che non aveva la minima voglia di seguirla. Si ritrovò nel grande ambiente incolore con un muro di piastrelle che in passato erano state bianche. Di solito quello era per lei un luogo familiare, un posto di frontiera nel bel mezzo della civiltà, dove tuttavia riusciva a trovare un senso di casa che altrove aveva perso.

Oggi era diverso. Oggi c'era qualcosa di anomalo nell'aria e dentro di lei, un senso di inquietudine e di elettrica attesa che non riusciva a definire. Aveva letto da qualche parte che l'uomo guerriero in tempo di pace combatte se stesso. Si chiese che genere di guerra avrebbero dovuto combattere nei tempi a venire. E quanto spazio sarebbe rimasto a ognuno di loro per il proprio piccolo o grande conflitto interiore.

In un Distretto la pace non era uno stato d'attesa. Era un sogno.

Salutò con un gesto della mano gli agenti in servizio dietro il bancone e imboccò la porta che portava al piano superiore. Iniziò a salire la scala, lasciandosi alle spalle la sala riunioni dove la sera prima il capitano Alan Bellew aveva fatto il punto della situazione, davanti a tutti gli uomini che in quel momento non erano in servizio. Appoggiato alla scrivania li aveva messi al corrente dello scenario a cui si trovavano di fronte.

«*Come avete capito tutti, è una brutta faccenda. Ormai è assodato che l'esplosione del palazzo sulla 10ma Strada è frutto di un attentato. Gli esperti hanno trovato tracce di esplosivo. Della peggiore specie. Vale a dire tritolo abbinato a napalm. È l'unico dettaglio che non è ancora in possesso della stampa, anche se, come sempre succede, lo sarà presto. Chi ha fatto quella cosa voleva il massimo della distruzione, unendo l'effetto incendiario al potere dirompente. Il palazzo è stato minato con una precisione chirurgica. In che modo gli attentatori siano riusciti a disporre le cariche in un modo così accurato senza dare nell'occhio rimane un mistero. È inutile che vi dica che ci stanno lavorando tutti: FBI, NSA e quant'altri. E noi, ovviamente.*»

*Bellew aveva fatto una pausa.*

«*Stamattina, durante la riunione nell'ufficio del capo c'erano anche il sindaco e un paio di pezzi grossi venuti da Washington in rappresentanza del presidente. Il livello di Defcon è salito a uno stato di allarme su scala nazionale. Questo significa che tutte le basi e gli aeroporti militari sono sul piede di guerra. La CIA è all'opera per cercare di capire che cosa sta succedendo. Vi dico questo tanto per spiegare qual è il battito del polso dell'America in questi giorni.*»

*Vincent Narrow, un detective alto e robusto seduto in prima fila, aveva alzato una mano. Il capitano con un gesto gli aveva concesso la parola.*

«*C'è stata qualche rivendicazione?*»

*Tutti si stavano chiedendo la stessa cosa. Nonostante il tempo trascorso, i fantasmi dell'11 Settembre erano ben lontani dall'essere fugati.*

*Bellew aveva scosso la testa.*

«*Assolutamente nulla. Per il momento tutto quello che si sa è esattamente quello che ha detto la televisione. Al-Qaeda in un comunicato su Internet si è chiamata fuori. Dicono che non sono stati loro. Gli esperti di informatica stanno verificando l'attendibilità di quel messaggio. C'è sempre la possibilità di qualche altro gruppo di fanatici di vario genere, ma di solito sono molto solleciti nel reclamare il merito delle loro imprese.»*

*Un'altra richiesta era arrivata dal fondo della sala.*

*«Una pista qualunque?»*

*«Nemmeno l'ombra. A parte l'abbinamento inusuale dei due esplosivi.»*

*Infine Vivien aveva fatto la domanda della quale tutti avevano timore di conoscere la risposta.*

*«Quante vittime?»*

*Il capitano aveva sospirato, prima di rispondere.*

*«Per il momento più di novanta. Per fortuna il numero dei morti è stato limitato dal fatto che, essendo sabato sera, molti erano fuori a cena o per il weekend. Ma sono destinati ad aumentare. Alcuni sono stati ustionati in un modo orrendo. Molti feriti non ce la faranno.»*

*Il capitano aveva lasciato un attimo ai presenti per assimilare quelle cifre. E per unirle nella mente alle immagini che le televisioni di tutto il mondo in quel frangente stavano trasmettendo.*

*«Non è il massacro dell'11 Settembre, ma è possibile che siamo solo all'inizio, vista l'abilità e l'esperienza che gli attentatori hanno dimostrato. L'esortazione che posso fare a tutti voi è quella di stare con gli occhi spalancati e le orecchie bene aperte. Proseguite le indagini a cui siete stati assegnati ma nel frattempo non trascurate nulla, nemmeno il più piccolo dettaglio. Spargete la voce fra i vostri informatori. Se necessario siamo autorizzati a promettere ricompense di ogni genere, dal denaro fino al condono di alcuni reati, a chi è in grado di fornire informazioni utili.»*

*Aveva preso alcune foto dal piano della scrivania e le aveva mostrate ai suoi uomini.*

«*Sono state fatte delle foto intorno al luogo dell'attentato. Verranno esposte nella bacheca di sopra. Di solito i maniaci amano guardare le conseguenze delle loro nefandezze. Forse non servirà a nulla, forse servirà a qualcosa. In ogni caso dateci un'occhiata. Non si sa mai da dove può arrivare una traccia. È tutto per il momento.*»

*La riunione si era sciolta e i presenti erano usciti commentando i fatti. Qualcuno era rientrato a casa, altri si erano sparsi per la città a vivere quello scampolo di domenica. Tutti con una ruga in più rispetto a quando erano arrivati.*

*Vivien, che era scesa dal Bronx direttamente al Distretto, aveva recuperato la sua macchina al parcheggio e di malavoglia aveva seguito il traffico indolente fino a casa. Il giorno dopo la città si sarebbe risvegliata e avrebbe iniziato la sua furibonda corsa verso chissà cosa, guidata dal solito e chissà quale perché. Ma per il momento c'era calma e tempo per pensare. E proprio questo serviva a Vivien. Appena rientrata si era fatta una doccia e subito si era infilata a letto, cercando senza riuscirci di leggere un libro. Per quello che restava della notte aveva dormito poco e male. Le parole del capitano, unite a quello di cui era stata testimone in compagnia di Sundance, l'avevano inquietata. Inoltre era rimasta disorientata dal comportamento di padre McKean quando si erano incontrati a Joy. Aveva parlato con lui dei progressi nei rapporti con la nipote, della sua apertura verso di lei, del nuovo corso nel loro rapporto. L'atteggiamento che ne aveva avuto in cambio non era quello che si era aspettata. Il sacerdote aveva accolto quella notizia con un sorriso tiepido e delle parole che sembravano più di circostanza che di esultanza per un risultato che avevano inseguito a lungo. Non sembrava più la persona che aveva imparato a conoscere e ad ammirare fin dal primo istante. A più riprese aveva deviato il discorso sull'attentato, informan-*

*dosi sulle modalità, sul numero delle vittime, sulle indagini. Vivien ne aveva ricavato un senso di malessere strano, ambiguo, qualcosa che di certo anche padre McKean si portava dentro e che le aveva trasmesso.*

Vivien sbucò infine nella sala dove erano piazzate le scrivanie dei detective. Solo un paio di colleghi erano alle loro postazioni. Il Plaza era vuoto.

Fece un cenno di saluto che comprendeva tutti e nessuno. In quel momento il cameratismo che di solito percorreva quella stanza era scomparso. Tutti erano silenziosi e ognuno sembrava seguire un personale pensiero.

Si sedette alla scrivania, accese il computer e cliccò il tasto del mouse. Quando il monitor le diede via libera, lanciò il link del Police Database, introdusse il suo User ID e la sua password e, non appena il programma la fece entrare, digitò il nome di Ziggy Stardust. Dopo pochi istanti apparve la foto di un uomo con la sua scheda segnaletica. Fu sorpresa di trovarsi davanti agli occhi un viso anonimo, dall'apparenza innocua, una persona di quelle che si incontrano e subito si scordano. Un perfetto prodotto del niente.

«Eccoti, brutto figlio di puttana.»

Lesse rapidamente tutte le imprese di cui Zbigniew Malone alias Ziggy Stardust si era reso protagonista. Vivien conosceva quella tipologia di persone. Un delinquente di mezza tacca, uno di quelli che per tutta la vita restavano a galleggiare ai bordi della legalità senza avere mai la capacità o il coraggio di inoltrarsi in mare aperto. Uno che nemmeno fra la gente della sua risma riusciva a godere di uno straccio di stima. Era stato arrestato diverse volte per diversi reati. Borseggio, spaccio, sfruttamento della prostituzione e altre facezie. Aveva fatto anche un poco di galera, ma meno di quanto Vivien si sarebbe aspettata, visto il suo curriculum.

Lesse l'indirizzo del soggetto e vide che stava a Brooklyn. Conosceva un detective che lavorava al 67° Distretto, un tipo sveglio e alla mano col quale in passato aveva collaborato per un'indagine. Prese il telefono e si fece passare il Distretto di Brooklyn. Si qualificò con il centralinista e chiese di parlare con il detective Star. Poco dopo la voce del collega le arrivò all'orecchio, leggermente gutturale proprio come la ricordava.

«Star.»

«Ciao, Robert. Sono Vivien Light, del 13°.»

«Ciao delizia del genere umano. A cosa devo l'onore?»

«Lusingata per la definizione, anche se il genere umano la pensa diversamente. Forse tu non ne fai parte.»

Le arrivò il suono della risata di Star.

«Vedo che non sei cambiata. Che ti serve?»

«Ho bisogno di un'informazione.»

«Spara.»

«Che mi dici di un tizio che si fa chiamare Ziggy Stardust?»

«Potrei dirti un sacco di cose ma la prima che mi viene in mente è che è morto.»

«Morto?»

«Esatto. Morto ammazzato. Accoltellato per la precisione. Lo hanno trovato ieri nel suo appartamento, steso a terra in un lago di sangue. L'autopsia ha stabilito che la morte risale a sabato. Era un pesce piccolo ma qualcuno ha deciso che non meritava di vivere. Noi lo usavamo qualche volta come informatore.»

Vivien aggiunse la qualifica di spia a quelle di Ziggy Stardust di cui già era in possesso. Questo spiegava la mano leggera della Polizia nei suoi confronti. Di solito, in cambio di informazioni di una certa consistenza, si chiudeva un occhio su attività illecite di scarso rilievo.

«Avete preso l'assassino?»

Voleva aggiungere che nel caso lei in persona sarebbe andata volentieri in prigione a dargli una medaglia, ma si trattenne.

«Con i giri che aveva quel pezzente non credo sia facile. E se devo essere onesto, non lascia nessuno a piangerlo. Ce ne stiamo occupando noi ma con quello che sta succedendo, la caccia a chi lo ha tolto dal mondo non ha di certo una priorità assoluta.»

«Ci credo. Tienimi informata. Se dovesse essere necessario ti spiegherò anche il perché.»

«Va bene. Ciao.»

Vivien riagganciò e rimase un attimo a macinare le notizie che aveva appena ricevuto. Poi decise di lanciare la stampa della scheda che aveva sullo schermo. Si alzò e raggiunse la macchina collegata in rete nel momento esatto in cui il foglio usciva sul carrello. Lo prese, tornò alla sua postazione e lo depose sulla scrivania. Aveva intenzione di far vedere la foto a Sundance, per avere la conferma che fosse proprio quello l'uomo di cui le aveva parlato. Non riusciva a provare vergogna per quel piccolo meschino senso di euforia che portava dentro. La brutta fine di Ziggy Stardust era la dimostrazione che la vendetta e la giustizia a volte coincidevano. Quello che aveva promesso a sua nipote si era avverato prima del previsto. L'unico rammarico di Vivien era di non averne alcun merito.

Brett Tyler, un suo collega, sbucò in quel momento dalla porta del bagno di fianco al Plaza. Era un tipo scuro e ben piazzato, dal carattere ostinato più che brillante. E dai modi piuttosto ruvidi con chi non meritava altro trattamento.

Vivien l'aveva visto in azione e doveva dire che, quando voleva, sapeva essere estremamente efficace.

Tyler si avvicinò alla sua scrivania.

«Ciao, Vivien. Tutto okay?»

«Più o meno. Tu?»

Il detective allargò le braccia in un gesto rassegnato.

«Sono in fremente attesa di Russell Wade per la testimonianza su quel giro di bische clandestine. Una mattinata di thrilling autentico.»

Vivien rivide la figura stazzonata di Wade uscire dal Distretto accompagnato dal suo avvocato. Ripensò al commento del capitano mentre sfilavano davanti a loro. Alla sua vita disordinata che Bellew aveva definito un vero e proprio tentativo di autodistruzione.

«Sei tu che gli hai fatto a pezzi il labbro?»

«Sì. E se posso farti una confidenza, anche con un certo piacere. Quel tipo non mi piace per niente.»

Vivien non ebbe il tempo di ribattere, perché in quel momento il tipo in questione apparve sulla porta, accompagnato da un agente in divisa. Vivien vide che si era rimesso in sesto rispetto alla prima volta che l'aveva visto, anche se sul suo labbro era ancora evidente il segno della cura Brett Tyler.

«Lupus in fabula», disse piano il collega di fianco a lei.

Wade si diresse verso di loro, mentre l'agente spariva da dove era venuto. Arrivò alla loro altezza e rimase in piedi davanti a Tyler, il quale non fece nulla per mostrarsi cordiale, a parte un saluto così formale da essere vagamente sarcastico.

«Buongiorno, signor Wade.»

«C'è un motivo perché lo sia?»

«In effetti no. Per nessuno dei due.»

L'uomo girò la testa verso Vivien, che era seduta di fianco

a loro. Non disse nulla, rimase solo un istante a fissarla. Poi il suo sguardo si spostò e cadde sulla foto che era appoggiata sulla scrivania. Subito dopo i suoi occhi tornarono a cercare quelli di Tyler.

«Allora, vediamo di risolvere alla svelta questa faccenda?»

Il tono della domanda era stato vagamente provocatorio. Tyler accettò la sfida.

«Non ha portato il suo avvocato?»

«Perché, ha intenzione di darmi un altro pugno?»

Vivien avrebbe giurato di vedere una luce divertita nello sguardo di Russell Wade. Forse l'aveva vista anche Tyler, perché si rabbuiò di colpo. Si fece di lato e indicò un punto alla sua destra.

«Da questa parte, prego.»

Mentre si avviavano verso la scrivania di Tyler, sulla bocca di Vivien rimase per qualche istante un accenno di sorriso per la scaramuccia verbale fra i due. Poi dedicò la sua attenzione al faldone relativo al cadavere che avevano trovato murato sulla 23sima che era sulla sua scrivania. Lo aprì e all'interno ci trovò il referto dell'autopsia e una copia delle foto che avevano trovato nel portadocumenti in terra, di fianco al corpo. Nonostante il desiderio del capitano di occuparsi dei reati commessi nel suo territorio di competenza, era ragionevolmente certa che la pratica sarebbe stata trasferita alla Cold Case, per cui scorse velocemente e senza troppo interesse il documento redatto dal medico legale. Confermava con termini tecnici le cause della morte che il coroner le aveva anticipato con parole più accessibili sul luogo del ritrovamento. La data della morte era fatta risalire a una quindicina di anni prima, con una certa possibilità di imprecisione dovuta alle condizioni del luogo in cui il corpo si era conservato. L'analisi sui resti dei vestiti non era ancora arrivata, quella sull'arco dentale era in corso. Il cadavere non presentava segni particolari, a parte una linea di frattura consolidata all'omero e alla tibia destri e un tatuaggio su una spalla, ancora visibile nonostante il tempo trascorso. Allegata all'incartamento c'era una riproduzione fotografica. Era un Jolly Roger, la bandiera dei pirati, quella con il teschio e le tibie incrociate. Un disegno abbastanza comune, nel suo genere. Sotto c'era una scritta

THE ONLY FLAG

tracciata con dei caratteri adeguati all'immagine. Vivien pensò al significato di quell'iscrizione e all'ironia della vita. Fregiarsi di quella che secondo lui era la sola bandiera possibile non aveva salvato quell'uomo dal fare una brutta fine. Tuttavia quel tatuaggio poteva essere l'unica esile indicazione per arrivare a identificare il cadavere, se per caso fosse appartenuta a qualche gruppo o associazione particolare.

La documentazione finiva lì, insieme a qualsiasi ulteriore traccia in loro possesso.

Il lavoro di investigazione si presentava piuttosto noioso. Una ricerca al DOB, il Department of Buildings, sui due edifici demoliti.

Le deposizioni dei proprietari e degli inquilini.

Le denunce delle persone scomparse intorno a quella data.

Posò il referto e prese in mano le due foto. Rimase a fissare a lungo il ragazzo in divisa ritto davanti a un carro armato, protagonista di una guerra più di vergogna che di gloria. Poi passò all'immagine in cui tendeva verso l'obiettivo quel bizzarro gatto a tre zampe. Si chiese il perché di quella anomalia o di quella mutilazione e si rispose che probabilmente non lo avrebbe saputo mai. Rimise il tutto all'interno della cartellina troppo sottile per essere definita un dossier e si appoggiò allo schienale della sedia. Avrebbe dovuto scrivere un rapporto ma ora non ne aveva voglia.

Si alzò, attraversò la stanza e uscì sul pianerottolo dove c'era la macchina del caffè. Premette i pulsanti giusti e ordinò al suo barman meccanico un caffè con latte e senza zucchero. Nel momento stesso in cui il liquido caldo finiva di riempire il bicchiere di carta, Russell Wade comparve al suo fianco. Non aveva l'aria di uno che desiderava un caffè.

Vivien prese il bicchiere e si girò verso di lui.

«Finito con il suo aguzzino?»

«Con quello sì. Ora ho bisogno di parlare con lei.»

«Con me? A che proposito?»

«La foto di quell'uomo, quella che ha sulla sua scrivania.»

Un piccolo senso di all'erta si accese all'interno di Vivien. Erano la sua esperienza ma soprattutto il suo talento che lo mettevano in funzione. E raramente si era sbagliata.

«Ebbene?»

«Lo conoscevo.»

Vivien notò che il verbo era stato coniugato al passato.

«Sa che è stato ucciso?»

«Sì, l'ho saputo.»

«Se ha delle informazioni relative a quell'uomo posso metterla in contatto con quelli che si occupano delle indagini.»

Wade rimase perplesso.

«Ho visto la foto sulla sua scrivania. Credevo che se ne occupasse lei.»

«No. Sono i miei colleghi di Brooklyn. Il fatto che quella foto fosse sulla mia scrivania è del tutto casuale.»

L'uomo ritenne opportuna una precisazione.

«In ogni caso non è la morte di Ziggy il centro della questione. Non del tutto almeno. C'è un altro motivo molto più importante. Ma a questo punto ne vorrei parlare in privato con lei e con il responsabile del Distretto.»

«In questo momento il capitano Bellew è molto occupato. E la prego di credere che non sono parole di circostanza.»

Lui fece una pausa, guardandola negli occhi. Vivien ricordò il momento in cui era sfilato davanti a lei in auto, il giorno in cui lo avevano scarcerato. Quel senso di tristezza e di solitudine che le aveva trasmesso. Non aveva nessun motivo per stimare quell'uomo ma ancora una volta non riuscì a rimanere insensibile di fronte alla profondità di quello sguardo.

La voce di Russell Wade le arrivò tranquilla alle orecchie.

«Se le dicessi che ho una traccia importante per arrivare a chi ha fatto esplodere il palazzo nel Lower East Side, pensa che il capitano Bellew potrebbe trovare un minuto per me?»

# CAPITOLO 18

Era seduto su una sedia di plastica, in una saletta d'attesa al secondo piano del 13° Distretto di Polizia. Una stanza anonima, con muri sbiaditi testimoni di storie che nello stesso modo si erano sbiadite nel tempo. Ma il suo tempo era oggi e la sua storia apparteneva al presente. Che sovente era un momento molto difficile da vivere.

Si alzò e andò alla finestra che dava sulla strada.

Uomini e donne e automobili percorrevano quella primavera calda e odorosa di vento e foglie nuove. Come sempre, quando l'inverno sembrava senza scampo, il freddo senza alternativa e il grigio l'unico colore possibile, quella rinascita arrivava come una sorpresa per impedire che la fiducia si trasformasse in una definitiva illusione.

Mise le mani in tasca e, nel bene o nel male, si sentì parte del mondo.

Dopo la scoperta che aveva fatto a casa di Ziggy, dopo avere letto il foglio che gli aveva passato prima di morire e aver compreso con sconcerto di cosa si trattava, il sabato e la domenica erano trascorsi in una lunga e tormentata riflessione. Intervallata da notiziari televisivi, dalla lettura dei giornali e dalle immagini dell'uomo insanguinato che gli era morto fra le braccia.

Infine, aveva preso una decisione.

Non sapeva se fosse quella giusta, ma finalmente era una decisione sua.

In quella situazione difficile e incerta, adesso una sola cosa gli era chiara. Che in quel passaggio della sua vita qualcosa era finito e qualcos'altro stava per iniziare. E lui avrebbe fatto tutto quello che era in suo potere perché fosse qualcosa di giusto e importante. Per uno strano scherzo del destino, nel momento in cui si era ritrovato da solo di fronte a una responsabilità enorme, il nodo che si portava dentro da anni si era sciolto. Come se la nave avesse bisogno di una vera tempesta per dimostrare di essere in grado di navigare.

In un primo tempo, preso dal dubbio e dallo sconforto, si era chiesto che cosa avrebbe fatto Robert Wade se fosse stato al posto suo. Poi aveva capito che era la domanda sbagliata da rivolgersi. Quello che era importante capire e decidere era che cosa doveva fare *lui*. E finalmente aveva girato le spalle allo specchio nel quale, per quanto cercasse il proprio viso, per anni aveva continuato a vedere riflessa l'immagine di suo fratello.

Per tutta la notte fra domenica e lunedì era rimasto steso sul letto, guardando il soffitto che era un tetto chiaro nella penombra, con le luci e le voci della città oltre le vetrate a ricordargli che ognuno era solo ma che in realtà nessuno lo era davvero.

Era sufficiente cercare. La cosa più difficile da capire non era chi, non era come. Era il posto. E quasi sempre era più vicino di quanto si riuscisse a ipotizzare. Quando il mattino aveva spento le insegne e i lampioni e riacceso la luce del sole, si era alzato. Aveva fatto una doccia che aveva cancellato completamente ogni traccia di stanchezza per la notte insonne.

Si era ritrovato in bagno, nudo davanti allo specchio. Adesso sulla superficie lucida c'erano il suo corpo e il suo volto. Adesso sapeva chi era e che, se doveva dimostrare qualcosa, la doveva provare a se stesso e a nessun altro.

Ma soprattutto, adesso non aveva più paura.

La porta si aprì alle sue spalle. Sulla soglia apparve la ragazza che si era presentata come la detective Vivien Light. Quando poco tempo prima

*poco?*

era stato scarcerato ed era uscito in strada con l'avvocato Thornton, mentre stava salendo in macchina l'aveva vista fuori dalla porta a vetri, immobile come se fosse indecisa se scendere i gradini o meno. L'auto le era passata davanti e i loro occhi si erano incrociati. Un momento, un breve sguardo nel quale non c'era giudizio e non c'era condanna. Solo un senso di strana comprensione che Russell non aveva dimenticato. Prima non sapeva che fosse un poliziotto ma quando l'aveva trovata seduta a una scrivania nel Distretto con la foto di Ziggy accanto, aveva capito che forse era la persona giusta con cui parlare.

Se quel forse sarebbe diventato una certezza lo avrebbe scoperto presto.

La ragazza si fece di lato e gli indicò il corridoio.

«Venga.»

Russell la seguì fino a una porta con il vetro smerigliato e la scritta

*Capitano Alan Bellew*

tracciata in corsivo con il pennello da una mano sicura. A Russell ricordò certe immagini di film polizieschi in bianco e nero degli anni Quaranta. La detective spinse la porta senza bussare e si trovarono in un ufficio dai mobili per nulla austeri.

Schedari ai muri sulla sinistra, un armadio sulla destra, un tavolino con due poltroncine e una macchina per il caffè appoggiata sul piano di legno. Pareti dalla tinta indefinibile. Un paio di discutibili quadri e alcune piante infilate negli anelli di un portavasi in ferro battuto.

Dietro una scrivania piazzata proprio di fronte alla porta c'era un uomo. Russell non riusciva a inquadrarlo bene a causa del controluce della finestra, appena mitigato dalle veneziane.

L'uomo gli indicò una sedia davanti alla scrivania.

«Sono il capitano Bellew. Si sieda, signor Wade.»

Russell prese posto sulla sedia e la ragazza si spostò a lato, un poco discosta, in piedi. Lo osservava con curiosità, quella che invece il capitano non lasciava trasparire.

Russell decise che era un uomo che sapeva il fatto suo. Non un politico ma un poliziotto, uno che si era guadagnato i gradi e gli incarichi con i risultati sul campo e non con le pubbliche relazioni.

Bellew si appoggiò allo schienale della sedia.

«Mi dice la detective Light che lei pretende di avere delle informazioni importanti per noi.»

«Non lo pretendo. Le ho.»

«Vedremo. Per ora partiamo dall'inizio. Mi parli del suo rapporto con questo Ziggy Stardust.»

«Prima vorrei parlare del mio rapporto con lei.»

«Prego?»

«So che in casi come questi avete un ampio potere discrezionale sulle concessioni da fare a chi fornisce elementi utili alle indagini. Avete a disposizione denaro e tutta una serie di altri privilegi. Addirittura l'immunità, se necessario.»

Il viso del capitano si fece buio.

«Vuole denaro?»

Russell Wade scosse la testa. Un mezzo sorriso gli apparve sulle labbra.

«Fino a due giorni fa un'offerta simile mi avrebbe allettato. Forse anche convinto…»

Chinò la testa e fece una pausa, lasciando la frase in sospeso come se di colpo fosse arrivato un ricordo o un pensiero da inseguire. Poi rialzò la testa.

«Oggi è diverso. C'è solo una cosa che voglio.»

«Ed è lecito sapere quale?»

«Io voglio l'esclusiva. Voglio poter seguire da vicino le indagini in cambio di quello che vi darò.»

Il capitano rimase un attimo a pensare. Quando parlò scandì bene le parole, come se quello che stava esprimendo fosse un concetto da sottolineare in modo molto preciso.

«Signor Wade, direi che lei non si presenta qui fornito delle migliori referenze.»

Russell fece un gesto vago con la mano. E si adeguò al tono del suo interlocutore.

«Capitano Bellew, la mia storia è di dominio pubblico. Tutti sanno che in passato ho ricevuto un Premio Pulitzer che non meritavo e che giustamente mi è stato tolto. Io non nego quelle circostanze, le conosco solo un poco meglio. Le mie responsabilità per quello che ho fatto in passato non hanno scusanti, al massimo delle spiegazioni. Ma non mi sembra questo il momento giusto per darne. La prego di credere che ho da dire cose molto importanti anche se, come dice lei, non mi presento con le migliori credenziali.»

«Perché vuole questo?»

Russell si rese conto che quella era una domanda la cui risposta era determinante. Per il resto della conversazione e per il resto della sua vita. La stava dando all'uomo che aveva di fronte ma nel contempo la stava dando anche e definitivamente a se stesso.

«Le potrei elencare una lunga serie di motivi. Ma in realtà quello che desidero davvero è smettere di essere un vigliacco.»

Nella stanza cadde il silenzio.

Il capitano rimase a guardarlo a lungo negli occhi. Russell sostenne il suo sguardo senza nessuna fatica.

«Potrei trattenerla come sospetto per l'omicidio di Ziggy Stardust.»

«Di certo sarebbe in suo potere, ma non credo che lo farà.»

Ritenne opportuna una precisazione, in modo da non far sembrare la sua affermazione frutto di pura presunzione.

«Capitano, io non sono uno sciacallo. Se avessi voluto uno scoop sarei andato al "New York Times", pur con le difficoltà che lei immagina. Ma, mi creda, questo avrebbe gettato nel panico l'intera città. Nel panico più totale. E non ho la minima intenzione di giocare con la vita di migliaia di persone. Perché questo c'è in ballo…»

Fece una breve pausa, guardando prima una e poi l'altra le due persone presenti nella stanza.

«La vita di migliaia di persone.»

Aveva ripetuto l'ultima frase in modo che il concetto fosse chiaro per loro come lo era per lui. Poi lo rinforzò con un messaggio che non sapeva se fosse più difficile da trasmettere o da accettare.

«L'esplosione di sabato, se è come penso io, sarà solo la prima di una lunga serie.»

Si alzò in piedi e fece qualche passo nella stanza.

«Per una serie di motivi, uno dei quali è rappresentato dal caso, ho scelto di parlare di questa cosa con la detective Light e con lei. Ma non è mia intenzione trattenere per me informazioni che potrebbero salvare la vita di così tante persone. Potrei andare all'FBI ma credo che l'idea migliore sia che tutto parta da qui, da questa stanza.»

Tornò davanti alla scrivania. Si appoggiò con le mani sul

piano del tavolo e inclinò leggermente il corpo verso l'uomo che stava dall'altra parte.

Ora era lui a cercare lo sguardo del capitano.

«Mi basta la sua parola d'onore che mi permetterà di seguire le indagini da vicino.»

Russell sapeva che fra i corpi investigativi c'era da sempre una certa rivalità. E sapeva che arrivava all'acme fra la Polizia di New York e l'FBI. Il capitano Bellew aveva l'aria di essere un buon poliziotto e una brava persona. Ma era pur sempre un essere umano. L'idea che il suo Distretto potesse venire a capo di quella faccenda e goderne i meriti di certo poteva essere un elemento di peso.

Il capitano indicò la sedia.

«Si sieda.»

Russell tornò ad accomodarsi. Il capitano Bellew attese che si fosse seduto prima di parlare.

«Va bene. Ha la mia parola d'onore che, se quello che ha da dire è interessante, le darò modo di seguire le indagini. Ma se ci ha fatto perdere del tempo, sarò io personalmente a gettarla a calci nel sedere giù per le scale.»

Una pausa e uno sguardo per ratificare il patto e le sue possibili conseguenze.

«E adesso parli.»

Il capitano fece un gesto a Vivien, che fino a quel momento era stata in silenzio, mantenendo la sua posizione di fianco alla scrivania, ferma ad ascoltare quella conversazione. Russell capì che da quel momento in poi sarebbe stata lei a condurre le operazioni.

E infatti lo fece.

«Che cosa c'entra con lei Ziggy Stardust?»

«Per motivi miei sono stato a casa sua, sabato pomeriggio.»

«Che motivi?»

Russell Wade alzò le spalle.

«Conoscete me. E credo conosceste Ziggy e quello che faceva. Posso dire che il motivo non ha importanza, per il momento?»

«Vada avanti.»

«Ziggy abitava in un seminterrato. Quando sono arrivato a casa sua e ho svoltato l'angolo al fondo delle scale, ho visto una persona con una giacca militare che imboccava con una certa fretta la scala dall'altra parte del corridoio. Ho pensato che fosse uno dei tanti clienti di Ziggy che non vedeva l'ora di trovarsi lontano di lì.»

«Lo saprebbe riconoscere?»

Russell aveva percepito la trasformazione della ragazza e ne rimase impressionato in modo molto favorevole. Da semplice spettatrice adesso era diventata quella che faceva le domande con l'atteggiamento di chi sapeva il fatto suo.

«Non credo. Non l'ho visto in faccia. Come corporatura era abbastanza comune. Potrebbe appartenere a chiunque.»

«E poi che ha fatto?»

«La porta di Ziggy era aperta. Sono entrato e lui era ancora vivo. Era coperto di sangue. Dappertutto. Sui calzoni e sul davanti della camicia. Gli colava anche dalla bocca. Stava cercando di rialzarsi e di arrivare alla stampante.»

Il capitano intervenne a chiarire quel dettaglio.

«La stampante?»

Russell fece un cenno affermativo con la testa.

«Quello ha fatto. Anche io mi sono chiesto il perché. Si è aggrappato a me e ha premuto un tasto della stampante dove c'era un led arancione che lampeggiava, come succede quando finisce la carta e la macchina si mette in stand by.»

«E poi?»

«Con le ultime forze ha preso il foglio appena stampato e me l'ha messo in mano. Poi è scivolato a terra ed è morto.»

Russell si prese un attimo di tempo prima di continuare. Nessuno dei due poliziotti disse o fece nulla per incalzarlo.

«A quel punto mi sono fatto prendere dal panico. Ho infilato il foglio nella tasca della giacca e sono scappato. So che avrei dovuto chiamare la Polizia ma la paura delle conseguenze o che l'assassino potesse ritornare ha avuto il sopravvento. Quando sono arrivato a casa, ho visto dalle finestre del mio appartamento l'esplosione nel Lower East Side e me ne sono dimenticato. Quando mi sono calmato e sono tornato un po' più presente a me stesso, sono andato a vedere il foglio. Era la fotocopia di parte di una lettera più lunga, perché inizia e finisce con un periodo sospeso. È scritta a mano e ho fatto una certa fatica a leggerla, per le macchie di sangue che c'erano sopra.»

Russell di nuovo si arrestò. Il suo tono cambiò e la sua voce divenne quella di un uomo che non riusciva, nonostante tutto, ad arrendersi all'evidenza.

«Ho dovuto rileggerla due volte prima di realizzare il senso di quelle parole. E quando le ho capite devo confessare che mi è caduto il mondo addosso.»

«Che c'era scritto di tanto rilevante?»

Russell Wade infilò una mano nella tasca interna della giacca. Ne tirò fuori un foglio ripiegato in quattro. Lo tese verso la ragazza.

«Ecco. Questa è una fotocopia dell'originale. Legga lei stessa.»

Vivien la prese, la aprì e iniziò a leggere. Quando arrivò alla fine il suo viso era pallido e aveva le labbra tirate. Senza dire una parola passò il foglio al capitano, che iniziò a sua volta a scorrere le righe.

*e per questo me ne sono andato. Dunque adesso sai chi sono e da dove vengo, nello stesso modo in cui sai chi sei tu. La mia storia, come vedi, non è stata lunga da raccontare, perché da un certo punto in poi non è successo molto. È stato difficile raccontarla, invece, perché è stato difficile viverla. Non ho potuto, in vita, lasciare nulla a nessuno. Ho preferito tenere per me il mio rancore e il mio odio. Ora che il cancro ha fatto il suo lavoro e io sono da un'altra parte, posso lasciare qualcosa a te come ogni padre dovrebbe fare per un figlio e come avrei dovuto fare io molto tempo fa senza averne la possibilità. Non ho molto denaro. Tutto quello che avevo, detratte le spese del mio funerale, è qui nella busta, in biglietti da mille dollari. Sono certo che ne farai buon uso. Per tutta la mia vita, prima e dopo la guerra, ho lavorato nell'edilizia. Ho imparato da ragazzo, quando ero alle dipendenze di un uomo che per me è stato come un padre, a usare l'esplosivo per le demolizioni. L'esercito mi ha insegnato il resto. Durante tutto il tempo che ho lavorato a New York, in molti dei posti che ho contribuito a costruire ho nascosto delle bombe. Tritolo e napalm, che per mia sfortuna ho dovuto conoscere fin troppo bene. Avrei voluto essere io stesso a farle esplodere ma visto che leggi queste parole vuole dire che la mia mancanza di coraggio e la vita hanno disposto diversamente. Allegati a questa lettera troverai gli indirizzi degli edifici minati e il modo per farli esplodere al posto mio. Se lo farai, mi avrai vendicato. Altrimenti rimarrò una delle tante vittime della guerra che non hanno avuto il conforto della giustizia. Ti consiglio di imparare a memoria gli indirizzi e i dati tecnici e poi distruggere questa lettera. Il primo palazzo è nel*

*Lower East Side, sulla 10ma Strada all'angolo con la Avenue D. Il secondo*

Lo scritto finiva qui. Anche il capitano era pallido quando finì di leggere. Prese il foglio e lo depose sulla scrivania. Appoggiò i gomiti sul tavolo e nascose il viso fra le mani. La sua voce arrivò smorzata, mentre faceva un ultimo umano tentativo di convincersi che quello che aveva appena letto non era vero.

«Signor Wade, questo potrebbe anche averlo scritto lei. Chi mi dice che non sia un'altra delle sue bufale?»

«Il tritolo e il napalm. Ho controllato. Nessuno ne ha fatto cenno, né in televisione né sui giornali. Devo dedurre che sia un particolare che non è in possesso dei media. Se mi conferma che la causa delle esplosioni è quella, mi pare una prova sufficiente.»

Russell si rivolse alla detective, che era pallida e pareva non essere in grado di riprendersi. Tutti, nella stanza, pensavano la stessa cosa. Se quello che c'era scritto nella lettera era vero, significava che una guerra era in atto. E l'uomo che l'aveva scatenata, da solo, aveva la potenza di un piccolo esercito.

«E poi c'è un'altra cosa, che non so se può essere utile.»

Di nuovo Russell Wade infilò una mano nella tasca interna della giacca. Questa volta ne estrasse una foto macchiata di sangue. La tese verso la detective.

«Insieme al foglio Ziggy mi ha dato questa.»

La ragazza prese la foto e rimase un istante a fissare l'immagine. Poi sembrò percorsa da una scossa elettrica.

«Aspettate un attimo. Torno subito.»

A passo veloce attraversò la stanza, uscì dalla porta e sparì nel corridoio. Quasi non lasciò a Russell e al capitano

Bellew il tempo di chiedersi il motivo di quel comportamento. Un attimo dopo era di ritorno, con una cartellina gialla in mano. C'era solo una rampa di scale fra l'ufficio del capitano e la sua postazione. Chiuse la porta e si avvicinò alla scrivania, prima di iniziare a parlare.

«Un paio di giorni fa, durante una demolizione in un cantiere sulla 23sima Strada, è stato trovato un cadavere murato in un'intercapedine. L'autopsia dice che sta lì da quindici anni, più o meno. Non abbiamo trovato nessuna traccia significativa, a parte una cosa.»

Russell riteneva che il capitano fosse già al corrente di alcuni dettagli. Capì che il modo di esporre i fatti della detective Vivien Light era a suo uso e consumo. Questo significava che stava rispettando il patto appena stipulato.

La ragazza continuò.

«A terra, di fianco al cadavere, abbiamo trovato un portadocumenti contenente due foto. Eccole.»

Diede al capitano gli ingrandimenti in bianco e nero che stavano nella cartellina. Bellew li esaminò per qualche istante. Quando Vivien fu certa che le avesse assimilate bene, gli passò quella che Russell le aveva appena mostrato.

«E questa è quella che Ziggy ha dato al signor Wade.»

Appena la vide, il capitano non riuscì a trattenere una esclamazione.

«Cristo santo.»

Continuò a passare lo sguardo dall'una all'altra foto per un tempo che sembrò interminabile. Poi si sporse sul piano della scrivania e le tese a Russell. In una c'erano un ragazzo in divisa davanti a un carro armato, in un'immagine forse riconducibile alla guerra del Vietnam. Nell'altra lo stesso ragazzo, in abiti borghesi, tendeva verso l'obiettivo un grosso gatto nero, che sembrava privo di una zampa.

Russell capì il motivo del comportamento della detective Light e della sorpresa del suo superiore. Il ragazzo e il gatto nella foto trovata accanto a un cadavere vecchio di quindici anni erano gli stessi ritratti in quella che Ziggy Stardust gli aveva messo in mano prima di morire.

# CAPITOLO 19

*Io sono Dio...*

Da quando aveva aperto gli occhi, quelle tre parole continuavano a risuonare nella testa del reverendo Michael McKean come se fossero incise su un nastro che si ripeteva all'infinito. Fino alla sera prima c'era stata ancora, da qualche parte dentro di lui, una piccola speranza che tutto fosse frutto del vaneggiamento di un folle, l'innocuo autolesionismo di una mente vacillante. Ma la ragione e l'istinto, che di solito stavano fra loro in conflitto, gli dicevano che era tutto vero.

E alla luce del sole ogni cosa sembrava più nitida e definitiva.

*Ricordava la fine di quella assurda conversazione nel confessionale, quando l'uomo, dopo la sua terribile affermazione, aveva cambiato il tono della voce e si era fatto suadente, confidenziale. Parole di minaccia in un timbro impastato ad arte di colpa e d'innocenza.*

*«Ora io mi alzerò e me ne andrò. E lei non mi seguirà, né cercherà di fermarmi. Se lo facesse, le conseguenze sarebbero molto spiacevoli. Per lei e per le persone che le sono care. Mi può credere, come può credere a tutto quello che le ho detto.»*

*«Aspetta. Non te ne andare. Spiegami almeno perché...»*

*La voce lo aveva interrotto, di nuovo ferma e precisa.*

«*Credevo di essere stato chiaro. Non ho niente da spiegare. Solo cose da annunciare. E lei le verrà a conoscere prima di chiunque altro.*»

*L'uomo proseguì nel suo delirio come se fosse la cosa più naturale del mondo.*

«*Questa volta ho riunito il buio alla luce. La prossima rimetterò insieme la terra all'acqua.*»

«*Che cosa significa?*»

«*Capirà, nel tempo.*»

*La voce era carica di una tranquilla e inesorabile minaccia. Col terrore di vederlo sparire da un momento all'altro padre McKean gli aveva rivolto un'ultima disperata domanda.*

«*Perché sei venuto a parlarne con me? Perché io?*»

«*Perché, più di chiunque altro, lei ha bisogno di me. Io lo so.*»

*Un tratto di silenzio che era sembrato infinito da parte di quell'uomo che si diceva padrone dell'eternità. Poi le sue parole definitive. Il suo addio al mondo senza scampo.*

«*Ego sum Alpha et Omega.*»

*L'uomo si era alzato e se ne era andato quasi senza fare rumore, un fruscio verde oltre la grata, un viso appena intravisto nella penombra. Era rimasto solo, senza fiato e senza paura, perché quello che provava era così grande e senza nome da non lasciare posto a nessun altro sentimento.*

*Era uscito dal confessionale pallido in viso e quando Paul, il parroco, era venuto a cercarlo era rimasto interdetto di fronte al suo aspetto sofferente.*

«*Che hai Michael, non ti senti bene?*»

*Aveva ritenuto inutile mentire. Inoltre dopo quell'esperienza non aveva davvero le forze necessarie a sostenere la messa di fronte ai fedeli di mezzogiorno. Il rito era un momento di gioia e di aggregazione e gli sembrava un peccato contaminarlo con i pensieri che aveva dentro.*

«No. A dirti la verità non mi sento bene per niente.»

«Okay. Vai a casa. Alla funzione ci penso io.»

«Ti ringrazio, Paul.»

Il parroco aveva ricevuto una visita di gente da fuori e gli aveva trovato un passaggio fino a Joy. Una persona che non conosceva e che si era presentata come Willy Del Carmine gli aveva indicato una grossa macchina della quale non ricordava quasi il colore. Per tutto il breve tragitto era rimasto in silenzio, guardando fuori dal finestrino, uscendo dai suoi pensieri solo per fornire le indicazioni al suo autista. Fece quasi fatica a riconoscere la strada che aveva già percorso mille volte.

Quando si era trovato nel cortile con il rumore dell'auto che si allontanava, si era accorto di non avere nemmeno ringraziato e salutato la persona che era stata così gentile con lui.

John era in giardino e vedendo la macchina arrivare lo aveva raggiunto. Era un uomo di una sensibilità non comune e con una capacità ancora più acuta di leggere dentro alle persone.

Padre McKean sapeva che avrebbe capito che qualcosa non andava. Già lo aveva percepito dal tono della sua voce, quando da Saint Benedict aveva avvisato che stava per rientrare. A conferma dell'opinione che aveva di lui, John si era avvicinato come se avesse timore di essere inopportuno.

«Tutto bene?»

«Tutto bene, John. Ti ringrazio.»

Il suo collaboratore non aveva insistito oltre, confermando un'altra delle sue qualità, la discrezione. Si conoscevano troppo bene, ormai. Sapeva che John era fiducioso che, quando fosse stato tempo e luogo, il suo amico Michael McKean si sarebbe aperto con lui. Non poteva sapere che questa volta era del tutto diverso.

Il problema era insormontabile.

Ed era la causa di un'angoscia che provava per la prima volta nella sua vita. In passato aveva raccolto le confidenze di altri sacerdoti ai quali era successo, in confessione, di sentirsi raccontare crimini. Adesso capiva il loro turbamento, il sentirsi umanamente in conflitto con il loro ruolo di ministri della Fede e della Chiesa che avevano scelto di servire.

Il sigillo sacramentale era inviolabile. Perciò era proibito a ogni confessore di tradire chiunque si confidasse all'interno di un confessionale.

In nessun caso e in nessun modo.

La violazione non era permessa neppure in caso di minaccia di morte del confessore o di altri. Il sacerdote che si trovava a violare il segreto confessionale incorreva automaticamente nella scomunica definita latae sententiae, che poteva essere tolta solo dal Papa. E difficilmente il Pontefice, nel corso del tempo, lo aveva fatto.

Se il peccato consisteva in un atto criminale, il confessore poteva suggerire o imporre al penitente, come condizione indispensabile per l'assoluzione, che si costituisse alle autorità civili. Non poteva fare altro e soprattutto non poteva informare lui stesso gli organi inquirenti neppure in modo indiretto.

C'erano casi in cui una parte della confessione poteva essere rivelata ad altri, ma sempre col permesso della persona interessata e sempre senza rivelarne l'identità. Questo valeva per alcuni peccati, che non potevano essere perdonati senza l'autorizzazione del vescovo o del Papa. Tutto questo, tuttavia, prevedeva una cosa determinante. La richiesta di assoluzione era conseguente al pentimento, al desiderio di liberare l'anima da un peso insostenibile. In quel caso, padre McKean non si trovava di fronte né all'una né all'altro.

Un uomo aveva dichiarato guerra alla società.

Distruggendo e mietendo vittime, spargendo lacrime e do-

*lore e disperazione. Con la determinazione del dio che nel suo deliquio sosteneva di essere, il dio che distruggeva città e annientava gli eserciti, quando ancora la legge era quella dell'occhio per occhio e dente per dente.*

*Dopo quell'accenno di conversazione nel cortile con John, per non doversi addentrare oltre in difficili spiegazioni, si era avviato verso la cucina. Per quanto gli era stato possibile, si era messo la sua maschera migliore ed era entrato in casa per pranzare con i ragazzi, che erano stati lieti di averlo a tavola per quella piccola festa domenicale.*

*Qualcuno di loro non si era fatto ingannare. La signora Carraro per prima. E nel caos di risate e commenti e scherzi intorno alla tavola, un paio di ragazzi avevano capito. Katy Grande, una ragazza di diciassette anni con un buffo naso cosparso di efelidi e Hugo Sael, un altro degli ospiti di Joy dotato di una particolare attenzione al mondo che lo circondava, lo avevano guardato ogni tanto con un'aria interrogativa, come chiedendosi dove si fosse nascosto il padre McKean che conoscevano.*

*Nel pomeriggio, mentre erano quasi tutti in giardino a vivere quella splendida giornata di sole, li avevano raggiunti Vivien e Sundance. Se la ragazza era dispiaciuta che la piega degli eventi avesse costretto le autorità a rinviare il concerto non lo aveva dato a vedere. Era serena e pareva felice di essere tornata a Joy.*

*Lei e la sua giovane zia sembravano molto più unite di quando il giorno prima Vivien era salita a prenderla. L'imbarazzo fra loro sembrava dissolto e pareva che quel difficile rapporto avesse intrapreso un viaggio verso un posto diverso. Ma soprattutto in un modo diverso.*

*Questa impressione gli era stata confermata quando Vivien, con parole che rasentavano l'euforia, gli aveva riferito quello che era successo con la nipote, di quella nuova ritrovata confidenza e unione, che tutti loro avevano inseguito con ansia e conseguito a fatica nel corso del tempo.*

*Adesso, alla luce del sole e di un giorno nuovo, si rendeva conto di quanto fosse stato poco gratificante verso quell'entusiasmo il suo comportamento del giorno prima. Non aveva potuto fare a meno di continuare a informarsi con la detective della tragedia della 10ma Strada, delle sue conseguenze e delle sue implicazioni, cercando in modo quasi ossessivo di capire se nelle mani della Polizia c'era una traccia, un collegamento, un'idea su chi potesse avere compiuto quella strage. Con la tentazione repressa a stento di appartarsi con lei e di riferirle quello che era accaduto e tutte le informazioni che erano in suo possesso.*

Adesso si rendeva conto che aveva avuto le risposte che poteva avere, alla luce del fatto che tutto era ancora in divenire e che qualunque informazione fosse in possesso di Vivien, in quanto membro della Polizia, era oggetto di una riservatezza legata alle indagini in corso.

Ognuno aveva i suoi segreti confessionali. E ognuno doveva reggerne il peso, per la responsabilità che si era assunto nel momento in cui aveva pronunciato i suoi voti. Laici o religiosi che fossero.

*Ego sum Alpha et Omega...*

Padre McKean guardò dalla finestra quel paesaggio verde e azzurro di primavera che di solito lo riempiva di pace. E che adesso ritrovava quasi ostile, come se l'inverno fosse tornato non per quello che c'era fuori ma per gli occhi con cui lo guardava adesso. Dopo che si era alzato dal letto come un sonnambulo, aveva fatto una doccia, si era vestito e aveva detto le sue preghiere con un fervore nuovo. Poi si era aggirato per la stanza, stentando a riconoscere gli oggetti che aveva intorno. Cose povere, familiari, oggetti di tutti i giorni, che se pure rappresentavano le difficoltà quotidiane della sua vita, parevano d'un tratto appartenere a un tempo felice perduto per sempre.

Bussarono alla porta.

«Sì?»

«Michael, sono John.»

«Entra.»

Padre McKean se lo aspettava. Di solito al lunedì mattina avevano sempre una riunione per discutere delle attività e degli obiettivi della settimana. Era un momento difficile ma anche di gratificante impegno e di lotta contro le avversità, alla luce del fine comune che la piccola comunità di Joy si era prefissa. Tuttavia quel giorno il suo factotum entrò con l'aria di chi avrebbe voluto trovarsi in un altro posto e in un altro tempo.

«Scusa se ti disturbo ma c'è una cosa della quale devo assolutamente discutere con te.»

«Nessun disturbo. Che succede?»

L'uomo ritenne opportuno un breve preambolo, date la confidenza e la stima che c'erano fra loro.

«Mike, non so che cosa ti sia successo ma sono certo che a tempo debito mi metterai al corrente. E mi dispiace venire qui a seccarti adesso.»

Per l'ennesima volta il reverendo McKean si rese conto del grande tatto di John Kortighan e di quanto era fortunato ad avere una persona del suo calibro nello staff di Joy.

«Non fa niente, John. Nulla di importante. Passerà presto, credimi. Dimmi tu, piuttosto.»

«Abbiamo dei problemi.»

A Joy c'erano sempre dei problemi, di varia natura. Con i

ragazzi, con il denaro, con certi collaboratori, con le tentazioni del mondo esterno. Ma quelli che erano stampati sul viso di John sembravano nuovi e particolarmente importanti.

«Ho parlato con Rosaria, stamattina.»

Rosaria Carnevale era una parrocchiana di Saint Benedict, di chiara origine italiana, che abitava a Country Club ma che dirigeva una filiale della M&T Bank a Manhattan, quella che si occupava degli interessi economici della comunità e della gestione del patrimonio lasciato dall'avvocato Barry Lovito.

«Che dice?»

John riportò quello che non avrebbe mai voluto dire.

«Dice che ha fatto i salti mortali, durante la causa in corso, per continuare a farci avere il versamento mensile che lo statuto prevede. Ma adesso, su istanza dei presunti eredi dell'avvocato, ha ricevuto una nuova ingiunzione dal tribunale. I pagamenti sono sospesi sino alla sentenza e alla risoluzione della vertenza in corso.»

Questo significava che fino a quando il giudice non si fosse pronunciato, a parte il contributo dello Stato di New York, la principale forma di sostentamento della comunità sarebbe venuta a mancare. Per le sue notevoli necessità, Joy avrebbe dovuto, da quel momento in poi, fare affidamento sulle sue sole forze e sulle offerte spontanee della gente di buon cuore.

Padre McKean guardò di nuovo fuori dalla finestra, pensieroso, in silenzio. Quando parlò, per la prima volta John Kortighan sentì lo sconforto nella sua voce.

«Quanto abbiamo in cassa?»

«Poco o niente. Se fossimo una società direi che siamo alla bancarotta.»

Il sacerdote si girò e un piccolo sorriso senza colore fiorì sulle sue labbra.

«Stai tranquillo, John. Ce la caveremo. Come abbiamo sempre fatto. Anche questa volta ce la caveremo.»

Tuttavia nel suo tono non c'era traccia della sicurezza e della fiducia ostentate, come se avesse detto quelle parole più per illudere se stesso che convincere la persona con cui stava parlando.

John sentì il freddo della realtà impadronirsi a poco a poco dell'aria della stanza.

«Va bene. Ti lascio. Delle altre cose possiamo parlare poi. Sono inezie in confronto a quello che ti ho appena detto.»

«Sì, John, vai pure. Ti raggiungo subito.»

«Okay, allora. Ti aspetto di sotto.»

Padre McKean vide il suo uomo di fiducia uscire e chiudersi delicatamente la porta alle spalle. Quello che gli dispiaceva era sapere che stava male per via della situazione, ma quello che lo feriva davvero era il sospetto di averlo deluso.

*Io sono Dio...*

Lui non lo era. Né desiderava esserlo. Lui era solo un uomo consapevole dei suoi limiti terreni. Fino a quel momento gli era bastato cercare di servirlo nel modo migliore possibile, accettando tutto quello che gli veniva offerto e tutto quello che gli veniva richiesto.

Ma adesso...

Prese il cellulare dalla scrivania e dopo una breve ricerca sulla rubrica compose il numero dell'arcidiocesi di New York. Qualche squillo di troppo per la sua impazienza e quando una voce dall'altra parte rispose, si qualificò con il centralinista.

«Sono il reverendo Michael McKean della parrocchia di Saint Benedict, nel Bronx. Sono anche il responsabile di Joy, una comunità di recupero di ragazzi che hanno avuto problemi con la droga. Vorrei parlare con l'ufficio dell'arcivescovo.»

Di solito le sue presentazioni erano molto più stringate ma aveva preferito mettere sulla bilancia il carico pesante perché la sua chiamata fosse inoltrata subito.

«Un attimo, padre McKean.»

Il centralinista lo mise in attesa. Pochi secondi dopo una voce lo raggiunse. Una voce giovane e garbata.

«Buongiorno, reverendo. Sono Samuel Bellamy, uno dei collaboratori del cardinale Logan. In cosa posso esserle utile?»

«Ho bisogno di parlare quanto prima con Sua Eminenza. Di persona. Mi creda, si tratta di una questione di vita o di morte.»

Doveva aver trasmesso in maniera molto efficace la propria angoscia al suo interlocutore, perché nel tono della risposta c'era sincero rammarico, oltre a un accenno di preoccupazione.

«Purtroppo il cardinale è partito stamattina per un breve soggiorno a Roma. Sarà nella Santa Sede a colloquio con il Pontefice. Non sarà di ritorno prima di domenica.»

Michael McKean si sentì di colpo perduto. Una settimana. Aveva sperato di poter condividere il peso della sua pena con l'arcivescovo, avere un consiglio, una direttiva. Il miracolo di una dispensa non poteva essere nemmeno lontanamente ipotizzato, ma il conforto del parere di un superiore in quel momento gli era indispensabile.

«Posso fare qualcosa io, reverendo?»

«No, purtroppo. L'unica cosa che le chiedo è di farmi avere un appuntamento con Sua Eminenza il più presto possibile.»

«Per quello che è nelle mie possibilità, le garantisco che sarà fatto. Sarà mia cura avvertirla personalmente presso la sua parrocchia.»

«La ringrazio.»

Padre McKean chiuse la comunicazione e si sedette sul bordo del letto, sentendo il materasso cedere sotto il peso del suo corpo. Per la prima volta da che aveva deciso di prendere i voti, si sentì veramente solo. E come qualcuno che aveva insegnato al mondo l'amore e il perdono, per la prima volta gli venne da chiedere a Dio, l'unico e il vero, perché lo aveva abbandonato.

## CAPITOLO 20

Vivien uscì dal Distretto e si diresse verso la macchina. La temperatura era rinfrescata. Il sole che al mattino sembrava intoccabile, adesso stava combattendo con un vento arrivato da ovest senza preavviso. Nuvole e ombre si contendevano il ciclo e la terra. Sembrava il destino annunciato di quella città: correre e rincorrere senza mai riuscire in realtà ad afferrare nulla.

Trovò Russell Wade nel posto esatto in cui gli aveva dato appuntamento.

Vivien non era ancora riuscita a farsi un'idea di quell'uomo. Tutte le volte che ci provava, arrivava uno scarto imprevisto, qualcosa di inatteso e di improbabile a falsare il quadro che si stava costruendo nella testa.

E questo la indisponeva.

Mentre si avvicinava a lui, ripercorse nella mente tutta quella storia pazzesca.

*Quando alla fine dell'incontro con il capitano si erano tutti resi conto che non c'era più nulla da dire ma molto da fare, Vivien si era rivolta a Wade.*

*«Mi può aspettare un attimo fuori, per favore?»*

*Lo sfortunato vincitore di un immeritato Premio Pulitzer si era alzato e si era diretto verso la porta.*

*«Senza problemi. Arrivederci capitano e grazie.»*

*Nella risposta di Bellew c'era stata una formale cortesia non sostenuta dal tono con cui venivano pronunciate le parole.*

«Non c'è di che. Se questa cosa avrà il seguito che tutti ci auguriamo, ci sarà molta gente che dovrà dire grazie a lei.»

E anche il direttore di qualche giornale...

*aveva pensato Vivien.*

*L'uomo era uscito chiudendo con delicatezza la porta alle sue spalle e lei era rimasta da sola col suo superiore. Il suo primo istinto sarebbe stato quello di chiedergli se era impazzito a promettere quello che aveva promesso a un tipo come Russell Wade. Il suo rapporto con il capitano però prevedeva da sempre il rispetto l'uno per le ragioni dell'altro e questa volta non poteva essere diverso. Inoltre era il suo capo e non voleva metterlo nell'imbarazzo di doverglielo ricordare.*

«Che ne dici, Alan? Di questa storia delle bombe intendo.»

«Che mi sembra una follia. Che non mi sembra possibile. Ma dopo i fatti dell'11 Settembre ho scoperto che i confini della follia e del possibile si sono parecchio allargati.»

*Vivien aveva confermato il suo accordo con quelle considerazioni affrontando un altro argomento. Quello che la preoccupava di più. L'anello debole della catena.*

«E di Wade che ne pensi?»

*Il capitano aveva fatto un gesto con le spalle. Che voleva dire tutto e niente.*

«Per il momento ci ha fornito l'unica traccia che abbiamo. E siamo fortunati ad averne una, da qualunque parte arrivi. In condizioni normali quel bellimbusto lo avrei cacciato a calci nel culo. Ma queste non sono condizioni normali. Sono morte quasi cento persone. Là fuori c'è altra gente ignara che in questo momento corre il rischio di fare la stessa fine. Come ho detto durante il briefing, abbiamo il dovere di non trascurare nes-

*suna possibilità. Inoltre quella storia delle foto è curiosa. Fa diventare un caso di routine un'ipotesi di importanza vitale. E mi sa di autentico. Solo la realtà riesce a essere così fantasiosa da creare certe coincidenze.»*

Vivien aveva ragionato spesso su questo concetto. E le sue esperienze di lavoro parevano avvalorarlo ogni giorno di più.

«Ce le teniamo per noi queste informazioni?»

Bellew si era grattato un orecchio, come faceva spesso quando rifletteva.

«Per il momento sì. Non voglio correre il rischio di diffondere il panico o di farmi ridere dietro da tutte le autorità dello Stato e da tutte le polizie del Paese. Esiste sempre, anche se non lo credo, la remota possibilità che tutto si sgonfi come una bolla di sapone.»

«Ti fidi di Wade in questo senso? È chiaro come il sole che sta cercando una storia grossa.»

«Infatti ce l'ha. E proprio per questo motivo non parlerà. Perché non gli conviene. Non lo faremo neanche noi, per lo stesso motivo.»

Vivien aveva chiesto una conferma di quello che già sapeva.

«Per cui d'ora in poi me lo dovrò portare dietro?»

Il capitano allargò le braccia come per accogliere l'inevitabile.

«Gli ho dato la mia parola d'onore. E io di solito mantengo la mia parola.»

Stavolta era stato il capitano a cambiare discorso, sigillando senza possibilità di correzione una lettera scritta a modo suo.

«Telefonerò immediatamente al 67° per farti mandare il file dell'indagine su questo Ziggy. Se lo riterrai necessario potrai anche fare un sopralluogo nel suo appartamento. Per quanto riguarda il tipo nel muro, che di colpo è diventato protagonista, hai qualche idea?»

«*Sì. Ho una traccia. Non granché ma è in ogni caso un punto di partenza.*»

«*Molto bene. Al lavoro. E qualsiasi cosa tu abbia bisogno, non hai che da farmelo sapere. Posso farti avere tutto quello che ti serve senza dovermi sbottonare troppo, per il momento.*»

*Vivien non aveva fatto fatica a credergli. Sapeva che il capitano Alan Bellew vantava una vecchia amicizia con il capo della Polizia, che al contrario di Elisabeth Brokens moglie di Charles Brokens eccetera eccetera, non era solo millantata.*

«*Okay. Vado.*»

*Vivien si era girata per lasciare l'ufficio. Quando era sulla porta e stava per uscire Bellew l'aveva richiamata.*

«*Vivien, un'ultima cosa.*»

*L'aveva guardata negli occhi e le aveva sorriso sornione.*

«*Per quanto riguarda Russell Wade, in caso di necessità, ricorda questo dettaglio. Io gli ho dato la mia parola d'onore.*»

*Una pausa prima di sottolineare il concetto finale.*

«*Tu no.*»

*Vivien era uscita con lo stesso sorriso sulle labbra. Fuori aveva trovato Russell Wade, in piedi con le mani in tasca, nella saletta dove aveva aspettato poco prima.*

«*Eccomi.*»

«*Mi dica, detective.*»

«*Se dovremo passare un poco di tempo insieme, puoi chiamarmi Vivien.*»

«*Okay, Vivien. Che succede adesso?*»

«*Dammi il tuo cellulare.*»

*Russell aveva tirato fuori dalla tasca il suo telefono. Vivien si era stupita che non fosse un iPhone. A New York tutti i VIP l'avevano. Forse Wade non si considerava tale o forse l'aveva gettato come fiche su qualche tavolo da gioco.*

*La detective aveva preso l'apparecchio e composto il pro-*

*prio numero telefonico. Quando lo aveva sentito squillare, in basso sulla sua scrivania, aveva riattaccato e lo aveva restituito al suo proprietario.*

«Ecco. Questo in memoria è il mio numero di telefono. Fuori, uscendo dall'edificio, a sinistra, c'è una Volvo metallizzata. È la mia macchina. Vai lì e aspetta che io ti raggiunga.»

*Aveva caricato di sarcasmo la frase successiva.*

«Ho delle cose da fare e non so quanto ci vorrà. Mi dispiace, ma dovrai avere pazienza.»

*Russell l'aveva guardata. Nei suoi occhi era passato un velo di quella tristezza che Vivien ci aveva scoperto con sorpresa pochi giorni prima.*

«Ho aspettato più di dieci anni. Posso aspettare ancora un poco.»

*Aveva girato le spalle e se ne era andato. In piedi sull'orlo delle scale, Vivien era rimasta qualche secondo perplessa a vederlo scendere e sparire al piano di sotto. Poi aveva sceso a sua volta la rampa ed era tornata alla sua scrivania. Accanto all'eccitazione per l'importanza del compito che il caso le aveva messo in mano, era rimasta l'angoscia trasmessa dalle parole che aveva letto su quella lettera. Parole farneticanti trasportate dal vento come semi velenosi, che avevano trovato chissà dove il terreno adatto per germogliare. Vivien si chiese che genere di sofferenze potesse aver patito l'uomo che aveva lasciato quel messaggio e quale male potesse affliggere l'uomo che l'aveva ricevuto, se aveva deciso di accettarne l'eredità e mettere in atto la sua folle vendetta postuma.*

I confini della follia si sono allargati…

*Forse in quel caso era più giusto dire che i confini erano stati cancellati del tutto.*

*Si era seduta alla scrivania e si era collegata al Database della Polizia. Nella stringa di ricerca aveva lanciato le parole* The only flag *e atteso il risultato. Sullo schermo le era apparsa quasi subito la foto di una spalla nuda sulla quale era tracciato un tatuaggio uguale a quello trovato sul cadavere. Era l'elemento distintivo di un gruppo di biker con sede a Coney Island che si facevano chiamare Skullbusters. Allegate al dossier c'erano alcune foto segnaletiche degli elementi della banda che avevano avuto dei guai con la legge. Accanto al nome di ognuno erano elencate le piccole o grandi nefandezze del galantuomo in questione. Le foto sembravano piuttosto vecchie e Vivien si era chiesta se uno di loro non fosse la stessa persona che aveva riposato per anni sepolta nelle fondamenta di un palazzo sulla 23sima Strada. Sarebbe stato il massimo dell'ironia ma non se ne sarebbe stupita più di tanto. Come aveva sottolineato poco prima il capitano, tutto il loro lavoro era fatto di coincidenze. Le foto dello stesso ragazzo e dello stesso gatto trovate in due posti così distanti nel tempo e nello spazio ne erano la prova tangibile.*

*Mentre stava prendendo nota dell'indirizzo della sede dei motociclisti, era arrivato per via telematica dal 67° Distretto di Brooklyn il dossier della morte di Ziggy Stardust. Bellew non aveva perso tempo. Sul suo computer adesso Vivien aveva tutto il materiale: il referto sommario del coroner, il rapporto redatto dal detective incaricato del caso e le foto scattate sulla scena del delitto. Ne aveva ingrandita ai limiti del possibile una scattata nella prospettiva che la interessava. Si vedeva chiaramente, su un tasto della stampante appoggiata al tavolo, una traccia rossa, come se qualcuno avesse premuto il pulsante con un dito macchiato di sangue. Un altro elemento che deponeva a favore della storia riferita da Russell Wade.*

*Le altre foto mostravano il cadavere di un uomo di corporatura esile che giaceva a terra coperto di sangue. Vivien era rimasta a lungo a guardarle e non era riuscita a provare il minimo accenno di pietà, mentre pensava che il bastardo aveva avuto quello che meritava. Per quello che aveva fatto a sua nipote e a chissà quanti altri ragazzi. Subito dopo aver formulato quel pensiero da giustizia sommaria, era stata costretta per l'ennesima volta a constatare quanto il coinvolgimento personale cambiasse la prospettiva delle cose.*

Vivien prese dalla tasca il telecomando e fece scattare l'apertura automatica delle porte. Russell Wade si avvicinò e salì dalla parte del passeggero. Vivien entrò in macchina e se lo trovò seduto di fianco, intento ad allacciarsi la cintura di sicurezza. Mentre lo osservava, si sorprese a pensare che era un bell'uomo. Si diede subito della stupida e questo fatto aggiunse disappunto a disappunto.

L'uomo la guardò con aria d'attesa.

«Dove andiamo?»

«Coney Island.»

«A fare che?»

«A vedere delle persone.»

«Che persone?»

«Aspetta e vedrai.»

Mentre la macchina entrava nel traffico, Russell si appoggiò allo schienale e fissò la strada davanti a lui.

«Oggi sei in un particolare stato di grazia oppure sei sempre così comunicativa?»

«Solo con gli ospiti importanti.»

Russell Wade si girò verso di lei.

«Io non ti piaccio, vero?»

Quelle parole erano sembrate più l'enunciazione di un dato di fatto che una domanda vera e propria. Vivien fu contenta di quell'approccio così diretto. A uso e consumo dei loro rapporti presenti e futuri, espose senza peli sulla lingua il proprio parere.

«In condizioni normali, mi saresti del tutto indifferente. Ognuno della sua vita può fare quello che meglio crede. Anche gettarla via, se non fa del male a nessuno. C'è in giro un sacco di gente che ha bisogno di aiuto per grane che le sono arrivate addosso senza nessuna colpa. Chi è adulto e senziente e le grane se le va a cercare, per quanto mi riguarda, ha via libera. Questo non è qualunquismo, è solo buonsenso.»

Russell Wade fece un gesto eloquente con il capo.

«Okay. Almeno abbiamo una tua presa di posizione ufficiale nei miei confronti.»

Vivien fece uno scarto con la macchina e accostò al marciapiede, provocando la reazione degli autisti che la seguivano. Lasciò il volante e si girò verso l'uomo che le stava seduto di fianco.

«Mettiamo bene le cose in chiaro. Puoi avere incantato il capitano con quella storia della tua redenzione, ma io sono più difficile da addomesticare.»

Russell rimase a guardala in silenzio. Quello sguardo scuro e all'apparenza indifeso la portò a sentirsi presa in giro e a mettere nelle sue parole una durezza che non le apparteneva.

«Le persone non cambiano, signor Russell Wade. Ognuno è quello che è e appartiene a un posto preciso. Per quanti giri faccia, prima o poi ci ritorna. E non credo che tu sia un'eccezione a questa regola.»

«Che cosa te lo fa credere?»

«Sei venuto qui con in tasca una fotocopia del foglio che ti ha consegnato Ziggy. Questo significa che l'originale, quello macchiato del suo sangue, ce l'hai ancora tu. E ti sarebbe servita come prova con l'FBI o l'NSA o chi diavolo vuoi nel caso noi non ti avessimo creduto e ti avessimo risposto picche.»

Vivien si era accalorata e aveva rincarato la dose.

«Se per un qualsiasi motivo ti avessimo chiesto di svuotare

le tasche avremmo trovato solo la fotocopia di un foglio che potevi benissimo spacciare per una tua fantasia o un tuo appunto per una storia. Tanto tu nello spacciare una cosa per un'altra mi pare abbia una certa predisposizione.»

Le sue parole non parevano aver scalfito l'imperturbabilità del suo ospite. Questo era segno di autocontrollo o abitudine. Nonostante la sua furia, Vivien era più propensa per la seconda delle due ipotesi.

Impugnò il volante, si staccò dal marciapiede e riprese il viaggio verso Coney Island. La successiva domanda di Russell la colse di sorpresa. Forse anche lui stava cercando di farsi un'opinione della sua compagna di viaggio.

«Di solito i detective hanno un partner. Perché tu non ce l'hai?»

«Adesso ho te. E la tua presenza mi conferma le ragioni per cui di solito lavoro da sola.»

Dopo quella risposta secca, nella macchina cadde il silenzio. Durante la conversazione Vivien aveva diretto la macchina verso Downtown e adesso stavano superando il ponte di Brooklyn. Quando si lasciarono alle spalle Manhattan, Vivien accese la radio e la sintonizzò su Radio Kiss 98.7, la stazione che trasmetteva musica nera. Guidò la Volvo per la Brooklyn-Queens Expressway fino a imboccare la Gowanus.

Russell guardava fuori dal finestrino, dalla sua parte. Quando arrivò un brano particolarmente ritmato iniziò, forse senza accorgersene, a battere il tempo con il piede. Vivien si rese conto che la responsabilità di quella situazione le era caduta addosso in un momento delicato. Il pensiero di Sundance e il comportamento strano di padre McKean avevano deviato la sua serenità di giudizio. O perlomeno le avevano fatto esprimere con durezza un giudizio non richiesto.

Mentre parcheggiava la macchina sulla Surf Avenue a Coney Island provò un lieve senso di colpa.

«Russell, scusami per quello che ho detto prima. Qualunque sia la tua motivazione, ci stai dando un grosso aiuto e di questo ti siamo grati. Per il resto non sta a me giudicare. Non è giusto che sia così, ma in questo momento ho dei problemi personali che influenzano il mio comportamento.»

Russell sembrò colpito da quella improvvisa apertura. Le sorrise.

«Non fa nulla. Nessuno come me può capire quanto i problemi personali possano avere influenza sulle scelte di vita.»

Scesero dalla macchina e raggiunsero a piedi l'indirizzo che Vivien aveva tirato giù dal file sugli Skullbusters. Al numero civico in suo possesso corrispondeva un grande punto vendita della Harley Davidson, con officina per le riparazioni e la personalizzazione delle moto. Quel posto dava l'aria di azienda, efficienza e pulizia. Era cento miglia lontano dalle esperienze che Vivien aveva sui covi dei biker, tipo quelli del Bronx o del Queens.

Entrarono. Alla loro sinistra una lunga fila di moto, di diversi modelli ma tutte rigorosamente Harley. A destra un'esposizione di capi d'abbigliamento e accessori, dai caschi alle tute alle marmitte. Di fronte un bancone, da dietro il quale uscì un tipo alto e robusto, con un paio di jeans e una maglietta nera senza maniche che venne verso di loro. Aveva una bandana nera, basette e baffi a manubrio che a Vivien ricordarono il fidanzato di Julia Roberts in *Erin Brockovich*. Mentre si avvicinava si rese conto che i baffi erano tinti, che la bandana probabilmente aveva il compito di coprire una calvizie e che il tipo, sotto l'abbronzatura, doveva da tempo aver passato i sessant'anni. Sulla spalla destra aveva tatuato un Jolly Roger con la stessa scritta trovata sul corpo murato quindici anni prima.

«Buongiorno. Mi chiamo Vivien Light.»

L'uomo sorrise, divertito.

«Quella del film?»

«No, quella della Polizia.»

Mentre dava quella risposta secca Vivien aveva estratto il distintivo. L'assonanza del suo nome con quello di Vivien Leigh, la protagonista di *Via col vento*, l'aveva tormentata per tutta la vita.

L'atteggiamento sereno dell'uomo non cambiò.

*Pelle dura o coscienza tranquilla*, pensò Vivien.

«Io sono Justin Chowsky, il titolare. C'è qualcosa che non va?»

«A quanto mi risulta questa era la sede di un gruppo di biker chiamato Skullbusters.»

«E lo è ancora.»

Chowsky sorrise all'aria sorpresa di Vivien.

«Le cose sono un po' cambiate dall'inizio. Una volta in questo posto c'era un gruppo di ragazzi scapestrati, alcuni dei quali avevano dei problemi con la legge. Anche io, se devo dirla tutta. Roba da niente, può controllare. Qualche spinello, qualche rissa, qualche sbronza di troppo.»

L'uomo con i suoi ostinati baffi spioventi guardò per un attimo una vetrina come se proiettate sopra ci fossero scene della sua giovinezza.

«Eravamo delle teste calde ma nessuno di noi era un delinquente vero. I soggetti veramente brutti si sono allontanati di loro spontanea volontà.»

Fece un gesto circolare con la mano, che comprendeva nello stesso tempo l'ambiente intorno a loro e un senso di visibile orgoglio.

«Poi un giorno ho deciso di aprire la baracca che vedete qui intorno. Poco per volta siamo diventati uno dei più importanti centri di vendita e di personalizzazione dello Stato. E gli Skullbusters sono diventati un sereno gruppo di vecchietti nostalgici che si ostinano ad andare in giro con delle moto come se fossero ancora dei ragazzi.»

Vivien guardò Russell, che fino a quel momento si era tenuto a un paio di passi di distanza senza avvicinarsi e senza presentarsi. Si compiacque per il suo comportamento. Era uno che sapeva stare al posto suo.

Tornò a rivolgere le sue attenzioni all'uomo di fronte a lei.

«Signor Chowsky, ho bisogno di un'informazione.»

Prese il silenzio dell'uomo come un assenso.

«Una quindicina di anni fa, più o meno, le risulta che un membro del gruppo sia scomparso nel nulla senza lasciare traccia di sé?»

La risposta arrivò senza esitazione e Vivien sentì il suo cuore allargarsi alla speranza.

«Mitch Sparrow.»

«Mitch Sparrow?»

Vivien ripeté il nome, come per paura che svanisse dalle loro memorie.

«Lui. E per la precisione è successo…»

Chowsky si tolse la bandana, smentendo le supposizioni di Vivien e rivelando una chioma folta nonostante l'età. Si passò una mano fra i capelli, anche questi rigorosamente tinti, come se quel gesto lo aiutasse a ricordare.

«È successo esattamente diciotto anni fa.»

Vivien notò che la data era compatibile con la tolleranza che il medico legale aveva espresso nel referto dell'autopsia.

«Ne è sicuro?»

«Assolutamente. Pochi giorni dopo è nato il mio ultimo figlio.»

Vivien estrasse dalla tasca interna del giubbotto una delle

due foto che aveva portato con sé, quella in primo piano. La tese verso Chowsky.

«È questo Mitch Sparrow?»

L'uomo non ebbe nemmeno bisogno di prenderla in mano per guardarla meglio.

«No. Mitch era biondo e questo è bruno. E poi era allergico ai gatti.»

«Non ha mai visto questa persona?»

«Mai in tutta la mia vita.»

Vivien rimase un attimo a pensare alle implicazioni di quella affermazione. Poi tornò a quella parte del suo lavoro che le richiedeva di porre delle domande.

«Che tipo era Mitch?»

Chowsky sorrise.

«All'inizio, quando si è unito a noi, era un biker sfegatato. Curava la sua moto più di sua madre. Era un bel ragazzo ma le donne le trattava come fazzoletti usa e getta.»

L'uomo sembrava uno di quelli che provavano piacere nel sentirsi parlare. Vivien lo incalzò.

«E poi?»

Chowsky fece un gesto con le spalle che descriveva i casi ovvi della vita.

«Un giorno ha incontrato una ragazza diversa dalle altre e ci è cascato pure lui. Ha usato sempre meno la moto e sempre più il letto. Finché la ragazza ci è rimasta. Incinta, voglio dire. Allora lui ha trovato un lavoro e si sono sposati. Siamo andati tutti al suo matrimonio. E siamo rimasti ubriachi due giorni.»

Vivien non aveva tempo per i ricordi delle bisbocce di un vecchio motociclista. Cercò di arrivare al sodo.

«Mi parli della sua scomparsa. Com'è andata?»

«C'è poco da dire. Un bel giorno è sparito. Di punto in

bianco. La moglie ha avvertito la Polizia. Sono stati anche da me a fare domande. Quelli del 70° Distretto, mi pare. Ma non ne è venuto fuori nulla. I francesi dicono *cherchez la femme*.»

L'uomo sembrò molto compiaciuto di quella sua citazione in una lingua straniera.

«È ancora in contatto con la moglie?»

«No. Per un po', finché è rimasta da queste parti, lei e mia moglie ogni tanto si vedevano. Ma un paio d'anni dopo la scomparsa di Mitch si è trovata un compagno e si è trasferita.»

Chowsky prevenne la successiva domanda.

«Non so dove.»

«Ricorda come si chiamava?»

«Carmen. Montaldo o Montero, non ricordo bene. Era un'ispanica, gran bella donna. Se Mitch è scappato con un'altra, ha fatto una delle più grosse fesserie della sua vita.»

Vivien non poteva dire a Chowsky che Mitch, con ogni probabilità, quella fesseria non l'aveva fatta. Forse ne aveva fatta qualcuna più grossa, se come sospettava era finito in un muro di cemento. Ma quella no.

Ritenne che da quell'uomo, per il momento, non poteva avere altre informazioni. Aveva un nome, aveva un periodo, aveva una denuncia fatta da una donna di nome Carmen, Montaldo o Montero che fosse. Si trattava di trovare un verbale e rintracciare la donna.

«La ringrazio, signor Chowsky, lei mi è stato di grande aiuto.»

«Non c'è di che, signorina Light.»

Lasciarono l'uomo alle sue moto e ai suoi ricordi e si avviarono verso l'uscita. Mentre stavano per superare la soglia, Russell si fermò. Rimase per un attimo a guardarla, indeciso. Poi si girò di nuovo verso Chowsky, che nel frattempo era tornato dietro il bancone.

«Un'ultima cosa, se non le dispiace.»

«Dica pure.»

«Che lavoro faceva Mitch Sparrow?»

«Lavorava nell'edilizia. Ed era pure bravo. Sarebbe diventato capocantiere, se non fosse sparito nel nulla.»

CAPITOLO 21

Non appena si furono allontanati di due passi dal negozio, Vivien tirò fuori il BlackBerry e compose il numero diretto dell'ufficio del capitano. Un paio di squilli e il suo superiore rispose.

«Bellew.»

«Alan, sono Vivien. Ho delle novità.»

«Molto bene.»

«Mi serve una ricerca alla velocità del fulmine.»

Il capitano percepì l'eccitazione della caccia nella voce di Vivien e divenne anche la sua.

«Anche di più, se riesco. Dimmi.»

Erano entrambi poliziotti esperti. Tutti e due sapevano che in un caso come quello si trattava più di una lotta contro il tempo che contro un uomo. E l'uomo che stavano cercando aveva il tempo dalla sua parte.

«Segnati questi dati.»

Vivien diede al capitano qualche secondo per prendere carta e penna.

«Vai.»

«Il tipo nel muro con ogni probabilità si chiama Mitch Sparrow. Un testimone mi ha confermato che apparteneva a un gruppo di biker che si facevano chiamare Skullbusters. Erano di stanza a Coney Island, sulla Surf Avenue. Dovrebbe esserci una denuncia di scomparsa presentata al 70° Distretto diciotto anni fa da una donna che si chiama Carmen Montaldo o Montero. Un paio di anni dopo lei si è trasferita a un indirizzo sconosciuto, dopo aver trovato un nuovo compagno. Ho bisogno di rintracciarla.»

«Va bene. Dammi mezz'ora e ti dico qualcosa.»

«Un'ultima cosa. Questo Mitch Sparrow era un operaio edile.»

La notizia diede una comprensibile eccitazione al capitano.

«Cristo santo.»

«Esatto. Per cui sarà il caso di fare qualche ricerca presso i registri delle Unions. Puoi incaricare qualcuno?»

Le Unions erano i sindacati che provvedevano a fornire alle imprese i lavoratori di cui avevano bisogno, scegliendoli fra i propri iscritti. Per una serie di motivi, tecnici e relazionali, quasi tutte le imprese si rivolgevano a loro in caso di necessità.

«Fai conto che gli uomini siano già in strada.»

Vivien chiuse la comunicazione. Russell aveva ascoltato camminando in silenzio al suo fianco, mentre tornavano verso la macchina.

«Scusami.»

«Di che?»

«Per poco fa, intendo. Scusa se mi sono intromesso. L'ho fatto d'istinto.»

In effetti Vivien era stata colta di sorpresa dalla domanda che Wade aveva fatto a Chowsky. E si era rammaricata di non averci pensato prima lei stessa. Ma l'onestà del suo carattere le imponeva da sempre di onorare i meriti altrui.

«È stata una cosa sensata. Più che sensata.»

Russell proseguì nell'esposizione delle sue motivazioni. Sembrava lui stesso sorpreso di quella improvvisa intuizione.

«Mi è venuto in mente che se questo Sparrow è finito in un blocco di cemento, deve aver saputo qualcosa che non doveva sapere o visto qualcosa che non doveva vedere.»

Fece una pausa di riflessione.

«Così ho ripensato alle parole che abbiamo letto sulla lettera che vi ho consegnato.»

Sul viso gli passò un'ombra e Vivien fu certa che stesse vivendo un'altra volta le circostanze in cui l'aveva ottenuta. Le righe scritte con una ruvida grafia maschile scorsero con una nitidezza impressionante anche nella sua mente.

*Per tutta la mia vita, prima e dopo la guerra, ho lavorato nell'edilizia.*

Terminò il pensiero di Russell, che da semplice supposizione era ormai diventata una certezza comune.

«E hai concluso che esiste una forte probabilità che l'uomo che ha ucciso Sparrow e l'uomo che ha scritto la lettera siano la stessa persona.»

«Esatto.»

Nel frattempo avevano raggiunto il parcheggio. All'estremità opposta del grande piazzale, oltre la linea dei pochi alberi, spuntavano la sagoma scheletrica del Rollercoaster e della Parachute Tower e si intravedevano i tendoni del Luna Park di Coney Island. Non c'erano molte macchine nello spiazzo e Vivien pensò che il lunedì non doveva essere di certo il giorno di maggiore affluenza per un parco di divertimenti, anche in una giornata bella e strana come quella.

Guardò l'orologio.

«Tutta questa storia me l'ha fatto scordare, ma adesso mi accorgo di avere fame. Dobbiamo aspettare la telefonata del capitano. Che ne dici di un hamburger?»

Russell fece un sorriso dubbio e vago.

«Io non mangio. Ti posso fare compagnia, se vuoi.»

«Sei a dieta?»

Il sorriso dell'uomo divenne un'avvilita espressione di resa incondizionata.

«La verità è che non ho un centesimo in tasca. E le mie carte di credito sono ormai da tempo solo dei pezzi di plastica. In città ho dei posti che mi danno fiducia ma qui sono in territorio Comanche. Nessuna possibilità di sopravvivenza.»

Nonostante tutto quello che sapeva sulla vita sregolata di Russell Wade, Vivien ebbe un moto istintivo di simpatia e tenerezza. Lo ricacciò subito dove non poteva combinare guai.

«Sei messo male, eh?»

«È un momento di grossa crisi per tutti. Tu che sei in Polizia dovresti aver saputo di quel falsario che hanno arrestato nel New Jersey.»

«Quale falsario?»

«Faceva banconote da venticinque dollari, perché di questi tempi con quelli da venti non ci stava dentro con i costi.»

Vivien scoppiò a ridere suo malgrado. Un paio di ragazzi di colore vestiti nel più puro stile hip-hop che stavano attraversando il parcheggio si girarono dalla loro parte.

Guardò negli occhi Russell Wade come se lo vedesse per la prima volta. Dietro lo sguardo divertito, ci trovò l'abitudine all'emarginazione. Si chiese se da un certo momento in poi non fosse stata frutto più di una decisione personale che non un'imposizione del mondo che aveva intorno.

«Posso offrire io?»

Russell fece un gesto desolato con il capo.

«Non sono nella condizione di rifiutare. Ti confesso che ho una fame che con il solo incentivo di un vasetto di maionese posso mangiare anche le gomme della macchina.»

«Vieni, allora. Le gomme della macchina ci servono ancora. E inoltre fare da sponsor per un pranzo mi costa di meno.»

Attraversarono il parcheggio e raggiunsero la riva del mare. Sulla spiaggia non c'era nessuno, a parte qualche persona a passeggio con il cane e qualche istituzionale e irriducibile runner. Il riflesso del sole e delle nuvole sull'acqua era un gioco magico d'aria, di luce e di ombra. Vivien si fermò a osservarlo, il viso nel vento che muoveva le onde e le tingeva di schiuma. C'erano a volte nella sua vita momenti come quello. Momenti in cui, davanti allo splendore indifferente del mondo, avrebbe voluto sedersi, chiudere gli occhi e dimenticare tutto.

E che tutti si dimenticassero di lei.

Ma non era possibile. Per le persone a cui voleva bene e delle quali aveva accettato di occuparsi come donna. Per le persone che non conosceva e delle quali aveva accettato di occuparsi come poliziotto. Molte di loro, in quel momento, si muovevano in quella città senza sapere di essere sulla lista di morte di un assassino, la cui follia aveva cancellato ogni senso di pietà.

Proseguirono sulla Boardwalk finché trovarono un chiosco colorato che vendeva hot dog, souvlaki e hamburger. Il profumo della carne alla griglia, portato del vento, li aveva preceduti e guidati. Di fianco c'era una tettoia con tavoli e sedie di legno per consentire ai clienti d'estate di mangiare all'ombra, davanti al mare.

«Cosa vuoi?»

«Cheeseburger, direi.»

«Uno o due?»

Russell fece una faccia contrita.

«Due sarebbe perfetto.»

Di nuovo Vivien si trovò a sorridere. Non c'era nessun

motivo per farlo, ma quell'uomo aveva a tratti il potere di far emergere dentro di lei una parte leggera, in grado di galleggiare su ogni tipo di umore.

«Okay, orfanello. Siediti e aspettami.»

Si avvicinò al tipo dietro il banco e gli diede le ordinazioni mentre Russell prendeva posto all'ombra della tettoia. Poco dopo Vivien lo raggiunse, reggendo un vassoio con i contenitori del cibo e due bottiglie di acqua minerale. Spinse verso Russell i suoi cheeseburger e gli appoggiò davanti con ostentazione l'acqua.

«Ho preso questa da bere. Immagino che avresti preferito una birra. Ma visto che sei con me, possiamo ritenerci tutti e due in servizio, per cui niente alcol.»

Russell sorrise.

«Un periodo di astinenza non mi farà male. Credo di avere un poco esagerato negli ultimi tempi…»

Lasciò la frase in sospeso, con tutti i suoi significati. Di colpo cambiò espressione e tono della voce.

«Mi dispiace per tutto questo.»

«Che cosa?»

«Averti costretta a pagare.»

Vivien rispose con un gesto noncurante e parole di ottimismo.

«Avrai modo di ripagarmi con una cena sontuosa da qualche parte. A mia scelta. Se questa vicenda finirà come tutti ci auguriamo, avrai una grande storia da raccontare. E le grandi storie portano di solito fama e denaro.»

«Non è per il denaro che lo faccio.»

Aveva pronunciato quella frase a bassa voce, quasi con indifferenza. Vivien fu certa che non l'aveva detta solo per lei, ma che nella sua mente stava parlando con qualcun altro. O forse con molti altri.

Per un poco mangiarono in silenzio, ognuno perso nei suoi pensieri.

«Vuoi sapere la verità su *La seconda Passione*?»

Le parole di Russell erano arrivate crude e senza preambolo. Vivien sollevò il capo a guardarlo e lo scoprì con il volto rivolto verso il mare, i capelli scuri mossi dal vento. Dal tono della sua voce capiva che quello era un momento importante per lui. Era la fine di un lungo viaggio, era tornare a casa e finalmente ritrovare nello specchio un viso a cui era contento di assomigliare.

Russell non attese la sua risposta. Continuò a parlare, seguendo il filo di un racconto che era nello stesso tempo il filo di una memoria. Di quelli che il cuore e la mente fanno fatica a seguire insieme.

«Mio fratello Robert aveva dieci anni più di me. Era una persona speciale, di quelle che hanno il dono gentile ma fermo di trasformare in loro proprietà privata tutto quello con cui vengono a contatto.»

Vivien decise che la cosa più giusta da fare in un momento come quello era ascoltare.

«Era il mio idolo. E anche l'idolo della scuola, delle ragazze e della famiglia. Non per una precisa volontà sua ma per predisposizione naturale. Credo che poche volte nella mia vita ho sentito nella voce di un uomo l'orgoglio che aveva mio padre quando parlava di Robert.»

Fece una pausa nella quale c'era il destino del mondo e il senso della sua vita.

«Anche in mia presenza.»

Di rimbalzo, parole e immagini arrivarono dal tempo nella mente di Vivien. Mentre Russell procedeva nel suo racconto, voci e volti della sua vita si affiancarono a quelli dell'uomo seduto davanti a lei.

*...e naturalmente Greta è stata messa a capo delle cheerlea-
der. Non perché è mia figlia ma non vedo chi, oltre lei, avrebbe
potuto...*

«Io cercavo di imitarlo in tutto, ma lui era una persona ir-
raggiungibile. E un pazzo scatenato. Amava il rischio, mettersi alla prova, competere di continuo. A ripensarci ora credo di sapere il motivo. L'avversario più irriducibile che si
trovava ogni volta di fronte era se stesso.»

*...Nathan Green? Greta, vuoi dire che stasera ti viene a
prendere quel Nathan Green? Non ci posso credere. È il ragazzo più...*

«Robert era irrefrenabile. Sembrava essere sempre a caccia di qualcosa. E la trovò quando a un certo punto iniziò a
occuparsi di fotografia. Dapprima era sembrata a tutti una
delle sue mille iniziative ma poco per volta venne a galla un
vero talento. Aveva la capacità innata di arrivare con l'obiettivo all'anima delle cose e delle persone. Guardando le sue
foto si aveva l'impressione che portassero lo sguardo oltre
l'apparenza, che guidassero gli occhi in un posto dove da soli non riuscivano ad arrivare.»

*...sei bellissima, Greta. Non credo che da queste parti si sia
mai vista una sposa più bella. In tutto il mondo, credo. Sono
orgogliosa di te, piccola mia...*

«Il resto è storia nota. Il suo senso dell'estremo lo ha fatto
a poco a poco diventare uno dei più famosi reporter di guerra. Dove c'era un conflitto, lui c'era. Chiunque all'inizio si
fosse chiesto perché l'erede di una delle famiglie più ricche
di Boston rischiasse la vita in giro per il mondo con una
Nikon in mano fu smentito dai fatti. Le sue foto erano pub-
blicate da tutti i giornali d'America. Del mondo, in verità.»

*...Accademia di Polizia, dici? Ne sei sicura? A parte che è
un lavoro pericoloso, io non credo che...*

Vivien si fece forza e cancellò tutto, prima che il bel viso di Greta arrivasse dal passato a ricordarle la pena del presente.

«E tu?»

Aveva interrotto il racconto di Russell con quella semplice domanda, senza potergli spiegare che la stava rivolgendo a tutti e due.

«E io?»

Russell ripeté quelle parole come se solo allora ricordasse che nella storia che stava raccontando anche lui aveva un posto. Un posto suo, cercato da sempre e senza risultato. Sul suo viso apparve un sorriso timido e Vivien capì che era rivolto alla propria ingenuità di un tempo.

«Per emulazione, ho iniziato pure io a pasticciare con le macchine fotografiche. Quando dissi a mio padre di averle comprate, aveva stampata in viso l'espressione di chi vede il proprio denaro gettato dalla finestra. Robert invece ne fu entusiasta. Mi ha aiutato e incoraggiato in tutti i modi. È lui che mi ha insegnato tutto quello che so.»

Vivien si accorse che, nonostante la fame dichiarata, il suo ospite non aveva nemmeno finito il primo dei suoi due cheeseburger. Sapeva bene, per esperienza personale, come i ricordi avessero il potere di cancellare l'appetito.

Russell continuò e Vivien ebbe l'impressione che fosse la prima volta che parlava di queste cose con qualcuno. Si chiese perché lo stesse facendo con lei.

«Volevo essere come lui. Volevo dimostrare a mio padre e mia madre e a tutti i loro amici che anche io valevo qualcosa. Così quando lui partì per il Kosovo, gli chiesi di portare anche me in Europa.»

Dopo aver guardato altrove per tutto quel tempo, Russell si girò verso di lei, con una diversa confidenza.

«Ricordi la storia della guerra nei Balcani?»

Vivien non ne sapeva molto. Per un attimo fu imbarazzata dalla propria ignoranza.

«Più o meno.»

«Sul finire degli anni Novanta, il Kosovo era una provincia confederata dell'ex Jugoslavia, a maggioranza albanese e di religione musulmana, governata con pugno di ferro da una minoranza serba che teneva a bada aspirazioni separatiste e di annessione all'Albania.»

Vivien era affascinata dalla voce di Russell, dalla sua capacità di raccontare le cose, di condividerle con chi aveva di fronte fino a portarlo a farne parte. Pensò che quello, forse, era il suo vero talento. Era certa che davvero, quando tutto fosse finito, avrebbe avuto modo di raccontare una grande storia.

La *sua* grande storia.

«Tutto era cominciato molto tempo prima. Secoli prima. A nord di Pristina, la capitale, c'è un posto che si chiama Kosovo Polje. Il nome significa "La piana dei merli". Alla fine del Trecento è stata combattuta una battaglia dove un esercito cristiano composto da una coalizione serbo-bosniaca guidata da un certo Lazar Hrebeljanović è stato distrutto dall'esercito dell'Impero Ottomano. Soprattutto i serbi ebbero delle perdite enormi. Dopo la disfatta è stato eretto in quel posto un monumento unico al mondo, credo. Si tratta di una stele che rappresenta un perenne anatema contro i nemici del popolo serbo, che augura loro la perdita cruenta e crudele di ogni bene possibile, in questo e nell'altro mondo. Io ci sono stato. Davanti a quel monumento ho capito una cosa.»

Fece una breve pausa, come per cercare le parole giuste per esprimere in modo sintetico il suo pensiero.

«Le guerre finiscono. L'odio dura per sempre.»

Vivien si chiese se avesse di nuovo anche lui nella mente le parole della lettera e il concetto che esprimevano.

*Per tutta la mia vita, prima e dopo la guerra, ho lavorato nell'edilizia...*

«Robert mi spiegò che Milošević, nel 1987, aveva giurato che nessuno avrebbe mai più alzato una mano su un serbo. Quella dichiarazione di intenti lo aveva in un attimo trasformato nell'uomo forte della situazione ed era diventato presidente. Nel 1989, esattamente seicento anni dopo la battaglia di Kosovo Polje, accanto a quella stele, fece un discorso battagliero davanti a oltre cinquecentomila serbi. Quel giorno tutti gli albanesi rimasero chiusi in casa.»

Russell fece un movimento con le mani, come per racchiudere il tempo in quel gesto.

«Noi siamo arrivati all'inizio del 1999, quando le repressioni e i combattimenti con i ribelli dell'UCK, l'Esercito di Liberazione del Kosovo, stavano convincendo la comunità internazionale a intervenire. Ho visto cose che non dimenticherò più. Cose che per abitudine e attitudine Robert attraversava come se fosse impermeabile.»

Vivien si chiese se Russell si sarebbe mai liberato del fantasma di Robert Wade.

«Una notte, poco prima che i bombardamenti della NATO cominciassero, tutti i giornalisti e i fotografi furono espulsi. I motivi non erano dichiarati ma il sospetto comune è che si intendesse mettere in atto una pesante pulizia etnica. Il prefetto di Pristina aveva detto, in modo succinto ma chiaro, che chi se ne andava aveva un augurio di buon viaggio mentre a chi restava non veniva garantito nulla. Alcuni non lo fecero. E noi fra questi.»

Vivien azzardò una domanda.

«Sei sicuro che Robert fosse davvero un uomo coraggioso?»

«Un tempo lo credevo. Adesso non ne sono più così sicuro.»

Russell tornò al racconto con una voce che era sollievo e fatica insieme.

«Robert aveva un amico, Tahir Bajraktari, se ricordo bene, un maestro di scuola che abitava alla periferia di Pristina con la moglie Lindita. Robert gli diede del denaro e lui prima di andarsene dalla città ci nascose in casa sua, in una stanza interrata a cui si accedeva attraverso una botola nascosta da un tappeto, sul retro dell'edificio. Ci arrivava da fuori l'eco dei combattimenti. Quelli dell'UCK attaccavano, colpivano e poi sparivano nel nulla.»

Vivien ebbe l'impressione che se lo avesse guardato a fondo negli occhi avrebbe visto le immagini che stava rivedendo in quel momento.

«Io ero terrorizzato. Robert faceva di tutto per tranquillizzarmi. Rimase per un poco con me ma il richiamo di quello che stava succedendo all'esterno è stato più forte di lui. Un paio di giorni dopo uscì dal nostro nascondiglio con le tasche piene di rullini, mentre fuori risuonavano per le strade le raffiche di mitra. Non l'ho più visto vivo.»

Russell prese la bottiglia e bevve un lungo sorso d'acqua.

«Siccome non tornava sono uscito a cercarlo, ancora adesso non so con che coraggio. Ho camminato per le strade deserte. Pristina era una città fantasma. La gente era scappata, lasciando in certi casi la porta aperta e la luce accesa. Sono sceso in direzione del centro e a un certo punto l'ho trovato. Robert era steso a terra, su un marciapiede, in una piazzetta con degli alberi, dove c'erano altri cadaveri. Aveva il petto distrutto da una raffica di mitra, la macchina fotografica ancora stretta in mano. Ho preso la macchina e sono tornato di corsa a nascondermi. Ho pianto per Robert e ho pianto per me, finché non ho più avuto la forza per fare nemmeno quello. Poi sono iniziati i bombardamenti della NATO. Sono rimasto nascosto lì non so per quanto tempo, ascoltando le bombe cadere, senza lavarmi, razionando il cibo che avevo a disposizione, finché mi sono reso conto che le voci che arrivavano da fuori parlavano inglese. Allora ho capito di essere in salvo e sono uscito.»

Tornò a bere con avidità, come se il ricordo delle lacrime di allora avesse prosciugato ogni traccia di liquido nel suo corpo.

«Quando sono riuscito a sviluppare le foto della macchina di Robert, quando ho avuto modo di vederle, sono stato elettrizzato da uno scatto in particolare. Ho capito subito che era una foto straordinaria, una di quelle che un fotografo insegue per tutta la vita.»

Vivien aveva ben chiara quell'immagine. Tutto il mondo la conosceva. Era diventata una delle foto più famose del pianeta.

Rappresentava un uomo che veniva colpito da un proiettile al cuore. Indossava un paio di calzoni scuri ed era con il torso e i piedi nudi. L'impatto del colpo aveva allargato uno spruzzo di sangue e lo aveva sollevato da terra. Per una di quelle casualità che fanno la fortuna di un reporter di guerra, era stato colto dall'obiettivo con le braccia allargate e i piedi sovrapposti, il corpo sospeso in una posizione che ricordava la figura di Gesù sulla croce. Anche il viso dell'uomo, scarno, con i capelli lunghi e un accenno di barba, collimava con quella che era l'iconografia tradizionale del Cristo. Il titolo della foto, *La seconda Passione*, era venuto fuori quasi di conseguenza.

«Mi sono fatto prendere da qualcosa che non so spiegare. Invidia, rabbia per quella capacità di cogliere l'attimo, ambizione. Avidità, forse. L'ho presentata al "New York Times" dicendo che l'avevo scattata io. Il resto lo sai. Ci ho vinto un Premio Pulitzer, con quella foto. Purtroppo il fratello dell'uomo ucciso aveva visto Robert mentre la scattava e ha rivelato la verità ai giornali. Così tutti hanno saputo che la foto non era mia.»

Fece una pausa prima di arrivare a una conclusione che gli era costata anni di vita.

«E se devo essere onesto, non sono del tutto certo che mi sia dispiaciuto.»

Vivien aveva appoggiato d'istinto una mano sul braccio di Russell. Quando se ne rese conto la tirò via sperando che l'altro non se ne fosse accorto.

«Che hai fatto dopo?»

«Sono sopravvissuto, accettando qualsiasi lavoro mi capitasse. Servizi di moda, foto tecniche, persino dei matrimoni. Ma soprattutto sono ricorso qualche volta di troppo al denaro della mia famiglia.»

Vivien stava cercando le parole giuste per alleviare il peso di quella confessione ma la suoneria del telefono la prevenne. Prese l'apparecchio dal tavolo. La memoria aveva trasferito sul display un nome: Bellew.

Attivò la comunicazione.

«Dimmi, Alan.»

«Un autentico colpo di fortuna. Ho chiamato il responsabile del 70° e gli ho imposto di andare a fare una ricerca. Quando gli ho chiesto di mettere al lavoro tutti gli uomini a disposizione mi ha preso per matto.»

«Ci credo. Trovato qualcosa?»

«La donna si chiama Carmen Montesa. Quando si è trasferita ha avuto l'accortezza di andare alla Polizia e comunicare il cambio di casa. Ho fatto controllare e ancora risulta un'utenza telefonica attiva a suo nome allo stesso indirizzo, nel Queens. Te lo mando subito sul telefono.»

«Alan, sei un grande.»

«Ragazza, la prima donna che me lo ha detto è l'ostetrica che mi ha messo la mondo. Mettiti in coda. Buon lavoro e tienimi informato.»

Vivien si alzò e Russell fece altrettanto. Aveva capito che la pausa era terminata e che era tempo di muoversi.

«Novità?»

«Speriamo di sì. Per adesso abbiamo trovato la donna, poi vedremo.»

La detective si pulì la bocca, gettò il tovagliolo di carta sul tavolo e si diresse verso la macchina. Russell lanciò uno sguardo malinconico verso il cibo che aveva a malapena toccato. Poi seguì Vivien, lasciandosi alle spalle una storia che, per quanto facesse, aveva il sospetto che non sarebbe mai finita.

CAPITOLO 22

Carmen Montesa amava i numeri.

Li aveva sempre amati, fin da bambina. Alle elementari era la migliore della sua classe. Lavorare con i numeri le dava un senso di ordine, di pace. Le piaceva incasellarli nei quadretti del foglio, ognuno con il suo segno grafico e il suo significato quantitativo, stesi uno accanto all'altro o in colonna, tutti compresi nella sua calligrafia infantile ma precisa. E, al contrario di molti altri suoi compagni di scuola, trovava tutto molto creativo. Nella sua mente di bambina aveva addirittura attribuito un colore ai numeri. Il quattro era giallo e il cinque era blu. Il tre era verde e il nove era marrone. Lo zero era di un bianco candido, incontaminato.

Anche adesso, seduta nella sua vecchia poltrona di pelle, aveva una rivista di sudoku appoggiata in grembo. Purtroppo di quelle fantasie di bambina non era rimasto molto. I numeri erano diventati dei segni neri sulla carta bianca di un periodico e niente altro. Col tempo i colori erano spariti e aveva scoperto che lo zero, applicato alla vita delle persone, non aveva un bella tinta.

Le sarebbe piaciuto un percorso diverso, poter studiare, andare al college, scegliere una facoltà legata ai numeri che le avrebbe consentito di farli diventare il suo lavoro. Le circostanze avevano scelto diversamente.

In un film che aveva visto, uno dei protagonisti diceva

che a New York è molto difficile la vita se sei messicano e sei povero. Quando aveva sentito quella frase, dentro di sé non aveva potuto che confermare. Lei aveva avuto, rispetto al resto delle ragazze nella sua situazione, il vantaggio di essere bella. E questo l'aveva aiutata molto. Non aveva mai accettato veri compromessi, anche se nel corso del tempo aveva imparato a sopportare qualche strusciata e qualche mano morta di troppo. Solo una volta, per essere sicura di entrare alla scuola delle infermiere, aveva fatto un pompino al direttore. Quando aveva visto in faccia le sue colleghe di corso e aveva trovato una alta percentuale di ragazze carine, si era resa conto che quel tipo di esame d'ammissione doveva essere una cosa che aveva in comune con molte di loro.

Poi era arrivato Mitch…

Spostò la rivista quando si accorse che una lacrima era caduta a macchiare l'inchiostro del pennarello nello schema del sudoku. Il numero che aveva appena scritto, il cinque, aveva allargato la sua pancia e adesso era circondato da un alone bluastro, tondo e troppo simile allo zero.

*Non è possibile, dopo tutti questi anni ancora piango…*

Si diede della stupida e appoggiò la rivista su un tavolino accanto a lei. Ma lasciò che le lacrime scorressero e con loro i ricordi. Era tutto quello che le restava di un periodo felice, forse l'unico vero lembo di terra verde della sua esistenza. Dal momento che l'aveva conosciuto, Mitch aveva cambiato la sua vita, in tutti i sensi.

Prima e dopo.

Con lui aveva scoperto la passione, quello che l'amore poteva essere e fare. Le aveva fatto il più grande regalo del mondo, l'aveva fatta sentire amata e desiderata e donna e madre. Tutte cose che le aveva chiesto indietro dopo, quando era sparito nel nulla, da un giorno all'altro, lasciandola sola con un figlio piccolo da crescere. La madre di Carmen lo aveva sempre detestato. Quando era stato chiaro che suo marito non sarebbe ritornato, pur senza commentare apertamente, si era presentata con dipinte sul viso le parole te-l'a-vevo-detto-io. Aveva sopportato le sue allusioni perché aveva bisogno di lei per la custodia del bambino quando era impegnata al lavoro, ma non aveva mai accettato di tornare nella casa dei suoi. La sera se ne stava nel suo, nel *loro* appartamento, con Nick che era il ritratto sputato di suo padre, a leggere storie e a guardare cartoni animati e a sfogliare riviste di moto.

Poi, un giorno, aveva conosciuto Elias. Era un chicano come lei, un ragazzo a posto, che lavorava come cuoco in un ristorante dell'East Village. Si erano frequentati per un poco, come semplici amici. Elias conosceva la sua situazione, era un uomo dolce e rispettoso e si vedeva lontano un miglio che era innamorato di lei. Non le aveva mai chiesto nulla, non aveva mai cercato di sfiorarla nemmeno con un dito.

Lei ci stava bene, parlavano molto, piaceva a Nick. Non lo amava, ma quando le aveva proposto di andare a vivere insieme, dopo molte esitazioni aveva accettato. Avevano ottenuto un mutuo e comprato una casetta in un quartiere popolare del Queens che Elias aveva insistito per intestare a lei.

Carmen sorrise fra le lacrime al ricordo di quell'uomo tenero e sprovveduto.

Povero Elias. Avevano fatto l'amore per la prima volta nella loro casa. Lui era timido e delicato e inesperto e lei aveva dovuto prenderlo per mano come un bambino e guidarlo attraverso la sua emozione. Un mese dopo aveva scoperto di essere incinta ed esattamente nove mesi dopo quella loro prima notte era nata Allison.

Aveva avuto una famiglia. Un figlio, una figlia e un compagno che le voleva bene, seduti tutti insieme alla stessa tavola. Di fronte a lei non c'era l'uomo che dentro di sé ancora desiderava ci fosse, non era la felicità sfarzosa dei giorni con Mitch. Era la serenità, che quando la si otteneva e la si considerava di per sé un valido risultato, rappresentava l'inizio della vecchiaia.

Purtroppo non pareva essere il destino della sua vita riuscire a tenersi un uomo.

Anche Elias se n'era andato, portato via da una forma acuta di leucemia che lo aveva consumato in poco tempo. Ricordava ancora l'espressione desolata della dottoressa Myra Collins, una internista dell'ospedale dove lavorava allora, quando l'aveva presa da parte e le aveva spiegato il senso del risultato delle prime analisi. Con parole chiare e cortesi che alle orecchie di Carmen erano suonate già come parole di condoglianze.

E di nuovo era rimasta sola. Aveva deciso che in quel modo, da adesso in poi, avrebbe continuato la sua vita. Sola con i suoi figli, loro tre e basta. Nick era un ragazzo dolce e adorabile e Allison una ragazzina dalla personalità molto spiccata. Poi un giorno Nick le aveva confessato di essere omosessuale. Carmen lo aveva già capito ma aspettava che fosse lui ad affrontare l'argomento. Dal suo punto di vista non cambiava nulla. Nick era e restava suo figlio. Si riteneva una donna abbastanza intelligente e una madre troppo affettuosa per consentire a una diversità sessuale di compromettere la stima che aveva di lui come persona. Avevano parlato un pomeriggio intero delle umiliazioni che aveva patito e dei turbamenti che aveva attraversato prima di accettarsi, in una comunità di ragazzi che avevano fatto del machismo la loro regola di vita. Poi lui le aveva annunciato che con il suo compagno sarebbero andati a vivere nel West Village.

Carmen si alzò e andò in cucina a prendere un pezzo di carta dal rotolo appoggiato sul piano. Si asciugò gli occhi. Adesso che ci pensava, la frase completa del ragazzo del film era che non è facile vivere a New York se sei messicano, povero e gay.

Aprì il frigo e si versò un bicchiere di succo di mela.

Basta piangere, si disse.

Lacrime ne aveva versate a sufficienza, nella sua vita. Se anche la vita di Nick all'inizio non era stata facile, adesso era commesso in una boutique di Soho, era innamorato e felice. Anche lei aveva un buon lavoro, non aveva eccessivi problemi di denaro e portava avanti da anni una relazione discreta e senza coinvolgimenti con il suo capo, il dottor Bronson. Poteva essere considerata una vita accettabile. Certo, Allison da bambina vivace si era trasformata in una adolescente difficile. Ogni tanto, senza preavviso, stava fuori tutta la notte. Carmen sapeva che stava col suo ragazzo quando lui aveva la casa libera. Tuttavia avrebbe preferito essere avvertita quando succedeva. Era certa che, dopo aver attraversato tutti gli inevitabili conflitti generazionali, il loro rapporto col tempo sarebbe migliorato. Carmen negli anni aveva imparato a conoscere e a capire le persone ma, come tutti, mai completamente se stessa e quelli con cui era coinvolta affettivamente. A volte aveva il sospetto che tutte le sue certezze a proposito di Allison fossero fumo che si gettava negli occhi da sola e niente altro.

Stava per tornare alla sua poltrona e ai numeri del suo quiz matematico quando sentì suonare alla porta. Si chiese chi potesse essere. Le poche amiche che aveva raramente le facevano visita senza un preavviso telefonico. E inoltre a quell'ora del giorno lavoravano tutte. Lasciò la cucina e percorse il corridoio fino alla porta d'ingresso.

Nel riquadro di vetro, confuse oltre la tenda, c'erano le sagome di due persone.

Quando aprì l'uscio si trovò davanti una ragazza dall'aria energica, volitiva, una di quelle che sono sempre troppo occupate per ricordarsi di essere anche belle. L'altro era un uomo sui trentacinque anni, alto, con i capelli scuri e occhi neri e intensi. Aveva una barba di un paio di giorni che gli dava un senso randagio e accattivante. Carmen pensò che se lei fosse stata ancora giovane, la ragazza sarebbe stata così attraente da poter essere considerata una rivale e lui così eccitante da poter essere considerato una preda. Ma quelli erano solo i fuochi fatui della memoria, un gioco all'identificazione senza alcun seguito che faceva con se stessa tutte le volte che incontrava delle persone nuove, giovani o vecchie che fossero. Alla sua età non aveva più voglia di mettersi in gioco, perché la vita le aveva insegnato come, nella maggioranza dei casi, andava a finire. Tutto sommato, ancora una volta, si trattava di una serie di numeri.

«La signora Carmen Montesa?»

«Sì.»

La ragazza le mostrò un distintivo lucido di plastica e metallo.

«Mi chiamo Vivien Light e sono un detective del 13° Distretto, a Manhattan.»

Le lasciò il tempo di controllare la sua foto sul tesserino. Poi indicò l'uomo al suo fianco.

«Lui è Russell Wade, il mio partner.»

Carmen sentì un guizzo di ansia attraversarle il cuore. Ebbe un paio di extrasistole, come sempre le succedeva quando si emozionava.

«Che succede. Si tratta di Allison? È successo qualcosa a mia figlia?»

«No signora, stia tranquilla. Ho solo bisogno di scambiare due parole con lei.»

Il sollievo arrivò come un balsamo a placarla. Era troppo

eccitabile. Ma contro la sua natura non poteva fare nulla. Sul lavoro era di una freddezza e un'efficienza ammirevoli, ma come rientrava nel suo ruolo di donna e di madre ritornava a essere vulnerabile.

Si rilassò.

«Mi dica pure.»

La ragazza le indicò con un sorriso l'interno della casa.

«Temo che non sia una cosa così veloce. Possiamo entrare qualche istante?»

Carmen si fece di lato, un'espressione dispiaciuta sul viso.

«Scusate. Il sollievo mi ha fatto dimenticare le buone maniere. Certo che potete entrare.»

Si spostò dalla soglia e tenne la porta aperta per consentire l'ingresso. Quando le passò vicino, Carmen pensò che l'uomo aveva un buon profumo. Subito dopo si corresse. Aveva un buon odore. La ragazza invece sapeva di vaniglia e di cuoio. Mentre chiudeva la porta si chiese che cosa avrebbero pensato di lei, se avessero potuto sentire quello che le era passato per la mente.

Li superò e li guidò verso il salotto. Sentì la voce della ragazza arrivare cortese da dietro le spalle.

«Spero di non averla disturbata.»

Carmen si stupì che un membro della Polizia si scusasse. Di solito erano piuttosto ruvidi. Specie quando erano dei *gringos* come loro e si rivolgevano a un ispanico. In quel momento ebbe la certezza che non erano entrati nella sua casa a portare delle belle notizie.

Uscirono dal corridoio e furono nel soggiorno. Carmen si girò a guardare la ragazza perché vedesse che non erano parole di circostanza.

«Nessun disturbo. Oggi è il mio giorno libero. Mi stavo godendo un pomeriggio di ozio.»

«Lei che lavoro fa?»

Mentre stava per rispondere, si chiese perché un mezzo sorriso fosse corso rapido sul viso dell'uomo, quando aveva sentito la ragazza formulare quella domanda.

«Sono infermiera. Prima ero al Bellevue, a Manhattan. Ho lavorato lì per molto tempo. Adesso sono l'assistente in sala operatoria del dottor Bronson, un chirurgo plastico.»

Indicò il divano alle spalle dei due.

«Accomodatevi, vi prego. Volete qualcosa? Un caffè?»

Si sedette nella poltrona solo dopo che i due si furono accomodati sul divano.

«No grazie, signora. Stiamo bene così.»

La ragazza le sorrise. Carmen ebbe l'impressione di trovarsi di fronte a una persona che, quando voleva, sapeva mettere gli altri a proprio agio. Forse perché di solito lo era anche lei. Lui pareva un poco più sulle spine. Non sembrava un poliziotto. Non aveva quell'aria sbrigativa che di solito i rappresentanti della legge portavano in giro come emblema del loro potere.

Vide che Vivien si guardava in giro. Aveva fatto correre lo sguardo attento sulle pareti, sulla tappezzeria, sul bancone della cucina che si intravedeva dalla porta alla loro destra, sulla saletta da pranzo dall'altra parte del corridoio. Un giro d'occhi rapido, ma acuto. Carmen fu certa che si era impressa nella mente ogni particolare.

«È molto bello qui.»

Carmen le sorrise.

«Lei è molto gentile e molto diplomatica. È la casa di una donna che vive del suo stipendio. Quelle molto belle sono diverse. Ma io sto bene così.»

Non aggiunse altro. Puntò gli occhi in quelli della ragazza e attese. Lei capì che i convenevoli erano finiti e doveva arrivare al motivo della sua visita.

«Signora, lei diciotto anni fa ha denunciato la scomparsa di suo marito, Mitch Sparrow.»

Non era una domanda, era un'affermazione.

Carmen si trovò spiazzata. Prima di tutto per la coincidenza di aver pensato a Mitch pochi minuti prima. In secondo luogo perché non immaginava che dopo tanto tempo quella storia interessasse ancora qualcuno, a parte lei.

«Sì, esatto.»

«Ci può raccontare com'è andata?»

«Non c'è molto da dire. Un giorno è uscito di casa e non è più rientrato. Ho aspettato fino a tardi e poi a notte fonda ho avvertito la Polizia.»

«E cosa è saltato fuori dalle indagini?»

«Era stato al lavoro, come sempre. Ha lasciato il cantiere dove lavorava all'ora solita, ma non è mai rientrato a casa. Mio marito era un operaio edile.»

Carmen aveva fornito quella precisazione ma aveva avuto l'impressione che i due fossero già al corrente di quel particolare della vita di Mitch.

«Che tipo era suo marito?»

«Una persona speciale. Quando l'ho conosciuto aveva solo in mente la sua moto. E le ragazze. Ma quando ci siamo incontrati è stato amore a prima vista.»

«Nessuno screzio, nessun dissapore, qualcosa che potesse far pensare a…»

Carmen la interruppe.

«A un'altra donna, intende?»

Aveva capito dove la domanda della ragazza intendeva andare a parare. Guardandola, ebbe anche l'impressione che la ragazza lo avesse chiesto senza una vera necessità, solo perché faceva parte di una prassi del suo lavoro. Era come se sapesse già la risposta.

Ci tenne tuttavia a spiegare qual era la vera situazione fra lei e suo marito. Alla luce di quello che aveva pensato poco prima che i due arrivassero a rivangare ufficialmente la storia.

«No, mi creda. Io e Mitch eravamo innamorati e lui adorava suo figlio. Sono una donna e so capire quando un uomo è distratto da altri pensieri. Il desiderio è la prima cosa che se ne va. Mitch aveva in mente solo me, di giorno e soprattutto di notte. E io solo lui. Credo di essermi spiegata.»

Aveva di fronte a sé un'altra donna. Carmen sapeva che avrebbe capito di cosa stava parlando. In effetti la detective sembrò soddisfatta delle sue parole e cambiò argomento.

«Mi conferma che suo marito aveva un tatuaggio sulla spalla destra?»

«Sì. Era una bandiera pirata. Sa, quelle con il teschio e le tibie incrociate. C'era una scritta sotto, ma in questo momento non mi ricordo quale.»

«*The only flag*, forse?»

«Proprio quella. Era il simbolo di quegli sballati dei suoi amici, tutti fanatici delle moto. Prima noi abitavamo a Coney Island e Mitch…»

«Sì signora, sappiamo degli Skullbusters.»

La ragazza l'aveva interrotta, con voce gentile ma ferma. Carmen ricordava di aver presentato la denuncia al 70° Distretto. Si chiese che cosa fosse successo, per far muovere la Polizia di un Distretto di Manhattan.

La detective proseguì, con il suo tono professionale, incisivo e rassicurante nello stesso tempo.

«Le risulta che suo marito avesse avuto delle fratture?»

«Sì. Era caduto dalla moto. Omero e tibia, mi pare di ricordare. È stato in quell'occasione che ci siamo incontrati. È stato ricoverato nell'ospedale dove lavoravo. Quando è stato dimesso mi ha obbligato a scrivere il mio numero di telefono sul gesso. Ci siamo sentiti spesso e quando è tornato a togliere l'armatura, come la chiamava lui, mi ha chiesto di uscire.»

«Un'ultima cosa, signora. Dove lavorava suo marito quando è scomparso?»

Carmen richiamò a fatica dalla memoria ricordi che si erano rifugiati in un posto nascosto.

«La sua impresa stava ristrutturando un edificio a Manhattan, dalle parti della Terza Avenue, mi pare.»

La ragazza rimase un attimo in silenzio. Come qualcuno che sta cercando con difficoltà le parole giuste da dire. Carmen pensò che ci sono discorsi che sono come operazioni aritmetiche. Per quanto si cambi l'ordine delle parole, il risultato resta inalterato. Infatti ciò che Vivien disse poco dopo confermò quel suo rapido pensiero.

«Signora Sparrow, temo di doverle dare una brutta notizia. Abbiamo trovato un corpo nascosto in una intercapedine di un palazzo, appunto sulla 23sima Strada all'angolo con la Terza Avenue. Abbiamo ragione di credere, alla luce di quel che ci ha appena detto, che si tratti di suo marito.»

Carmen sentì qualcosa arrivare e andarsene nello stesso tempo, come un'onda lunga e cattiva che fa solo dondolare la barca per andare a sfogarsi in mare aperto. Nonostante il suo proposito di poco prima, dopo tanto tempo di congetture le lacrime della certezza iniziarono a scorrerle sulle guance. Piegò la testa e nascose il viso tra le mani. Quando si risollevò e pose i suoi occhi in quelli di Vivien, Carmen ebbe la sensazione che sarebbero state le ultime.

«Scusatemi.»

Si alzò e andò in cucina. Quando tornò aveva un pacchetto di fazzoletti di carta in mano. Mentre si sedeva fece la domanda che da subito le era venuta in mente.

«Avete idea di chi...»

La detective scosse la testa.

«No signora. Siamo qui per questo, per cercare di capirci qualcosa. Già l'identificazione, dopo tutto questo tempo, è molto difficile. La prova definitiva sarebbe quella del DNA.»

«Ho il suo codino.»

«Prego?»

Carmen si alzò dalla poltrona.

«Datemi un secondo, per favore.»

Carmen attraversò la stanza e uscì dalla vista dei suoi due ospiti. Pochi passi dopo si trovò davanti a una porta ricavata nel sottoscala. Sapeva dove conservava quello che stava cercando. Ricordava tutto quello che aveva a che fare con il suo unico marito.

Il suo unico uomo.

E infatti, quando aprì la porta, il baule era lì, pieno di cose da poco prezzo e di grande valore. Fece scattare la chiusura e sollevò il coperchio. Quello che cercava stava sopra a tutto, avvolto in un panno leggero. Tirò fuori l'involucro, tolse la protezione e lo guardò un istante, con in bocca il gusto amaro della tenerezza che quello strano cimelio le suscitava. Prese anche una vecchia foto, più o meno dell'epoca in cui Mitch era scomparso.

Poi tornò nell'altra stanza e mostrò ai due seduti sul divano quello che aveva portato con sé. Era una cornice di legno scuro dentro la quale, stesa su un panno verde e protetta da un vetro, c'era una treccia di capelli biondi.

Carmen sorrise al ricordo.

Spiegò con parole chiare mentre con la stessa chiarezza riviveva l'episodio.

«Quando Mitch ha iniziato a lavorare, si è tagliato i capelli che portava in una coda di cavallo. Prima di farlo, glieli ho raccolti in una treccia. Per ricordo li abbiamo fatti incorniciare. Potete prendere questo. Dai capelli è possibile ricavare il DNA.»

Poi tese verso la ragazza la foto.

«E questa è di mio marito. Una delle ultime.»

Carmen vide un piccolo compiacimento apparire sul viso della ragazza. Aveva notato che per tutto il tempo l'altro era rimasto in silenzio, a guardarla intenso con quegli occhi scuri che parevano scavare nella gente. Si era detta che, fra i due, doveva essere lei a tenere le redini del rapporto tra loro e con il mondo.

Vivien prese il quadro e lo appoggiò di taglio sul divano, contro il suo fianco.

«Una paio di cose ancora, se non le dispiace.»

La ragazza tirò fuori un oggetto dalla tasca interna del giubbotto. Glielo porse e Carmen vide che era un portadocumenti.

«Quest'oggetto apparteneva a suo marito?»

Lo prese in mano e lo esaminò con attenzione.

«No, non mi pare proprio. Non era il suo genere. Aveva solo cose con su il marchio della Harley.»

«Ha mai visto questa persona?»

Carmen si trovò davanti agli occhi una foto dove un ragazzo bruno e un grosso gatto nero erano in posa per il fotografo.

«No, mai.»

Mentre la detective tornava a riporre gli oggetti nella tasca, Carmen ebbe l'impressione che quella dichiarazione l'avesse delusa ma non sorpresa.

«Che lei sappia, non è successo qualcosa di strano, di insolito durante la carriera di suo marito? Qualcosa che le possa aver riferito, magari senza darci troppa importanza?»

Le lasciò il tempo di riflettere. Poi ci tenne a sottolineare un concetto.

«Signora, per comprensibili motivi non posso dirle nulla, ma sappia che è di una importanza estrema.»

Il tono sembrava accorato e riusciva a trasmettere il senso d'ansia che la ragazza di certo provava. Carmen ci pensò un poco e poi fu costretta a fare un gesto rassegnato con le mani.

«No. Nonostante il passato piuttosto vivace di Mitch facevamo una vita tranquilla. Ogni tanto vedeva ancora i vecchi amici, gli Skullbusters intendo, ma a parte qualche sera che tornava a casa con qualche birra di troppo in corpo, era uno che lavorava e che rigava diritto. A casa parlava poco del suo lavoro. Giocava tutto il tempo con Nick.»

La detective stava per replicare quando furono interrotti dal rumore di una chiave nella toppa e della porta d'ingresso che si apriva. I discorsi furono sostituiti da un rumore di tacchi sul pavimento che parve a tutti più eloquente delle parole. Carmen vide sua figlia sbucare dal corridoio e affacciarsi sul soggiorno.

Aveva capelli corti sparati con il gel, gli occhi truccati in un modo pesante, un rossetto viola e mezzi guanti neri alle mani. I jeans sembravano di un paio di taglie più ampi del necessario e aveva una maglietta corta che le lasciava scoperto l'ombelico, attraversato da un piercing.

Non sembrò sorpresa di trovare sua madre in compagnia di due sconosciuti. Li guardò con sufficienza, prima loro poi lei.

«Potevi fare a meno di chiamare gli sbirri. Tanto lo sai che torno.»

«Loro non...»

La ragazza la interruppe mentre distoglieva lo sguardo

per infilare la chiave nella borsa. Pareva annoiata più che impressionata.

«Loro ce l'hanno scritto in faccia che sono due poliziotti. Credi che sia nata ieri?»

Tornò a fissare la madre.

«Comunque la ragazza cattiva è tornata e i tuoi due cani da fiuto possono tornarsene da dove sono venuti. E digli che senza un mandato di perquisizione in questa casa non sollevano nemmeno un tovagliolo.»

Carmen vide un'ombra scendere a incupire gli occhi di Vivien. Come se già sapesse, come se avesse vissuto altrove e in precedenza quella situazione.

Sentì la detective rivolgersi ad Allison con voce costretta alla pazienza.

«Non siamo qui per te. Abbiamo portato una notizia a tua madre.»

Ma Allison aveva già voltato loro le spalle, come se il discorso non la interessasse. Sparì dietro l'angolo lasciando solo il suono sarcastico della sua voce.

«E chi cazzo se ne frega non lo vogliamo aggiungere a questo bel discorso?»

Aveva detto questa frase mentre già stava salendo le scale per raggiungere la sua camera. Dall'alto arrivò, sul loro imbarazzo e sul loro silenzio, il rumore di una porta sbattuta.

Carmen non sapeva che dire. Fu Vivien a parlare per prima. La scena a cui aveva appena assistito la autorizzò a una piccola confidenza. E le diede del tu.

«Carmen, posso andare a dire due parole a tua figlia?»

Rimase un attimo interdetta sul senso di quella richiesta.

«Sì, credo di sì.»

La detective ritenne necessaria una precisazione.

«Temo che saranno, per così dire, parole un poco ruvide.»

«Capisco. Ma non credo che le faranno del male.»

Vivien si alzò. Carmen le mostrò un piccolo sorriso, leggero e complice.

«Prima camera a destra, in cima alle scale.»

Vivien sparì dietro l'angolo, sulle tracce di un discorso che riteneva giusto fare, a quella persona e in quel momento. Quello che si era presentato come Russell assunse un'espressione di ironica circostanza. Finora era rimasto in silenzio ma quando le fece sentire la sua voce, era esattamente come Carmen se l'aspettava.

«Vivien è una ragazza molto decisa.»

«Vedo.»

«E anche molto precisa, quando vuole.»

Carmen confermò quel parere, con un tono compiaciuto.

«Ne sono certa.»

Rimasero in silenzio fino a quando Vivien ritornò, poco dopo. Con aria tranquilla attraversò la stanza e tornò a sedersi sul divano.

«Ecco fatto. Avrà le guance un poco rosse per le prossime ore ma dovrebbe avere capito il giro delle cose.»

Tirò fuori il portafoglio, prese un biglietto da visita e lo appoggiò sul tavolino sopra alla rivista di enigmistica. Carmen la vide prendere il pennarello che c'era di fianco e scrivere qualcosa sul retro. Poi si sporse verso di lei e le tese il cartoncino.

«Questo è il mio numero. Dietro c'è anche quello del cellulare. Se dovesse venirti in mente qualcosa a proposito di tuo marito o dovessi avere altri problemi con tua figlia chiamami pure.»

Vivien prese il quadro e si alzò, subito imitata da Russell, segno che la loro visita era finita. Carmen li accompagnò alla porta. Mentre stavano per uscire, appoggiò una mano sul braccio della ragazza.

«Vivien.»

«Sì?»

«Grazie. È una cosa che avrei dovuto fare io tempo fa, ma grazie lo stesso.»

La detective le sorrise. Gli occhi le scintillarono un momento mentre faceva un gesto con le spalle per minimizzare la cosa.

«E di che? Ciao, Carmen.»

Attese che fossero in fondo agli scalini e poi chiuse la porta. Tornò in soggiorno, ripensando a tutta quella storia.

*Mitch, maledizione, per quanto è durata spero di essere riuscita a farti capire quanto ti amavo...*

Sapeva che la parte difficile sarebbe arrivata la sera, quando avrebbe spento la luce e si sarebbe trovata da sola con tutti i suoi fantasmi. Per il momento decise di accendere la televisione e chiamare il mondo a farle compagnia.

Si sedette sulla poltrona e puntò il telecomando verso l'apparecchio. Quando lo schermo si illuminò c'era un servizio del notiziario sull'esplosione di sabato sulla 10ma Strada, a Manhattan. Nel vedere quelle immagini di distruzione, un ricordo le attraversò la mente. Si sollevò di scatto, corse alla porta e la aprì. Russell e Vivien erano ancora fuori, sul marciapiede opposto, accanto a una macchina, come se si fossero fermati per commentare l'esito di quell'incontro.

Fece un gesto con il braccio per richiamare la loro attenzione.

«Vivien.»

La detective e il suo partner girarono la testa nella sua direzione. Quando la videro in cima ai tre gradini, sotto la tettoia dell'ingresso, la raggiunsero.

«Che c'è Carmen?»

«Mi è venuta in mente una cosa. È passato tanto tempo e i miei ricordi sono...»

Vivien pareva eccitata. La interruppe con una vena di impazienza nella voce.

«Dimmi.»

Carmen era imbarazzata. Per la prima volta nella sua vita era una voce in un'indagine della Polizia e temeva di fare una brutta figura o dire qualcosa che la facesse sembrare stupida.

«Ecco, non so se possa essere una cosa importante ma mi sono ricordata che molto tempo fa l'impresa per cui lavorava Mitch, la Newborn Brothers, ristrutturò una casa sul North Shore, a Long Island. Una casa di un ex militare, mi pare di ricordare. Un maggiore o un colonnello, qualcosa del genere.»

Vivien la incalzò.

«Ebbene?»

Carmen fece ancora una piccola pausa esitante poi di getto disse quello che aveva da dire.

«Circa un anno dopo la fine dei lavori la casa esplose.»

Nella luce incerta del crepuscolo, Carmen vide come se fosse giorno il viso della ragazza impallidire.

# CAPITOLO 23

Dal finestrino della macchina Russell e Vivien videro Carmen Montesa richiudere lentamente la porta di casa, una figura sola e desolata che cercava invano di tenere fuori dall'uscio qualcosa che di certo sarebbe rientrato dalla finestra. Di notte e con denti feroci. Un secondo dopo Vivien aveva già in mano il telefono dell'auto e aveva composto al volo il numero del capitano. Sapeva che l'avrebbe trovato in ufficio, in attesa. Seduto di fianco, Russell contò tre squilli prima che arrivasse la risposta.

«Bellew.»

Vivien non si perse in preamboli.

«Alan, ci sono sviluppi.»

La domanda conseguente s'insinuò come un cuneo nella sorpresa di Vivien.

«Wade è lì con te?»

Vivien, d'istinto, si girò a guardare Russell.

«Sì.»

«Hai la possibilità di mettermi in vivavoce?»

«Certo.»

«Molto bene. Quello che devo dire lo dovete sentire tutti e due.»

Vivien rimase interdetta. Trovava molto inusuale quella procedura. D'altronde *tutta* quella faccenda era inusuale. Addirittura pazzesca. Poi si disse che forse, ricordando la promessa fatta, aveva accettato di includere Russell nelle loro considerazioni. O forse aveva da dire qualcosa che lo interessava da vicino. Vivien premette un pulsante e il timbro della comunicazione cambiò e si sparse per l'abitacolo.

«Ci sei.»

La voce del capitano uscì dalle casse dell'auto forte e chiara.

«Parlami delle tue novità, prima di tutto.»

Vivien iniziò a mettere il capitano al corrente dei loro passi avanti.

«Sono quasi sicura che il tipo nel muro sia questo Mitch Sparrow di cui ti ho parlato. Per un'identificazione certa ho in mano gli elementi per un esame del DNA. Bisognerebbe procedere al volo.»

«Fammi avere quello che hai e consideralo già fatto. Altro?»

Russell era affascinato dal modo chiaro e telegrafico di comunicare dei due poliziotti. Parlavano la stessa lingua e l'avevano imparata sulla loro pelle.

Vivien proseguì, eccitata.

«Anni fa Sparrow ha lavorato per una piccola impresa di costruzioni che si chiamava Newborn Brothers. Me lo ha appena detto la moglie. Hanno fatto dei lavori di restauro in una casa sul North Shore, a Long Island. E senti questa: sembra che la casa appartenesse a un ex militare e che un anno dopo la fine dei lavori sia esplosa. E dai rilievi degli esperti sembra per un attentato e non per un incidente. Che ne dici?»

«Dico che mi sembra un'ottima pista da seguire.»

Vivien continuò, certa che il suo superiore dall'altra parte stava prendendo nota.

«Bisognerebbe risalire alla Newborn Brothers e all'impresa che ha costruito il palazzo nel Lower East Side e controllare negli schedari del personale, se ancora ci sono. Vedere se le due costruzioni hanno fra gli operai una persona in comune. E sapere i nomi dei responsabili delle società.»

«Metto subito al lavoro gli uomini.»

Il capitano cambiò tono. Quello che aveva da dire Vivien era già archiviato e in via di esecuzione. Adesso toccava a lui mettere sul piatto gli aggiornamenti.

«Io nel frattempo mi sono mosso. Ho dovuto parlare con Willard, il capo della Polizia. Ma l'ho fatto in privato. Molto in privato, non so se mi spiego.»

«Perfettamente.»

«Gli ho mostrato la lettera e gli ho spiegato per sommi capi la faccenda. Ha fatto un salto sulla sedia. Ma, com'era prevedibile, ha preso le distanze e di conseguenza si è preso del tempo. Ha detto che come traccia gli sembra esile e poco fondata, anche se non siamo nella condizione di trascurare nulla. Ha intenzione di farla esaminare da un criminologo o da uno psicologo, ma utilizzando qualcuno che sia fuori dai soliti giri della Polizia e dell'FBI. Una persona senza memoria e senza lingua, per intenderci. Sta valutando una serie di nomi. Siamo rimasti d'accordo che per il momento si procede con cautela, tenendo la cosa riservata a noi, come concordato. È una situazione molto delicata e instabile, per tutti. Sono morte delle persone. Altre sono forse in pericolo di vita. Per quello che ci riguarda, può saltare una fila di teste oppure su quelle stesse teste può essere posata una corona. E fra queste ci sono anche le nostre, Vivien.»

Russell ebbe l'impressione che la ragazza se le aspettasse, quelle parole. Non fece nessun commento, né con la voce né con il viso.

«Ricevuto.»

«Wade, mi sente?»

Russell d'istinto avvicinò la testa alla zona dove riteneva fosse piazzato il microfono.

«Sì, capitano.»

«Non ho parlato con il capo del nostro accordo. Se uscirà qualche cosa prima che questa storia sia finita, la sua vita diventerà molto peggio del peggiore dei suoi incubi. Mi sono spiegato?»

«Molto bene, capitano.»

Questo significava che da ora in poi le loro vite erano intrecciate senza via di scampo, qualunque fosse il risultato. Sia che la testa arrivasse a sentire il filo della lama o il peso della corona. Vivien si rivolse al suo superiore, con la voce tranquilla e distaccata. Russell ammirò il suo autocontrollo, cosa che lui era ben lontano dal possedere.

«Bene. Questo l'abbiamo stabilito. Altre notizie?»

Il tono del capitano ridiventò quello professionale di un poliziotto che sta esaminando gli elementi di un'indagine. La pausa emotiva era terminata. Si tornava al lavoro.

«Di buono c'è che all'occorrenza abbiamo a disposizione tutta la Polizia di New York. E il potere di tirare giù dal letto chiunque a qualunque ora della notte, il capo per primo.»

Ci fu un rumore di carta sfogliata.

«Ho qui davanti i risultati delle prime analisi. Gli esperti pensano di essere arrivati al tipo di innesco. Si tratta di una cosa semplice e molto ingegnosa nello stesso tempo. Una serie successiva di impulsi radio a diverse frequenze che vanno emesse con una sequenza precisa. In una città attraversata da onde radio, questo mette le mine al sicuro dall'esplodere per un segnale fortuito.»

Russell aveva un dubbio che lo perseguitava da quando quella storia pazzesca era saltata fuori. Intervenne di nuovo nella conversazione.

«Il palazzo esploso è stato costruito parecchi anni fa. Come mai dopo tutto questo tempo le bombe erano ancora funzionanti?»

Quella domanda doveva essersela posta anche il capitano, perché emise un sospiro prima di rispondere. Nonostante l'esperienza, era un piccolo segno di rinnovata incredulità davanti al genio della follia.

«Niente batterie. Il figlio di puttana ha collegato l'innesco alla corrente del palazzo. Può darsi che nel corso degli anni qualcuno si sia deteriorato e non funzioni più, ma in chissà quanti posti quel pazzo ha piazzato la sua merda.»

Ci fu uno strano suono e Russell per un istante temette che la linea fosse caduta. Poi la voce di Bellew tornò in giro per l'auto.

«State facendo un ottimo lavoro ragazzi. Ci tenevo a dirvelo. Un ottimo lavoro.»

Vivien riprese in mano il filo e lo tagliò. Ormai tutto quello che dovevano dirsi era stato detto.

«Aspetto che tu ti faccia vivo, allora. Chiamami non appena hai quelle informazioni.»

«Più in fretta che posso.»

Vivien chiuse la comunicazione e per qualche istante solo il rumore attutito del traffico fece a gara con i loro pensieri nel silenzio della macchina. Russell guardava la strada e le luci che illuminavano la sera. In quella giornata senza memoria, il tempo li aveva preceduti e li aveva accolti quasi a sorpresa nell'oscurità.

Fu Russell a parlare per primo. E lo fece con parole che ricambiavano la fiducia che Bellew aveva riposto in lui permettendogli di partecipare come testimone a quell'indagine.

«Vuoi l'originale?»

Distratta dai suoi pensieri, Vivien non arrivò subito al senso della proposta.

«Che originale?»

«Avevi ragione quando mi hai accusato di essermi presentato con la fotocopia del foglio che ho preso da Ziggy. Quello vero l'ho infilato in una busta e l'ho spedito al mio indirizzo di casa. È un sistema che mi ha insegnato lui. Credo che sia nella mia casella di posta, in questo momento.»

«Dove abiti?»

Russell fu contento che da parte di Vivien non arrivassero altri commenti.

«29sima Strada, fra la Park e la Madison.»

Senza aggiungere altro, Vivien percorse in silenzio il Queens Boulevard e portò la macchina ad attraversare il Queensboro Bridge. Sbucarono a Manhattan all'altezza della 60sima Strada e piegarono a sinistra sulla Park Avenue. Scesero verso sud, in balia dei capricci del traffico.

«Siamo arrivati.»

La voce di Vivien gli arrivò alle orecchie come un ricordo e Russell capì che, dopo aver appoggiato la testa al sedile, si era addormentato. La macchina adesso era parcheggiata sulla 29sima all'angolo con la Park. Doveva solo attraversare e in pochi passi avrebbe raggiunto casa sua.

Vivien lo guardò mentre si strofinava gli occhi.

«Sei stanco?»

«Temo di sì.»

«Avrai tempo per dormire quando questa storia sarà finita.»

Senza dire che le sue speranze erano del tutto diverse, Russell approfittò del semaforo verde e raggiunse l'altra parte del marciapiede. Quando arrivò all'ingresso del suo palazzo, spinse la porta a vetri e fu nell'atrio. L'edificio, come tutti quelli di un certo prestigio a New York, disponeva di un servizio di portineria ventiquattro ore su ventiquattro. Si avvicinò al portiere dietro al bancone. Si stupì, a quell'ora, di trovarci anche Zef, il *building manager*. Era una persona amica, un uomo di origine albanese che si era rimboccato le maniche e aveva lavorato sodo, fino a raggiungere la sua posizione attuale. Con lui Russell aveva da sempre un rapporto molto cordiale. Era convinto che Zef, oltre che spettatore delle sue discutibili imprese, ne fosse in segreto anche l'unico fan.

«Buonasera, signor Wade.»

Russell aveva una certa tendenza alla distrazione, oltre che una propensione per la vita scapestrata. Per questo motivo lasciava sempre, dopo averne persi diversi mazzi, le chiavi in portineria. Di solito l'uomo di turno, quando lo vedeva arrivare, gliele tendeva senza che lui dovesse chiederlo. L'assenza di quel gesto abituale denunciava qualcosa di anomalo. Con una pulce nell'orecchio, Russell si rivolse al suo amico.

«Salve, Zef. Hai perso tu le chiavi, questa volta?»

«Temo ci sia un problema, signor Wade.»

Le parole dell'uomo e più ancora la sua espressione, richiamarono molte altre pulci nell'orecchio di Russell. Con un'idea in testa che non si poteva considerare una congettura ma una certezza, pose lo stesso la domanda.

«Che problema?»

Sul viso dell'uomo era evidente l'imbarazzo. Nonostante questo aveva la correttezza di guardarlo negli occhi.

«Oggi sono venuti un rappresentante della Philmore Inc. e un avvocato con una lettera dell'amministratore delegato indirizzata a me. E con una per lei.»

«E cosa c'è scritto?»

«Quella indirizzata a lei non l'ho aperta, per ovvi motivi. La potrà ritirare insieme al resto della posta.»

«E l'altra?»

«Quella dell'amministratore inviata alla mia attenzione dice che l'appartamento di proprietà della società in questo stabile non è più a sua disposizione. Con effetto immediato. Dunque non posso darle le chiavi.»

«Ma la mia roba?»

Zef si strinse nelle spalle in un gesto che voleva dire: non sparatemi, io sono solo il pianista. A Russell venne da ridere. Sembrava una situazione da commedia hollywoodiana, invece stava capitando davvero.

«La persona in questione è salita nell'appartamento e ha messo tutti i suoi effetti personali in due valigie. Sono di là, nel deposito.»

Pareva davvero dispiaciuto di quello che stava succedendo e Russell, alla luce dei loro rapporti, non aveva motivo di dubitare che fosse sincero. Nel frattempo il portiere era andato a prendere la posta e l'aveva appoggiata sul piano di marmo del bancone. Russell riconobbe la busta gialla con la sua calligrafia e il marchio della Philmore Inc. su quella senza affrancatura di fianco. La prese e la aprì. Quando spiegò il foglio davanti agli occhi riconobbe immediatamente la scrittura di suo padre.

*Russell,*

*qualunque corda, per quanto resistente, se tirata all'inverosimile, si spezza. La mia si è rotta da tempo. È stata solo quell'anima gentile di tua madre ad afferrarne i lembi e a mantenerla unita, fornendoti a mia insaputa il denaro e l'appartamento in cui fino a oggi hai vissuto. Dopo la tua ultima prodezza, temo che anche le sue forze siano venute meno. Si è trovata di fronte a una scelta: se mantenere rapporti con un uomo che ha sposato qualche decina d'anni fa e che nel corso del tempo le ha dato mille prove del suo amore o con un figlio irre-*

*cuperabile che non ha fatto altro che fornire, nei suoi momenti migliori, un solido imbarazzo a questa famiglia.*

*La scelta, per quanto dolorosa, è venuta spontanea.*

*Per usare un linguaggio che tu puoi capire, da questo momento sono cazzi tuoi, figliolo.*

Jenson Wade

*P.S. Se tu avessi il buongusto di cambiare il cognome che porti, sarebbe un gesto da noi molto gradito.*

Russell si adeguò al lessico, per ratificare il concetto.

«E così, quello stronzo di mio padre mi ha cacciato di casa.»

Zef assunse un'aria di circostanza, che comprendeva anche un imbarazzato mezzo sorriso.

«Ecco, io avrei usato altre parole ma il concetto è quello.»

Russell rimase un attimo pensieroso. Nonostante tutto, non se la sentiva di biasimare quella decisione. Anzi, era sorpreso che fosse arrivata dopo un tempo che lui non avrebbe concesso a se stesso.

«Va bene, Zef, non fa nulla.»

Raccolse le buste dal bancone e le infilò nella tasca interna della giacca.

«Posso lasciare qui le valigie, per il momento?»

«Quanto vuole, signor Wade.»

«Molto bene. Verrò a ritirarle e passerò ogni tanto per vedere se c'è posta.»

«Lei sa che la vedo sempre con molto piacere.»

«D'accordo, allora. Arrivederci, amico mio.»

Russell si girò e si avviò verso l'uscita. La voce di Zef lo trattenne.

«Un'ultima cosa, signor Wade.»

Russell si girò e lo vide lasciare la postazione e attraversare l'atrio. Lo raggiunse e si mise fra lui e il portiere che aveva alle spalle. Parlò sottovoce, con un tono confidenziale.

«Immagino che in questo momento la sua situazione sia, come dire, un poco precaria.»

Russell era sempre stato molto divertito dalla proprietà di linguaggio di quel bizzarro personaggio. Anche in questa occasione non si era smentito.

«Be', il concetto non è del tutto adeguato ma rende l'idea.»

«Bene, signor Wade, se posso permettermi…»

Zef tese una mano verso di lui come per salutarlo meglio e quando Russell la strinse sentì nel palmo della mano la consistenza di alcune banconote.

«Zef, guarda che non…»

L'uomo lo interruppe. Fece un cenno d'intesa e di complicità.

«Sono solo cinquecento dollari, signor Wade. Le serviranno per tirare avanti. Me li renderà quando si sarà messo a posto.»

Russell ritirò la mano e infilò i soldi nella tasca della giacca. Li accettava per quello che significavano. Per lui e per la persona che glieli aveva offerti con il cuore e con estrema discrezione. In un momento importante della sua vita, l'unico aiuto tangibile che gli arrivava era da un estraneo.

Appoggiò una mano sulla spalla di Zef.

«Sei una bella persona, amico mio. Ti prometto che li riavrai. Con gli interessi.»

«Ne sono certo, signor Wade.»

Russell guardò Zef negli occhi e ci scoprì una sincerità e una fiducia che lui per primo era ben lontano dal possedere. Girò le spalle a quell'uomo e alla loro commozione e uscì in strada. Si fermò un istante a ripensare a quello che era appena successo. Infilò la mano nella tasca per sincerarsi che era tutto vero, che ancora esistevano persone così.

Nello stesso istante con la coda dell'occhio vide un movimento alle sue spalle e una mano arrivò decisa dalla penombra ad artigliare il suo braccio. Girò la testa verso destra e trovò accanto a sé un uomo di colore, alto e corpulento, vestito di nero. Una grossa macchina scura accese i fari e si staccò dall'altra parte del marciapiede e venne a fermarsi davanti a loro. La portiera posteriore si aprì come se il movimento fosse sincronizzato all'arresto del veicolo. D'istinto Russell si guardò intorno per cercare di capire quello che stava succedendo. Il suo angelo custode la prese come una ricerca di alternative e ritenne opportuno sottolineare la realtà della situazione.

«Sali in macchina. Senza fare storie. È meglio per te, credimi.»

Russell vide attraverso la portiera aperta le gambe robuste di un uomo seduto sul sedile posteriore. Con un sospiro entrò nella macchina e si sedette, mentre il tipo doppio che lo aveva così cortesemente invitato a salire prendeva posto sul sedile anteriore.

Russell salutò l'uomo che si trovò seduto di fianco con il tono di un egiziano che saluta una piaga.

«Ciao, LaMarr.»

Il solito sorriso beffardo affiorò sulle labbra del grassone che lo aveva accolto all'interno. Il vestito elegante non compensava la sua figura sgraziata e gli occhiali scuri non fornivano nessun tipo di protezione alla grana volgare dei suoi lineamenti.

«Ciao, fotografo. Ti vedo un poco fuori forma. Qualche preoccupazione?»

Mentre la macchina partiva, Russell si girò a guardare

dal lunotto posteriore. Se Vivien aveva visto la scena, non aveva avuto il tempo di intervenire. Poteva darsi che si fosse mossa per seguirli. Tuttavia non aveva visto nessuna macchina staccarsi dal marciapiede, dall'altra parte della Park Avenue.

Tornò a girarsi verso LaMarr.

«Il problema è che tu continui a sbagliare deodorante. Stare seduto vicino a te farebbe appannare gli occhi di chiunque.»

«Ottima battuta. Merita l'applauso.»

LaMarr non smise di sorridere. Fece un cenno all'uomo seduto di fronte che si sporse e tirò uno schiaffo in viso a Russell. Il rumore della carne contro la carne fu per un attimo l'unico suono all'interno dell'auto.

Russell sentì mille piccoli aghi roventi pungere la guancia e vide una macchia giallastra arrivare a danzare davanti all'occhio sinistro. LaMarr gli appoggiò una mano sulla spalla, noncurante.

«Come vedi, i miei ragazzi hanno un modo piuttosto bizzarro di apprezzare l'umorismo. Ne hai delle altre di battute come quella?»

Rassegnato, Russell si afflosciò contro lo schienale. Nel frattempo la macchina aveva svoltato sulla Madison e adesso stavano procedendo verso Uptown. Al volante c'era un tipo con il cranio rasato e Russell giudicò che avesse la stessa corporatura di quello che lo aveva appena fatto oggetto di una discutibile attenzione.

«Che vuoi, LaMarr?»

«Te l'ho detto. Soldi. Di solito non partecipo agli incassi, ma con te voglio fare un'eccezione. Non capita tutti i giorni di avere a che fare con una celebrità e tu lo sei. Inoltre mi stai sul cazzo in modo incredibile.»

Indicò con un cenno del capo l'uomo che lo aveva appena schiaffeggiato.

«Sarà un piacere sedermi in prima fila e vederti contrattare con Jimbo.»

«È inutile. In questo momento non ho i tuoi cinquantamila dollari.»

LaMarr scosse la grossa testa. Il doppio mento ondeggiò leggermente, lucido di sudore nel riflesso che veniva da fuori.

«Sbagliato. La matematica non deve essere il tuo forte. Come il poker d'altronde. Sono sessantamila, ricordi?»

Russell stava per replicare ma si trattenne. Preferiva evitare un altro incontro con il palmo della mano di Jimbo. Quello che aveva appena provato non gli aveva lasciato nessuna nostalgia.

«Dove andiamo?»

«Vedrai. Un posto tranquillo, dove fare due chiacchiere fra gentiluomini.»

Nell'auto cadde il silenzio. LaMarr non sembrava intenzionato a dare ulteriori spiegazioni e a Russell non servivano più di tanto. Sapeva benissimo cosa sarebbe successo una volta che fossero arrivati a destinazione, quale che fosse il posto.

Poco per volta, districandosi in mezzo al flusso di luci colorate e auto, la macchina raggiunse una zona di Harlem che Russell conosceva bene. C'erano un paio di locali che frequentava quando voleva sentire dell'ottimo jazz e un altro paio di locali, molto meno pubblicizzati, che frequentava quando era in grana e aveva voglia di giocare ai dadi.

La macchina si fermò in una strada poco illuminata, davanti a una saracinesca chiusa. Jimbo scese, aprì il lucchetto e tirò la maniglia verso l'alto. Davanti ai fari della macchina la parete metallica lasciò il posto a un locale spoglio, un grande magazzino fatto a L con una fila di pilastri in cemento al centro.

Con un fruscio, la macchina superò l'ingresso e la saracinesca si richiuse alle loro spalle. La macchina piegò a sinistra, superò l'angolo e si fermò di sbieco. Pochi istanti dopo un paio di luci anemiche che pendevano dal soffitto si accesero, spandendo un chiarore incerto dalle lampadine sporche e incrostate.

Jimbo arrivò ad aprire la portiera dalla parte di Russell.

«Scendi.»

Lo prese per un braccio con la sua stretta di ferro e lo fece girare intorno all'auto. Russell ebbe modo di godersi lo spettacolo di LaMarr che usciva a fatica dalla portiera. Trattenne al volo un commento che sarebbe valso solo un altro applauso di Jimbo.

Alla loro sinistra c'era una scrivania con una sedia. Di fronte un'altra sedia, di legno, di quelle con la seduta in paglia. Nonostante la precarietà della situazione, Russell trovò quell'ambientazione molto classica. Evidentemente LaMarr era un nostalgico.

Jimbo lo spinse verso la scrivania e gli indicò il piano.

«Svuota le tasche. Tutte. Non costringermi a cercare al posto tuo.»

Con un sospiro Russell appoggiò sul tavolo tutto quello che aveva in tasca. Un portafoglio con i documenti, le lettere e i cinquecento dollari che gli aveva appena dato Zef. E un pacchetto di chewing-gum alla cannella.

Il grassone raggiunse la sedia dietro la scrivania, mentre si lisciava il bavero della giacca. Si tolse il cappello e si sedette, appoggiando i grossi avambracci sul tavolo. Gli anelli che portava alle dita scintillarono, nel movimento. Russell pensò che sembrava una versione di Jabba the Hutt in un altro colore.

«Molto bene, signor Russell Wade. Vediamo che cosa abbiamo qui.»

Tirò la roba di Russell verso di sé. Aprì il portafoglio ma lo gettò subito, non appena vide che era vuoto. Ignorò le buste e infine prese in mano le banconote e le contò.

«Che colpo. Cinquecento dollari.»

Si appoggiò allo schienale della sedia, come per richiamare alla memoria qualcosa che ricordava benissimo.

«E tu me ne devi sessantacinquemila.»

Russell non ritenne opportuno sottolineare che fino a poco prima LaMarr ne aveva pretesi solo sessantamila. Il suo angelo custode nel frattempo lo aveva accompagnato a sedersi sulla sedia davanti alla scrivania e si era piazzato al suo fianco. Visto dal basso sembrava ancora più grosso e minaccioso. L'autista, appena arrivati, era sceso dalla macchina ed era sparito dietro una porta alle loro spalle, che aveva tutta l'aria di essere un bagno.

LaMarr fece scorrere la mano dalle dita grasse fra i capelli corti e crespi.

«Come intendiamo procedere al pagamento del resto?»

Finse di riflettere.

Russell pensò che stava giocando come il gatto col topo, che con quella rappresentazione stava fornendo a se stesso una riprova di potere.

«Voglio essere generoso. Visto che ho appena incassato, ti voglio abbuonare altri cinquecento dollari.»

Fece un cenno con il capo verso Jimbo. Il pugno nello stomaco arrivò con una velocità impressionante e una forza che cancellò l'aria dai polmoni di Russell e forse dall'intera atmosfera. Sentì un conato acido salirgli in bocca mentre si piegava in avanti per l'istinto di vomitare. Un filo di saliva gli uscì dalla bocca e si perse fra la polvere del pavimento.

LaMarr lo guardò compiaciuto, come si guarda un bambino che ha fatto a dovere i suoi compiti.

«Ecco, adesso ne restano solo sessantaquattromila.»

«Per il momento direi che può bastare.»

Quelle parole, portate dalla voce di Vivien, arrivarono da un punto alle spalle di Russell, ferme e sicure.

Tre teste si girarono contemporaneamente in quella direzione, solo per vedere la ragazza emergere dall'ombra ed entrare nel cono di luce delle lampade. Il fiato di Russell si allargò come per incanto.

Il grassone guardò verso Jimbo, incredulo.

«Chi è questa puttana del cazzo?»

Vivien sollevò la mano e puntò la pistola che stringeva in pugno verso la testa di LaMarr.

«Questa puttana è armata e se non vi appoggiate tutti e due con la faccia al muro e le gambe allargate, potrebbe dimostrarvi quanto è offesa per le vostre basse insinuazioni.»

Il resto avvenne prima che Russell avesse il tempo di avvertire Vivien. L'uomo che era in bagno sbucò veloce dalla porta alle sue spalle e le circondò il petto con le braccia, immobilizzandola. La reazione di Vivien fu istantanea e Russell capì perché il capitano Bellew aveva la stima dipinta negli occhi quando la guardava.

Invece di cercare di divincolarsi, Vivien si appoggiò con il corpo contro quello dell'uomo, sollevò le gambe e piantò i tacchi degli stivali pesanti sulla punta delle scarpe del suo aggressore. Russell sentì distintamente il rumore delle dita dei piedi che si spezzavano. Un grido strozzato e le braccia che circondavano Vivien si sciolsero come per magia. L'uomo si accasciò a terra, su un fianco, le gambe rattrappite, bestemmiando.

Vivien gli puntò la pistola addosso e rivolse uno sguardo di sfida agli altri due.

«Molto bene. Adesso chi altro ci vuole provare?»
Fece un cenno verso Jimbo.

«Sei armato?»

«Sì.»

«Bene. Allora prendi la pistola con due dita, appoggiala a terra e spingila verso di me. Lentamente. Sono piuttosto nervosa in questo momento.»

Mentre teneva d'occhio Jimbo, Vivien si piegò sull'uomo a terra, con la mano sinistra lo frugò e gli sfilò dalla giacca un grosso revolver. Si rialzò e poco dopo, con uno striscio metallico sul pavimento, le arrivò vicino ai piedi anche l'automatica dell'altro. Infilò nella cintura la pistola a tamburo che aveva appena requisito e si chinò a raccogliere il nuovo trofeo da terra. Poi si fece di lato e Russell la vide con la canna della pistola indicare a Jimbo l'uomo steso a terra.

«Perfetto. E adesso muoviti con calma e sdraiati a terra vicino a lui.»

Quando fu certa che i due fossero sotto controllo, si avvicinò alla sedia dove era seduto Russell. Si rivolse a LaMarr.

«Hai armi?»

«No.»

«Meglio per te se non scopro che mi hai detto una bugia.»

«Niente armi.»

LaMarr aveva confermato guardando la canna di una pistola. C'era la possibilità di credergli.

Vivien si rivolse a Russell.

«Ce la fai ad alzarti?»

Lui sentiva le gambe come indipendenti dalla sua volontà. Con uno sforzo si alzò in piedi, lo stomaco contratto dai crampi. Si avvicinò a Vivien e si vide consegnare in mano una grossa pistola scura. Con un cenno del capo lei gli indicò i due uomini stesi a terra.

«Tieni d'occhio quelli. Se si muovono spara.»

«Con piacere.»

Russell non aveva mai usato in vita sua un'arma da fuoco ma lo schiaffo di Jimbo sarebbe da solo stato un bell'incentivo a iniziare. E da quella distanza era impossibile per chiunque sbagliare mira.

Vivien si rilassò e si rivolse a LaMarr, che aveva seguito la scena con una certa apprensione, seduto dietro la scrivania.

«Posso sapere il tuo nome?»

L'uomo esitò un istante. Si fece passare la lingua sulle labbra secche, prima di rispondere.

«LaMarr.»

«Okay. La puttana del cazzo qui presente si chiama Vivien Light ed è una detective del 13° Distretto. Ed è appena stata testimone oculare di un rapimento. Che come ben sai è un crimine federale. Secondo te, quanto può valere il fatto che io non chiami l'FBI e te li scateni addosso?»

LaMarr aveva capito dove il discorso della ragazza intendeva andare a parare.

«Non lo so. Diciamo sessantaquattromila dollari?»

Vivien si sporse e tolse dalla sua mano grassa e sudata i dollari che ancora stringeva.

«Diciamo sessantaquattromila e cinquecento e l'accordo è concluso. In via definitiva, mi sono spiegata?»

Si rialzò e infilò i soldi nella tasca dei jeans.

«Prendo il tuo silenzio come un assenso. Andiamo Russell. Qui non abbiamo più nulla da fare.»

Russell prese le buste e il portafoglio dal piano della scrivania e li infilò in tasca. Prese il pacchetto di chewing-gum, lo osservò un istante e poi lo posò con grazia esagerata davanti a LaMarr.

«Questi te li lascio. Nel caso dovessi addolcirti la bocca.»

Gli sorrise serafico.

«Usali con parsimonia. Valgono sessantaquattromila dollari.»

Negli occhi del grassone c'era la rabbia e c'era la morte. Russell non si curò di sapere di chi. Raggiunse Vivien e indietreggiarono in silenzio, spalla contro spalla, tenendo d'occhio il gruppetto. Arrivarono alla saracinesca e Russell vide che Jimbo, quando erano arrivati, non l'aveva abbassata del tutto. Ecco come aveva fatto Vivien a entrare senza farsi sentire. Questa volta la ragazza si chinò e la sollevò. Un rumore di ferro sui rulli permise loro di uscire senza dover fare altre evoluzioni sul pavimento.

Poco dopo erano seduti nella macchina di lei. Russell si accorse che le tremavano le mani, per il crollo dell'adrenalina. Anche lui non era messo meglio. Si consolò vedendo che nemmeno una persona addestrata a quel tipo di cose ci faceva mai realmente l'abitudine.

Russell cercò di rilassarsi e di ritrovare la voce.

«Grazie.»

Gli arrivò di rimando una risposta secca.

«Grazie un corno.»

Si girò di scatto e vide che Vivien sorrideva. Lo stava prendendo in giro. Infilò una mano in tasca e gli tese i cinquecento dollari.

«Parte di questi serviranno a pagare la lavanderia. E spero per le tue finanze di non aver rovinato il giubbotto, rigirandomi per terra.»

Russell accettò quell'invito sopra le righe a risolvere la tensione.

«Appena posso, ti regalo una boutique.»

«Che si aggiunge alla cena.»

Vivien avviò l'auto e uscirono da quella strada e da quella

brutta esperienza. Russell guardò il profilo di lei mentre guidava. Era giovane, decisa e bella. Una donna pericolosa, se vista dalla parte sbagliata della canna di una pistola.

«C'è una cosa che ti devo dire.»

«Cosa?»

Russell si allacciò la cintura per far smettere il cicalino di suonare.

«Quando ti ho vista sbucare da dietro l'angolo...»

«Sì?»

Russell chiuse gli occhi e si lasciò andare contro il sedile.

«D'ora in poi sarò devoto a quella tua apparizione come a un'apparizione della Madonna.»

Nella penombra delle palpebre gli arrivò il suono della risata fresca di Vivien. Allora Russell sentì qualcosa che svaniva e sorrise anche lui.

## CAPITOLO 24

La chiave girò nella toppa, aprì la serratura e scomparve di nuovo nelle tasche di Vivien. La ragazza entrò e premette l'interruttore. La luce invase il corridoio spingendosi fino a illuminare parte del soggiorno. Un passo, un altro interruttore e la luce prese possesso di tutto l'appartamento.

«Vieni, accomodati.»

Russell entrò, reggendo una borsa in ogni mano. Diede uno sguardo in giro.

«È carino qui.»

Vivien lo guardò con aria di sufficienza.

«Vuoi che ti ripeta le parole di Carmen Montesa quando le ho detto le stesse cose di casa sua?»

«No, dico davvero.»

Si era aspettato di trovare una casa dove la cura e l'ordine fossero approssimativi. Il carattere volitivo di Vivien nella sua mente non collimava molto con quello paziente e scrupoloso della donna di casa. Invece il piccolo appartamento era un gioiello di buon gusto nell'arredamento e un esempio raro di attenzione ai dettagli. C'era nell'aria qualcosa che non aveva mai provato. Non il caos forsennato del suo appartamento, non lo splendore asettico della casa dei suoi genitori. C'era amore da parte di chi abitava in quella casa per ciò che aveva intorno.

Appoggiò a terra le borse, continuando a valutare con gli occhi l'appartamento.

«Hai una donna delle pulizie?»

Vivien gli rispose di spalle, mentre apriva il frigo e tirava fuori una bottiglia di acqua minerale.

«Il gioco di parole viene fin troppo facile.»

«Vale a dire?»

«È abbastanza difficile trovare una donna delle pulizie in casa di chi lavora nella Polizia. Le domestiche a New York costano come un chirurgo plastico, con il difetto che il loro lavoro è da ritoccare molto prima.»

Russell si trattenne dal dire che nel poco tempo che era andato in giro con suo fratello aveva incontrato funzionari di Polizia, in America e all'estero, che con le mazzette che prendevano si sarebbero potuti permettere un esercito di domestici. Mentre si versava un bicchiere d'acqua Vivien indicò il divano a due posti piazzato davanti al televisore.

«Siediti. Vuoi una birra?»

«Vada per la birra.»

Si avvicinò al bancone e prese la bottiglietta che Vivien aveva aperto e spinto verso di lui. Quando sentì il liquido fresco scendere nello stomaco, si rese conto che era assetato e che avrebbe portato con sé i postumi del ceffone di Jimbo per diversi giorni. Andò verso la promessa confortevole del divano. Per farlo passò accanto a un mobile sul quale, in un portaritratti con un singolare design, c'era la foto di una donna insieme a una ragazza sui quindici anni. Si capiva a prima vista che erano madre e figlia, per le caratteristiche fisiche in comune e per una bellezza che aveva la stessa matrice.

«Chi sono?»

«Mia sorella e mia nipote.»

Vivien aveva risposto con la voce di chi con poche parole ha esaurito l'argomento. Russell capì che c'era qualche episodio poco felice legato a quelle due persone e che forse lei non aveva piacere di parlarne. Non chiese altro e si sedette sul divano. Passò una mano sulla pelle chiara che lo rivestiva.

«Comodo. E anche bello.»

«Il ragazzo con cui stavo è un architetto. Mi ha dato una mano a scegliere i mobili e ad arredare l'appartamento.»

«E adesso lui che fine ha fatto?»

Vivien fece un mezzo sorriso, pieno di autoironia.

«Da buon architetto, diciamo che aveva altri progetti.»

«E tu?»

Vivien allargò le braccia.

«Il mio annuncio suona più o meno così. Giovane, lavoro interessante, single, non cerca nessuno.»

Anche in questo caso Russell non aggiunse nulla. Tuttavia non poté fare a meno di provare un piccolo compiacimento all'idea che Vivien non avesse un compagno nella vita.

La ragazza finì il suo bicchiere d'acqua e lo ripose nel lavandino.

«Credo che farò una doccia. Tu mettiti a tuo agio, guarda la televisione, finisci la birra. Dopo ti cedo il bagno, se la vuoi fare anche tu.»

Russell si sentiva addosso la polvere dei secoli. L'idea dell'acqua tiepida che gli scorreva addosso lavando via le tracce di quella giornata gli diede un brivido di piacere.

«Okay. Aspetto qui.»

Vivien scomparve in camera da letto e poco dopo ne uscì con addosso un accappatoio. Si infilò nel bagno e quasi subito Russell sentì l'acqua scorrere. Non riuscì a impedirsi di immaginare il corpo scattante e solido di quella ragazza nudo sotto la doccia. Di colpo gli sembrò che la birra non fosse abbastanza fredda per spegnere il piccolo calore che gli era nato dentro.

Si alzò e andò alla finestra dalla quale si vedeva uno scorcio dell'Hudson. La sera era chiara ma non c'erano stelle. Le luci avide di protagonismo della città avevano il potere di cancellarle anche dal cielo più luminoso.

*Durante il viaggio di ritorno da Harlem, lui e Vivien si erano scambiati le reciproche impressioni dei fatti di cui erano stati protagonisti. Quando lo aveva visto sparire all'interno della macchina, Vivien si era subito resa conto che c'era qualcosa che non andava. E quando la grossa berlina si era mossa, si era posta con discrezione all'inseguimento, tenendo la distanza di un paio di vetture ma riuscendo a non perderla mai d'occhio. Quando aveva visto la macchina svoltare in una strada senza uscita, aveva mollato l'XC60 a bordo strada. Era scesa al volo e aveva visto la macchina scura sparire oltre l'ingresso del magazzino. Si era avvicinata e aveva esultato quando si era accorta che la saracinesca non era stata abbassata del tutto, ma era sollevata da terra quel tanto che bastava per consentirle di entrare senza segnalare la sua presenza. Era scivolata dentro sdraiandosi a terra e approfittando dell'esiguo passaggio. Seguendo le voci che le arrivavano da dietro l'angolo, si era affacciata con cautela per capire che cosa doveva aspettarsi. Aveva visto LaMarr seduto alla scrivania e il gorilla in piedi di fianco a Russell. Dal suo punto d'osservazione sulla Park, quando lui era stato prelevato, a tratti aveva perso la visuale, per colpa delle auto che le passavano di fianco. Aveva creduto che Jimbo fosse anche l'autista della macchina, per cui non aveva ipotizzato che potesse esserci un terzo uomo. Per fortuna, nonostante l'aggressione improvvisa e imprevista, se l'era cavata lo stesso.*

*Se l'erano cavata lo stesso.*

*Poi Russell aveva spiegato quello che era successo nell'atrio quando era arrivato a casa e aveva permesso a Vivien di sorri-*

*dere della sua condizione di diseredato. Lo aveva fatto a sua volta. E poi aveva spiegato la cortesia di Zef e il prestito di cinquecento dollari.*

«*E adesso che fai?*»

«*Mi cercherò un albergo.*»

«*Quelle che ti ho restituito sono le tue sole finanze?*»

«*Al momento temo di sì.*»

«*Se vuoi un posto decente, quei soldi ti basteranno per un paio di giorni, a essere ottimisti. E io non voglio stare nella stessa macchina con un tipo che dorme in uno di quelli che ti puoi permettere.*»

*Russell dentro di sé aveva avallato una disamina che era addirittura sconcertante nella sua chiarezza. Tuttavia era stato costretto a mettere sul piatto l'evidenza.*

«*Non posso fare altro.*»

*Vivien aveva fatto un gesto vago.*

«*A casa mia nel soggiorno c'è un divano letto. Nei prossimi giorni credo che dormiremo ben poco. Se vuoi seguire questa storia è meglio che tu rimanga con me. Non voglio essere costretta a girare tutta la città per venirti a prendere. Se ti adatti è tuo.*»

*Russell non aveva esitato.*

«*Credo che mi sentirò come al Plaza.*»

*Vivien si era messa a ridere. Russell non aveva capito il motivo di quell'ilarità. La spiegazione era arrivata subito dopo.*

«*Sai come chiamiamo al Distretto la cella dove hanno infilato te quando ti hanno arrestato?*»

«*Non dirmelo. Fammi indovinare. Il Plaza, forse?*»

*Vivien aveva assentito con il capo. Russell aveva accettato lo scherzo.*

«*Credo che in questo periodo procurarmi dei debiti con te sia diventata la mia specialità. Cosa che peraltro mi è sempre riuscita piuttosto bene in generale.*»

Russell trovava confortevole il ricordo di quella conversazione.

Nella macchina si era formata una piccola, cameratesca forma di complicità. Una reazione dell'animo, un esile e momentaneo rifugio davanti all'idea che stavano inseguendo un assassino che aveva già ucciso un centinaio di persone e che si apprestava a farlo di nuovo.

Lasciò la finestra e andò ad aprire una delle due borse che aveva portato con sé. All'interno c'erano il suo laptop e le macchine fotografiche, le uniche cose che Russell giudicava sacre e incedibili. Prima di venire a casa di Vivien, erano passati dal Distretto per lasciare al capitano il quadro con i capelli di Mitch Sparrow e poi dalla 29sima Strada, dove Russell aveva preparato le borse frugando fra le sue cose abbandonate nel deposito di una casa non più sua.

Prese il portatile, lo appoggiò sul tavolo e lo accese. A sorpresa trovò una connessione wireless non protetta ed ebbe l'accesso a Internet.

Controllò la posta. Poche cose. E dal tenore usuale. Time Warner Cable che gli spiegava i motivi della cessazione del servizio, un'agenzia che gli spiegava i motivi per cui presto avrebbe ricevuto una lettera da un avvocato e Ivan Genasi, un amico fotografo molto bravo che chiedeva dove fosse finito. Era l'unico a cui non dovesse dei soldi. Per gli altri messaggi, l'unica causale era rappresentata da mancati pagamenti o mancata restituzione di prestiti. Russell si trovò a disagio. Gli sembrava, leggendo quelle e-mail, di violare la privacy di una persona che non conosceva, di accedere all'intimità di uno sconosciuto, tanto si sentiva lontano in quel momento dall'uomo che aveva ispirato quelle lettere.

Chiuse il programma di posta e aprì un nuovo documento di Word. Rimase un attimo sovrappensiero poi decise di salvarlo come «Vivien». Iniziò dapprima ad annotare alcuni dei pensieri che gli erano passati per la testa da quando quella storia era iniziata. Se li era appuntati facendo un nodo a un fazzoletto mentale ogni volta che una considerazione interessante nasceva spontanea dagli eventi. Poco per volta, mentre scriveva, le parole iniziarono a fluire senza soluzione di continuità, come se ci fosse una connessione diretta fra il pensiero e le mani e la tastiera del notebook. Si fece prendere dal racconto oppure fu lui che prese il racconto e lo costrinse in cifre nere sullo schermo pallido che aveva davanti. Non lo sapeva e non gli interessava neppure. Gli bastava quel senso di completo possesso che la scrittura gli dava in quel momento. La voce di Vivien lo sorprese che aveva già steso quasi due pagine.

«Tocca a te, se vuoi.»

Si girò e la vide. Aveva indossato una tuta leggera e aveva ai piedi delle normali ciabatte infradito. Ispirava un'aria di freschezza e innocenza. Russell l'aveva vista reagire all'aggressione di un uomo grosso tre volte più di lei e metterlo nell'impossibilità di nuocere. L'aveva vista tenerne a bada altri puntando loro addosso una pistola. L'aveva vista trattare un balordo come una pezza da piedi.

Aveva pensato di lei che era una donna pericolosa. E solo in quel momento, nel preciso istante in cui si presentava a lui del tutto indifesa, capiva quanto. Si girò a guardare il portaritratti sul mobile, dal quale una donna e una ragazza sorridevano. Pensò che il posto naturale di Vivien era in quella foto, a dividere con loro la bellezza.

Poi riportò gli occhi su di lei e rimase a fissarla senza parlare, al punto che lei lo riprese.

«Ehi, che ti succede?»

«Un giorno, quando questa storia sarà finita, mi dovrai permettere di farti delle foto.»

«A me? Stai scherzando?»

Vivien indicò la foto nel portaritratti.

«È mia sorella la fotomodella della famiglia. Io sono quella al limite della mascolinità che fa il poliziotto, ricordi? Non saprei nemmeno cosa fare davanti a un obiettivo.»

*Quello che stai facendo adesso sarebbe più che sufficiente*, pensò Russell.

Capì che, nonostante le parole di risposta e di fuga, quella richiesta le aveva fatto piacere. E vide sul suo viso una sorpresa e inattesa timidezza, che forse in altri momenti nascondeva tendendo in avanti un distintivo.

«Dico sul serio. Promettimelo.»

«Non dire scemenze. E vattene dalla mia cucina. Ti ho lasciato degli asciugamani puliti in bagno.»

Russell salvò quello che aveva scritto sul desktop, si alzò dal tavolo e andò a prendere della biancheria e dei vestiti puliti dalla borsa. Si infilò in bagno dove trovò una pila di asciugamani appoggiati su un mobile di fianco al lavandino. Si spogliò, aprì l'acqua nella doccia e si accorse che la temperatura a cui l'aveva lasciata impostata Vivien era perfetta anche per lui.

Un dettaglio. Una sciocchezza. Ma lo fece sentire a casa lo stesso.

Entrò sotto il getto e lasciò che l'acqua e la schiuma lavassero via la stanchezza e i pensieri di quella e delle giornate precedenti. Dopo la vicenda di Ziggy e l'esplosione, si era sentito per la prima volta in vita sua davvero solo e incapace davanti a responsabilità troppo difficili da sostenere. Adesso invece era lì e faceva parte di qualcosa, qualcosa che apparteneva solo al lui, al suo presente e non ai suoi ricordi.

Chiuse il miscelatore e uscì dalla doccia, cercando di non gocciolare l'acqua al di fuori del tappetino. Prese il telo di spugna e iniziò ad asciugarsi, trovandolo morbido e profumato. A casa dei suoi, dove c'era una schiera di persone di sevizio e la biancheria migliore, non ne aveva mai trovato uno così soffice. O almeno in quel momento gli sembrava così. Si asciugò i capelli e indossò una camicia e un paio di calzoni puliti. Decise di uniformarsi alla sua ospite e rimase a piedi scalzi.

Quando uscì dal bagno Vivien era seduta davanti al notebook. Aveva aperto il documento salvato con il suo nome e stava leggendo quello che Russell aveva scritto.

«Che fai?»

Vivien continuò a leggere, senza nemmeno girare la testa, come se quell'invasione in un computer altrui fosse del tutto naturale.

«Il poliziotto. Indago.»

Russell protestò senza troppa convinzione.

«Questa è una flagrante violazione della privacy e della libertà di stampa.»

«Se non vuoi che io ficchi il naso, non devi dare il mio nome a dei file.»

Quando finì di leggere, si alzò e senza commentare andò verso il bancone della cucina. Russell si accorse che c'era una pentola sul fuoco e un tegame con un sugo rosso di fianco. Vivien alzò la portata della cappa di aspirazione. Poi indicò l'acqua che iniziava a bollire.

«Penne all'arrabbiata. O spaghetti, a scelta.»

Russell rimase sorpreso. Lei intervenne su quella sorpresa con qualche parola a proprio favore.

«Sono di origine italiana. Li so fare. Ti puoi fidare.»

«Certo che mi fido. Mi chiedo solo come hai fatto in così poco tempo a improvvisare un sugo.»

Vivien gettò la pasta nella pentola e mise il coperchio, per favorire la seconda ebollizione.

«È la prima volta che vieni sulla Terra? Sul tuo pianeta non ci sono i congelatori e i forni a microonde?»

«Sul mio pianeta non mangiamo mai a casa. Pensa che il palazzo dell'imperatore è una tavola calda.»

Russell si avvicinò a Vivien, che stava dall'altra parte del bancone. Si sedette su uno sgabello e curiosò con lo sguardo nella padella.

«In realtà la capacità di una persona di destreggiarsi tra i fornelli mi ha sempre affascinato. Io una volta ci ho provato e sono riuscito a far bruciare le uova sode.»

Vivien continuò a occuparsi della pasta e del sugo. La battuta di Russell non aveva scavalcato i suoi pensieri di quel momento.

«Sai, oggi mi è capitato più volte di chiedermi come sei veramente.»

Russell alzò le spalle.

«Uno qualunque. Non ho avuto pregi particolari. Mi sono dovuto accontentare di difetti particolari.»

«Un pregio ce l'hai. Ho letto quello che hai scritto. È bellissimo. Convincente. Arriva a chi legge.»

Questa volta fu il turno di Russell di essere compiaciuto del complimento e di cercare di non darlo a vedere.

«Dici? È la prima volta che lo faccio.»

«Dico. E se vuoi sapere il mio parere, aggiungerei una cosa.»

«Quale?»

«Se tu non avessi passato la tua vita a cercare di essere Robert Wade, forse avresti scoperto che suo fratello può essere una persona altrettanto interessante.»

Russell sentì una cosa che si muoveva dentro alla quale non sapeva dare un nome. Qualcosa che arrivava da un posto che non credeva esistesse e che era andata a infilarsi in un posto che non credeva di avere.

Capiva solo che desiderava fare una cosa. E la fece.

Girò intorno al bancone e raggiunse Vivien. Le prese il viso fra le mani e la baciò, appoggiando delicatamente le labbra alle sue. Per un istante lei ricambiò il bacio ma subito arrivò una mano decisa sul petto a spingerlo indietro.

Russell si accorse che il respiro le si era accelerato.

«Ehi, calma. Calma. Non intendevo questo, quando ti ho invitato qui.»

Si girò, come per cancellare quello che era appena successo. Per qualche secondo si occupò della pasta, lasciando a Russell la vista delle sue spalle e il profumo dei suoi capelli. La sentì mormorare alcune parole, sottovoce.

«O forse sì. Non lo so nemmeno io. L'unica cosa che so è che non voglio complicazioni.»

«Io nemmeno. Ma se sono il prezzo da pagare per avere te, le accetto volentieri.»

Dopo un istante, Vivien si girò e gli passò le braccia al collo.

«E allora al diavolo la pasta.»

Alzò la testa e questa volta il bacio che gli offrì fu senza mani a spingere via. Il corpo di lei contro il suo era esattamente come Russell se l'era immaginato. Solido e morbido, acerbo e fruttato, consolazione per oggi e desolazione per ieri. Mentre faceva scorrere la mano sotto la felpa e trovava la sua pelle, si chiedeva perché qui, perché ora, perché lei e perché non prima. Vivien continuò a baciarlo mentre nel piacere degli occhi chiusi lo trascinava in camera da letto. La penombra li accolse e li convinse che quello era il posto giusto per loro e per quella eccitazione che strappava abiti di dosso e trasformava un corpo in un luogo sacro.

Mentre si perdeva dentro di lei, mentre scordava nomi e persone, Russell non riusciva a capire se Vivien fosse il chiarore prima dell'alba o un barbaglio dopo il tramonto.

Sapeva solo che era come il suo nome. Luce e basta.

Dopo, restarono raggomitolati come se la pelle dell'una fosse il vestito naturale dell'altro. Russell ebbe la percezione di scivolare nel tepore del sonno e subito si riscosse, per timore di perderla. Si accorse che doveva aver dormito qualche minuto. Allungò una mano e trovò il letto vuoto.

Vivien si era alzata dal letto ed era andata alla finestra. La vide nel controluce, velata dalle tende, accettare il chiarore che proveniva da fuori in cambio di quella prospettiva che gli offriva il suo corpo.

Si alzò e la raggiunse. Scostò i teli e la abbracciò da dietro, sentendo il fisico asciutto di lei aderire al suo. Lei si accostò in modo naturale, come se quello dovesse essere. E niente altro.

Russell le appoggiò le labbra sul collo e respirò il profumo della sua pelle di donna dopo l'amore.

«Dove sei?»

«Qui. Lì. Dappertutto.»

Vivien aveva indicato con un gesto vago il fiume oltre i vetri e tutto il mondo.

«E io sono con te?»

«Da sempre, credo.»

Non aggiunsero altro, perché null'altro c'era da aggiungere.

Fuori dai vetri il fiume scorreva tranquillo e rifletteva luci che erano uno sfarzo inutile ai loro occhi. Tutto quello che serviva per distruggere e costruire era in quella stanza. Restarono affacciati a scambiarsi la consolazione della presenza e i frammenti del rimpianto finché, d'improvviso, una luce abbagliante arrivò dall'orizzonte e attraversò i vuoti fra i palazzi di fronte, fotografandoli nel riquadro di quella finestra.

Qualche istante dopo, alle loro orecchie, arrivò il fragore indecente e presuntuoso di un'esplosione.

# CAPITOLO 25

«Siamo nella merda più totale.»

Il capitano Alan Bellew gettò il «New York Times» sulla scrivania, a fare compagnia agli altri quotidiani che già occupavano alla rinfusa il piano. Tutte le testate, una per una, dopo l'esplosione della notte precedente, avevano gettato sul mercato edizioni straordinarie. Erano piene di ipotesi, illazioni, suggerimenti. Ma tutte nello stesso modo si chiedevano cosa stessero facendo le autorità inquirenti, quale difesa avessero predisposto per l'incolumità dei cittadini. Le televisioni si occupavano di quell'evento lasciando qualsiasi altra cosa succedesse nel mondo al ruolo di notizia secondaria. L'intero pianeta era alla finestra e stavano arrivando corrispondenti da tutto il mondo, come se l'America fosse in stato di guerra.

La nuova esplosione era avvenuta a notte inoltrata in riva all'Hudson, a Hell's Kitchen, in un capannone sulla Dodicesima Avenue all'altezza della 48sima Strada, giusto di fianco al Sea Air and Space Museum, dove era esposta la portaerei Intrepid. La costruzione si era letteralmente disintegrata. I frammenti avevano colpito la nave ormeggiata di fianco e danneggiato gli aerei e gli elicotteri esposti sul ponte, un tragico e nostalgico *déjà vu* delle guerre che avevano combattuto. I vetri dei palazzi vicini erano stati distrutti dallo spostamento d'aria. Un anziano era morto d'infarto. La strada era in parte franata nell'Hudson e il fuoco aveva illuminato a lungo una scena desolata, con relitti in fiamme trasportati dalla corrente e le macerie al rogo di un posto che solo per l'ora tarda non si era trasformato nel teatro di una nuova strage da commemorare. Le vittime si contavano nell'ordine della ventina, più un numero imprecisato di feriti non gravi. Un gruppo di nottambuli, il cui solo torto era quello di essere lì in quel momento, erano stati letteralmente smembrati e i loro resti si erano sparsi sull'asfalto. Del guardiano notturno del capannone non era rimasta traccia. Alcune macchine in transito erano state investite dall'esplosione e scaraventate via in un groviglio di lamiere accartocciate. Altre non avevano fatto in tempo a frenare ed erano finite nel fiume insieme ai detriti della strada. I passeggeri erano tutti morti. I pompieri avevano combattuto a lungo prima di spegnere il fuoco e gli esperti della Polizia avevano iniziato le ricognizioni in loco non appena la scena era stata accessibile.

Si attendevano i risultati da un momento all'altro.

Dopo una notte livida e insonne, Russell e Vivien stavano nell'ufficio del capitano, a dividere con lui la frustrazione e l'impotenza a sconfiggere l'uomo che li stava sfidando.

Uno e invisibile.

Bellew finalmente smise di muoversi per la stanza e si sedette sulla sedia, senza per questo trovare pace.

«Sono arrivate telefonate da tutte le parti. Il presidente, il governatore, il sindaco. Ogni maledetta autorità di questo Paese ha preso in mano il telefono e ha chiamato qualcun altro. E tutti si sono concentrati sul capo. Il quale, naturalmente, subito dopo mi ha chiamato.»

Russell e Vivien attesero in silenzio l'esito di quello sfogo.

«Willard si sente affondare e annaspando trascina sotto anche me. Ha un complesso di colpa per aver peccato di prudenza.»

«Tu che gli hai detto?»

Bellew fece un gesto che comprendeva l'ovvio e il suo esatto contrario.

«Gli ho detto che da una parte non abbiamo ancora la certezza di stare seguendo la pista giusta, dall'altra gli ho ribadito che quanta più gente è al corrente del fatto, quante più probabilità ci sono di una fuga di notizie. Se questa voce dovesse arrivare nelle orecchie di quelli di Al-Qaeda, sarebbe un vero disastro. Avremmo un concorrente spietato nella caccia a quella lista. Pensa che gola farebbe loro. Una città già minata, solo da far esplodere. Se fosse di dominio pubblico, New York nel giro di tre ore si trasformerebbe in un deserto. Con il casino che potete immaginare. Autostrade intasate, feriti, sciacallaggio, gente dispersa chissà cazzo dove.»

Vivien riusciva a farsi un quadro abbastanza dettagliato della situazione.

«L'FBI e l'NSA che dicono?»

Il capitano appoggiò i gomiti sul tavolo.

«Poco. Sai che quelli del piano nobile non si sbottonano facilmente. Pare che stiano seguendo per conto loro una traccia di terrorismo islamico. Ora non ci sono eccessive pressioni da quella parte. Almeno questa è una nota positiva.»

Russell era rimasto assorto per tutto il tempo della conversazione fra Vivien e Bellew, come seguendo un filo logico suo personale.

A quel punto intervenne per farne partecipi gli altri.

«L'unica cosa che ci lega alla persona che ha messo le bombe è Mitch Sparrow. Mi pare non ci siano più dubbi che il tipo murato è lui. È anche certo che il portadocumenti con le foto non è suo, per cui è probabile che l'abbia perso chi ha infilato nel cemento quel poveretto. Dunque nelle due foto, quella col gatto e quella scattata in Vietnam, c'è ritratto il suo assassino. Secondo me, Sparrow ha scoperto quello che stava facendo e per farlo tacere lui lo ha ucciso.»

Da parte del capitano arrivò una conclusione che era la diretta conseguenza di quello che aveva appena detto Russell.

«Dunque lavoravano insieme.»

«In via continuativa o saltuariamente, non so. Una cosa è sicura. Che lavoravano nello stesso posto quando Sparrow è scomparso.»

Russell rimase un attimo assorto, come per riordinare le idee. Vivien era affascinata da quella concentrazione.

«La persona a cui diamo la caccia è chiaramente il figlio di quello che ha messo le mine. Il padre forse era un reduce del Vietnam, che deve essere tornato con delle ferite psicologiche enormi. Molti soldati sono stati trasformati dalla guerra. Alcuni non hanno perso l'abitudine ma soprattutto il gusto di uccidere e hanno continuato a farlo anche quando sono rientrati nella vita civile. Mio fratello ne è stato testimone più volte.»

Vivien sentì il fantasma di Robert Wade comparire senza ansia nella voce di Russell. Lo guardò e vide un viso che conosceva portare in giro occhi diversi. Sentì dentro un piccolo affanno felice. Subito le preoccupazioni per la storia che stavano vivendo presero il sopravvento.

Russell continuò nella sua razionale esposizione dei fatti senza accorgersi di nulla.

«Purtroppo è chiaro che, se chi ha scritto la lettera e piazzato le bombe aveva problemi di mente, il figlio li ha ricevuti moltiplicati in eredità. Dal tenore del messaggio mi pare che non abbia mai avuto modo di conoscere il padre, che si è rivelato a lui solo dopo la morte. Mi chiedo perché.»

Russell fece una pausa, lasciando sospeso quell'interrogativo al quale era vitale dare una risposta.

Come per concedere una pausa di riflessione ai presenti,

il telefono posato sulla scrivania prese a suonare. Il capitano allungò una mano e portò la cornetta all'orecchio.

«Bellew.»

Rimase ad ascoltare in silenzio quello che la persona dall'altra parte gli riferiva. Vivien e Russell videro a mano a mano la sua mascella contrarsi. Riagganciò con dipinta in viso la voglia di spaccare il telefono.

«Era il capo della squadra di artificieri che ha esaminato le macerie sull'Hudson.»

Fece una pausa. Poi disse quello che tutti si aspettavano.

«È di nuovo lui. Stesso esplosivo, stesso tipo di innesco.»

Russell si alzò in piedi, come se dopo quella conferma avesse bisogno di muoversi.

«Mi è venuta in mente una cosa. Non sono un esperto, ma costui, per decidere di mettere in pratica quello che il padre aveva solo progettato, deve per forza essere uno psicopatico asociale o qualcosa del genere, con tutte le implicazioni e le caratteristiche del caso.»

Si girò a guardare Vivien e Bellew.

«Ho letto che queste persone di solito hanno un meccanismo ben preciso di ricarica dei loro impulsi. E di conseguenza un comportamento ripetitivo. Il primo botto è avvenuto nella sera di sabato. Il secondo nella notte fra lunedì e martedì. Sono passati tre giorni, più o meno. Se quel pazzo ha fissato nella sua mente questo intervallo fra una esplosione e l'altra, dovremmo avere altri tre giorni di tempo per prenderlo, prima che decida di agire di nuovo. Non voglio nemmeno pensare…»

Lasciò in sospeso la frase. Poi la concluse, riuscendo a esprimere nel tono e nelle parole la gravità della situazione.

«Non voglio nemmeno pensare a cosa accadrebbe se si verificasse una nuova esplosione. Magari in un palazzo dove lavorano migliaia di uomini e donne.»

E infine aggiunse la peggiore delle ipotesi.

«Senza contare che potrebbe anche decidere di far saltare tutti gli edifici nello stesso giorno.»

Vivien vide che il capitano lo guardava come se, nonostante tutto, ancora si chiedesse chi era quel tipo e che cosa ci faceva nel suo ufficio. Un civile che ragionava con loro di fatti che stando alle regole avrebbero dovuto riguardare solo la Polizia. La situazione che si era creata era assurda ma perfetta nella sua logica a incastro. Erano tre persone legate a un'indagine da un segreto che a nessun costo doveva essere divulgato e che nessuno aveva interesse a divulgare.

Bellew si alzò in piedi e si appoggiò con i pugni serrati alla scrivania.

«Ci serve con urgenza assoluta un nome da abbinare a quelle foto. Non possiamo pubblicarle con sotto scritto «Chi conosce quest'uomo?» Se le vedesse il figlio potrebbe capire che siamo sulle sue tracce, farsi prendere dal panico e iniziare a far esplodere gli edifici uno dopo l'altro.»

Vivien si rese conto che si stavano riferendo a due persone sconosciute chiamandoli il padre e il figlio. Ricordi della sua infanzia arrivarono derisori a sottolineare la tragica ironia della situazione.

*Nel nome del Padre, del Figlio e dello Spirito Santo…*

L'immagine di se stessa, ancora bambina, in una chiesa col profumo d'incenso venne cancellata da quelle di edifici in fiamme e corpi trasportati sulle ambulanze.

Bussarono alla porta. Bellew invitò la persona che si intravedeva oltre il vetro smerigliato a entrare. Il detective Tyler si affacciò ed entrò nell'ufficio reggendo un fascicolo. Aveva la barba lunga e l'aria trasandata di chi ha passato una notte in bianco. Quando vide Russell, una smorfia di disappunto comparve per un attimo sul suo volto.

Ignorò del tutto lui e Vivien e si rivolse al suo superiore.

«Capitano, ho qui i risultati delle ricerche che aveva chiesto.»

Il tono di voce era quello di chi aveva svolto un lavoro duro e noioso e sapeva che non gli sarebbe stato riconosciuto. Il capitano allungò una mano, aprì l'incartamento e lo scorse velocemente.

Parlò senza alzare gli occhi dal foglio.

«Molto bene, Tyler. Vai pure.»

Il detective abbandonò la stanza lasciandosi dietro una scia di sigarette mal fumate e cattivo umore. Bellew attese che si fosse allontanato dalla porta, prima di informare Vivien e Russell su quello che aveva appena letto.

«Ho messo al lavoro diverse squadre di tre uomini. Spiegando il minimo indispensabile. Ecco quello che abbiamo.»

Tornò a rivolgere la sua attenzione ai fogli che teneva fra le mani.

«La casa esplosa a Long Island apparteneva a un militare, un certo maggiore Mistnick. Pare che avesse prestato servizio in Vietnam. Questo non significa nulla, ma è tuttavia un fatto curioso. La ditta che la costruì era in effetti una piccola impresa di Brooklyn, la Newborn Brothers. La società che ha costruito il palazzo nel Lower East Side invece si chiama Pike's Peak Buildings. E qui ci troviamo davanti a un vero colpo di fortuna. La direzione ha affidato da tempo l'archiviazione dei suoi dati a una società informatica. Tutto è su file, dunque è di completa e rapida consultazione. Anche le cose più datate.»

«Questa è una bella notizia», disse Vivien.

«Ce n'è un'altra.»

Non c'era esultanza nella voce del capitano.

«Stiamo risalendo alla compagnia che ha sistemato la Dodicesima Avenue e costruito il capannone a Hell's Kitchen, quello esploso stanotte. È un appalto comunale, per cui la ditta deve essere stata per forza costretta a servirsi delle Unions. Quelli sono obbligati a conservare i dati per anni. Procederemo nello stesso modo anche per l'impresa che ha ristrutturato a suo tempo l'edificio sulla 23sima Strada, dove è stato trovato il cadavere. Se riusciamo ad avere i nomi delle persone che hanno lavorato in quei quattro cantieri, potremo confrontarli e vedere se qualcuno coincide.»

Bellew si passò una mano fra i capelli, forse pensando che era troppo vecchio per la prova di mestiere che era chiamato a sostenere in quell'occasione.

«È una traccia sottile ma è l'unica che possiamo seguire. Chiederò rinforzi al capo e metterò subito al lavoro quanti più uomini posso. Dirò loro che si tratta di un Codice RFL.»

Russell corrugò le sopracciglia.

«Codice RFL?»

Vivien intervenne a dare una spiegazione.

«È un Codice che non esiste ma che ogni poliziotto di New York conosce. RFL sta per *Run for Life*. In gergo definisce quei casi in cui la velocità d'indagine è basilare.»

Tornò a guardare il suo capo. Bellew, dopo un attimo di smarrimento, era tornato l'uomo determinato e capace che Vivien conosceva.

«Tu vai a parlare con quelli della Newborn Brothers. Se era una piccola impresa, quindi con pochi operai, può darsi che il contatto diretto sia più produttivo. Magari qualcuno ricorda qualcosa. Mentre scendi dico al centralino di recuperare il numero. Lo troverai dagli agenti di piantone.»

Vivien si alzò, lieta di farlo. Le parole erano finite. Adesso era arrivato il momento di darsi da fare. Mentre uscivano dall'ufficio, li accompagnò la voce di Bellew, che era già al telefono per procurare quanto promesso.

Imboccarono la scala che scendeva al piano inferiore. Russell camminava davanti a lei, lasciando alle spalle un buon odore di uomo e acqua di colonia. Vivien ebbe un ricordo delle sue labbra nell'incavo del gomito e della sua mano fra i capelli. E del lampo abbagliante e del tuono che li avevano scaraventati fuori di colpo dal momento e dallo spazio che si erano ritagliati.

Dopo il boato si erano rivestiti in fretta, senza dire nulla. Quello che immaginavano aveva tolto dalle loro bocche e dalle loro menti ogni possibile parola. Erano andati in soggiorno e avevano acceso il televisore. Pochi minuti di attesa e NY1 aveva interrotto le trasmissioni per dare l'annuncio dell'attentato. Avevano continuato a muoversi da un canale all'altro, cercando notizie che si aggiornavano di minuto in minuto. La magia di un attimo era svanita, persa tra le fiamme che vedevano sullo schermo del televisore.

Da Bellew era arrivato un semplice sms. Diceva solo «*Alle sette e trenta domani nel mio ufficio*».

Non c'era molto di più da dire. Sia lei che il capitano sapevano che in quel momento non potevano fare nulla, se non attendere qualche ora. La notte era finita e il chiaro dalle finestre aveva sorpreso lei e Russell seduti sul divano, coinvolti e increduli, vicini senza toccarsi, come se quello che vedevano potesse uscire dal video a contaminarli.

La responsabilità giunse con una fitta d'ansia a opprimere il petto. La vita di tante persone dipendeva da lei, da quello che avrebbe fatto nelle prossime ore. Era una persona addestrata ma di colpo si sentì troppo giovane e inesperta e inadeguata a sostenere quel peso. Le girò un poco la testa e accettò come la terra promessa la fine delle scale.

Non appena la vide sbucare dalla porta un agente in divisa tese verso di lei un biglietto.

«Detective, ecco qua. È un numero di cellulare, se serve. La persona si chiama Chuck Newborn e sta lavorando in un grosso cantiere a Madison Square Park.»

Vivien fu grata al Codice RFL, che stava facendo viaggiare tutto a una velocità a cui non era abituata. E alla sorte, che non la obbligava ad attraversare tutta la città per parlare con quell'uomo.

Uscirono dal Distretto e raggiunsero la macchina di Vivien. Salirono in silenzio, ognuno perso nei suoi pensieri e in quelli dell'altro. Vivien accese il motore e prima di muovere la macchina diede a quei pensieri una voce.

«Russell, per quanto riguarda la notte scorsa...»

«Dimmi.»

«Volevo solo dirti che io...»

«Lo so. Che tu non vuoi complicazioni.»

Non era quello che Vivien intendeva dire. Ma le parole di Russell e il suo tono distaccato la fermarono sulla soglia di un luogo nel quale poteva entrare solo se invitata.

«Va bene anche per me.»

Si girò a guardarlo ma trovò solo la massa dei suoi capelli. Russell era assorto con gli occhi fuori dal finestrino, dalla sua parte. Quando si voltò verso di lei, la sua voce era tornata al loro momento attuale.

«C'è traffico.»

Vivien archiviò ogni risposta possibile dietro a urgenze prioritarie.

«Adesso vedrai che essere della Polizia serve a qualcosa.»

Prese il lampeggiante e lo applicò sul tetto. La Volvo si staccò dal marciapiede e si mosse veloce, districandosi in mezzo alla fila di auto che si apriva per agevolare il passaggio, preceduta e seguita dalle luci e dal suono isterico della sirena.

Arrivarono al Madison Square Park risalendo verso ovest la 23sima Strada, con una rapidità che lasciò Russell stupito.

«Me lo devi prestare, qualche volta, quell'aggeggio.»

Era tornato quello che Vivien aveva conosciuto all'inizio. Ironico e distaccato, cameratesco e nello stesso tempo lontano. Convenne, con un briciolo di risentimento verso se stessa, che la notte prima era stata un errore da non ripetere più.

«Quando questa storia sarà finita, ti farò regalare una macchina della Polizia.»

Videro subito il luogo che cercavano. Alla loro sinistra, affacciato sul parco, c'era un palazzo in costruzione, non tanto alto da essere definito un vero grattacielo, ma con un numero di piani sufficiente a farlo essere molto autorevole. C'era un senso di fervore da termitaio, in quell'agitarsi di gru e quell'affannarsi di uomini con i loro elmetti colorati sulle impalcature.

Russell si guardò intorno.

«È un numero ricorrente. Pare che tutto sia destinato a svolgersi intorno a questa strada.»

«Che intendi dire?»

Con la mano indicò un punto vago alle loro spalle.

«Siamo sulla 23sima. Il corpo di Sparrow è stato trovato a questa altezza, solo spostato verso est.»

Vivien avrebbe voluto ribattere che nel suo lavoro sincronismi come quello si verificavano molto più di frequente che nelle trame dei film. I capricci del destino e la superficialità degli uomini erano la base stessa delle indagini.

Parcheggiò la Volvo davanti al cantiere e scesero dalla macchina. Un operaio con un casco giallo si girò verso di loro a protestare.

«Ehi, non può parcheggiare qui.»

Vivien si avvicinò e mostrò il distintivo.

«Sto cercando il signor Newborn. Chuck Newborn.»

L'operaio indicò una baracca di lamiera, eretta di fianco a un grande terrazzo a sbalzo al terzo piano dell'edificio.

«Lo troverà in ufficio.»

Vivien guidò Russell verso la precaria costruzione dipinta di bianco. La porta era aperta. Salirono gli scalini e si trovarono in una stanza spoglia, il cui unico arredamento era composto da una scrivania e una sedia alla destra dell'ingresso. Chini sul piano, due uomini stavano studiando un progetto.

Uno dei due si accorse della loro presenza e alzò la testa.

«Posso fare qualcosa per voi?»

Vivien si avvicinò alla scrivania.

«Il signor Chuck Newborn?»

«Sì, sono io.»

Era un uomo alto e grosso, poco oltre la quarantina, con capelli radi e occhi chiari e le mani di chi non si tira indietro davanti ai lavori pesanti. Indossava un giubbetto catarifrangente da operaio su una giacca di jeans.

La detective si qualificò, mostrando il distintivo.

«Sono Vivien Light, del 13° Distretto. Questo è Russell Wade. Possiamo parlarle un istante?»

Un attimo di perplessità tinta d'allarme comparve sul viso dell'uomo.

«Va bene.»

Vivien ritenne opportuno sottolineare il tenore del colloquio.

«Da soli.»

Chuck Newborn si rivolse all'uomo che era alla sua destra, un tipo magro dall'aria indolente.

«Tom, vai a controllare quella gettata di cemento.»

Consapevole di essere di troppo, l'uomo chiamato Tom prese l'elmetto e uscì dalla baracca senza salutare. Vivien capì che considerava lei e Russell solo un intoppo alla sua giornata di lavoro. Newborn ripiegò il foglio che aveva e rimase in piedi dall'altra parte della scrivania, in attesa.

Vivien venne subito al motivo della sua presenza al cantiere.

«È molto che lei lavora nella Newborn Brothers?»

«Da quando ero ragazzo. Mio padre e mio zio hanno avviato l'impresa e io ho iniziato a lavorarci quando avevo diciotto anni. Mio cugino è arrivato dopo il college e cura l'amministrazione. Ora i vecchi si sono ritirati e siamo rimasti noi due a occuparci dell'azienda.»

«Era presente quando è stata costruita la casa del maggiore Mistnick, a Long Island?»

Nella mente di Chuck Newborn doveva essere suonato un segnale di pericolo. Non ebbe bisogno di eccessivi sforzi per individuare nella memoria ciò di cui stava parlando la detective.

«Sì. Brutta faccenda quella. Dopo un anno…»

«…la casa esplose.»

L'uomo mise le mani avanti.

«Fu aperta un'inchiesta. Noi fummo sentiti dalla Polizia ma ne siamo usciti puliti.»

«Lo so, signor Newborn. Non la sto accusando di nulla. Vorrei solo farle alcune domande rispetto a quel periodo.»

Diede a Newborn qualche istante per tranquillizzarsi. Poi continuò con voce calma il suo interrogatorio.

«Ricorda se un certo Mitch Sparrow lavorava in quel cantiere?»

«Il nome mi dice qualcosa ma non riesco a focalizzare un viso.»

Vivien mostrò la foto che le aveva dato Carmen Montesa.

Il ricordo apparve sul viso dell'uomo, prima che nella sua voce.

«Ah, lui. Certo. Era un bravo ragazzo. Fanatico delle moto ma un buon lavoratore.»

«Ne è sicuro?»

L'uomo si strinse nelle spalle.

«A quell'epoca la Newborn Brothers non era quella di adesso. Ci occupavamo soprattutto di ristrutturazioni e di piccole costruzioni. Gli operai non erano tanti. Era un periodo eroico e i ricordi di certi momenti si fissano bene nella mente.»

L'uomo non fece alcun cenno alla scomparsa del suo operaio di un tempo. Vivien pensò che non ne fosse al corrente e per il momento preferì non inserire un nuovo elemento nella conversazione.

«Le risulta che Sparrow avesse qualche amico, che frequentasse qualcuno in particolare, in quel periodo?»

«No. Era un tipo tranquillo. Finiva il lavoro e tornava a casa dalla moglie e dal figlio. Non parlava d'altro.»

«È successo qualcosa di strano al cantiere? Per quel che può ricordare ci sono stati episodi particolari o persone che abbiano attirato la sua attenzione?»

«No, non mi pare.»

L'uomo fece un mezzo sorriso.

«A parte il Fantasma del Cantiere.»

«Prego?»

«C'era un tipo che aveva la faccia, la testa e le mani completamente deturpate da cicatrici. Un vero mostro. A tutti erano sembrate cicatrici da ustioni.»

A quelle parole altre ne scorsero come su un display nella mente di Russell e Vivien. Parole scritte su una lettera delirante che altrettanto delirio aveva trovato.

*Tritolo e napalm, che per mia sfortuna ho imparato a cono-
scere fin troppo bene...*

Newborn chinò la testa e si guardò le mani, forse imbarazzato da quello che stava per dire.

«Mio cugino e io, con la crudeltà dei ragazzi, lo avevamo
soprannominato il Fantasma del Cantiere, sulla scia del Fantasma dell'Opera.»

«Ricorda il nome?»

«Assolutamente no.»

«Non avete una copia delle buste paga?»

«Sono passati quasi vent'anni. Non siamo tenuti a conservare certi documenti per un tempo così lungo.»

Vivien assunse il tono più rassicurante che le riusciva di
trovare.

«Signor Newborn, io non sono un agente del Fisco. Sono
qui per un motivo estremamente importante. Qualsiasi dettaglio, anche il più insignificante, può essere essenziale, per noi.»

Chuck Newborn cedette e aprì i registri fasulli della sua
azienda.

«A quell'epoca, per contenere i costi, prendevamo anche
degli operai in nero. Adesso non sarebbe più possibile, perché la società ha un giro d'affari da sconsigliare o addirittura
non consentire certi sotterfugi. Ma allora eravamo costretti a
farlo, per sopravvivere. Quella gente veniva pagata sull'un-
ghia, senza troppe carte in giro.»

«Ricorda altri dettagli su quel tipo?»

«Mio padre ne parlò una sera cena. Era arrivato, offrendosi
a un costo che era sembrato a lui e mio zio molto conveniente.
Inoltre si era dimostrato parecchio bravo. Mentre stavano parlando davanti al cantiere, quell'uomo aveva calcolato in un attimo, a occhio, la quantità di ferro e cemento per le fondazioni.»

«E non ha più lavorato per voi?»

«No. Subito dopo la fine dei lavori a casa Mistnick se n'è andato.»

Vivien si impose di non essere così serrata nelle domande. Concesse un attimo di pausa al suo interlocutore, che sembrava sempre più preoccupato a mano a mano che la conversazione procedeva.

«E sull'incidente che mi dice?»

«Una notte la casa esplose, uccidendo il maggiore e tutta la sua famiglia. Anzi, sarebbe meglio dire che implose, accartocciandosi su se stessa in modo perfetto, quasi senza danneggiare quelle intorno.»

Vivien guardò Russell. Tutti e due avevano pensato la stessa cosa. Quel tipo aveva dimostrato la stessa diabolica abilità dimostrata col ferro e col cemento nel calcolare le quantità di esplosivo da piazzare e il modo per farle esplodere.

«Ne avete parlato con la Polizia, all'epoca?»

Il senso di colpa arrivò come un'ombra sul viso di Chuck Newborn.

«Temo di no.»

Il motivo era evidente. Lo aveva appena esposto con chiarezza. Parlarne sarebbe equivalso a consegnarsi nelle mani del Fisco, con le inevitabili conseguenze. Vivien sentì uno sbocco d'ira arrivare come un soffio di vento caldo.

«E non vi è venuto in mente che il comportamento di quel tipo potesse essere stato quantomeno sospetto, viste le circostanze?»

Newborn chinò il capo, senza trovare una ragione plausibile da fornire per l'inconscia forma di omertà della quale era appena stato accusato.

Vivien sospirò. Come già aveva fatto con Carmen Montesa, tirò fuori dal portafoglio un biglietto da visita, scrisse sul retro il suo cellulare e lo tese all'uomo.

«Per ora è tutto. Le lascio i miei numeri. Se le venisse in mente qualcosa mi avverta, a qualsiasi ora.»

L'uomo prese il biglietto e rimase un attimo a guardarlo, come se temesse di trovarci un mandato di arresto.

«Certo, stia tranquilla.»

«Arrivederci, signor Newborn.»

Arrivò un saluto di risposta che quasi non sentirono, tanto era stato pronunciato a bassa voce. Vivien e Russell presero la porta e uscirono. Nessuno dei due aveva la certezza, ma dentro di loro erano entrambi sicuri che l'uomo con il viso ustionato e che per scherzo era stato definito il Fantasma del Cantiere era la persona che stavano cercando. Scesero i gradini e si diressero verso la macchina, lasciando uno dei titolari della Newborn Brothers solo con la sensazione di essersi macchiato di una grave colpa, anche se non sapeva quale. La spiegazione sarebbe stata molto semplice, qualora avessero potuto darla. Forse non altrettanto semplice da accettare.

Se la Newborn Brothers a suo tempo non avesse risparmiato sui costi, quell'uomo sarebbe stato preso e anni dopo forse si sarebbero risparmiate decine di vite umane.

CAPITOLO 26

Russell e Vivien si ritrovarono ancora in strada.

Il cielo era tornato azzurro e la città aveva assorbito il nuovo affronto della notte precedente nascondendolo nel traffico e nell'apparenza di un giorno qualunque. Davanti ai loro occhi il Madison Square Park presentava l'aspetto che di solito aveva in una bella giornata di quella stagione. Pensionati in cerca di sole con cani in cerca di piante. Mamme con bambini troppo piccoli per avere l'età di andare a scuola e adolescenti troppo pigri per averne voglia. Al centro, un mimo truccato come la Statua della Libertà attendeva immobile che qualcuno gettasse una moneta nella latta che aveva a terra davanti a lui per gratificarlo con un paio di movimenti. Mentre guardava quella scena familiare, Vivien ebbe la sensazione che di colpo una delle persone che la animavano si sarebbe girata verso di lei e avrebbe mostrato un viso sconvolto dalle cicatrici.

Fermò Russell, che già si stava avvicinando alla macchina.

«Hai fame?»

«Non molta.»

«Ci conviene mangiare qualcosa. Ora ce lo possiamo permettere, in attesa che le ricerche ordinate da Bellew diano qualche risultato. Poi potremmo non avere più tempo. Per esperienza ti posso assicurare che uno stomaco che brontola non favorisce la concentrazione.»

Sull'angolo del parco, dall'altra parte della via, c'era un chiosco dipinto di grigio che serviva hot dog e hamburger. Pur nella sua semplicità, era di una certa eleganza e si inseriva senza strepito nel contesto naturale. Vivien indicò una fila di gente in attesa.

«Le guide dicono che questo sia il migliore di New York. All'ora di pranzo la coda arriva fino a Union Square.»

«Okay. Vada per un hamburger.»

Attraversarono la strada e si misero in coda. Finalmente, Vivien tradusse in parole quello che di certo era un interrogativo comune.

«Che ne pensi di quello che ha detto Newborn? L'uomo con le cicatrici, intendo.»

Russell ci mise un attimo prima di esporre la conclusione alla quale era arrivato.

«Per me è lui il nostro uomo.»

«Anche per me.»

Con questo avevano suggellato la loro responsabilità. Da quel momento in poi quella era la pista da seguire con tutti i mezzi che avevano a disposizione. Se si fosse rivelata quella sbagliata avrebbero avuto per sempre sulla coscienza, a torto o a ragione, la responsabilità della morte di molte persone. Il numero esatto era nelle loro mani e in quelle di un folle impegnato in una guerra avuta in eredità da un altro uomo che aveva seguito per anni la stessa pazzia.

*Nel nome del Padre...*

Vivien si ritrovò quasi senza accorgersene davanti allo sportello delle ordinazioni. Pagò due cheeseburger e due bottiglie d'acqua. Ricevette in cambio un piccolo ricevitore elettronico con il quale sarebbero stati avvertiti quando il cibo era in consegna.

Si allontanarono dal chiosco e raggiunsero una panchina poco distante. Russell si sedette con un'ombra sul viso.

«Ti prometto che questa è l'ultima volta.»

«L'ultima volta che cosa?»

«Che paghi per me.»

Vivien lo guardò. Era sinceramente dispiaciuto. Lei sapeva che da quella situazione si sentiva umiliato. In un certo senso, quella era una cosa stupefacente. Dell'uomo che Russell Wade era stato fino a pochi giorni prima sembrava essersi persa ogni traccia.

Di colpo, come un maleficio davanti a un parola magica. Purtroppo sembrava svanita nel nulla anche la persona con la quale aveva diviso una notte in cui il tempo sembrava essersi fermato. E che un'esplosione aveva iniziato a scandire di nuovo.

Si disse che era stupida a rimpiangere quello che in realtà non c'era mai stato. Chinò gli occhi sull'oggetto che teneva fra le mani, delle dimensioni di un vecchio telecomando da televisore.

«Ecco, deve essere una cosa come questa che usa.»

«Chi e a fare che?»

«Quello che fa scoppiare le bombe. Probabilmente è da un aggeggio simile che fa partire gli impulsi che innescano le esplosioni.»

Mentre stavano osservando quell'innocuo marchingegno di plastica e plexiglas, che in altri casi poteva diventare un'arma letale, il cicalino del ricevitore li sorprese e li fece quasi sobbalzare. Era il segnale che li chiamava a ritirare le ordinazioni.

Russell si alzò e le prese il ricevitore dalle mani.

«Vado io. Almeno questo lasciamelo fare.»

Vivien lo vide presentarsi allo sportello, restituire il ricevitore e avere in cambio un vassoio con il cibo. Tornò verso di lei e depose il piatto di plastica sulla panchina fra loro.

Scartocciarono gli hamburger e iniziarono a mangiare in silenzio. Il cibo era lo stesso, ma l'atmosfera era molto diversa da quando avevano mangiato insieme a Coney Island, soli davanti al mare. Quando Russell si era confidato e lei era sicura di averlo compreso.

Ora si rendeva conto di avere capito solo quello che desiderava capire.

*Dipende dal lupo che nutri di più...*

La suoneria del cellulare la sorprese al centro di questi pensieri e la riportò a quando e a dove. Osservò il numero comparso sul display senza riuscire a riconoscerlo. Attivò la comunicazione.

«Detective Light.»

Le arrivò alle orecchie una voce conosciuta.

«Buongiorno, signorina Light. Sono il dottor Savine, uno dei medici che seguono sua sorella.»

Quella voce e quelle parole richiamarono immagini nella mente di Vivien. La clinica Mariposa a Cresskill, Greta con occhi senza immagini persi nel vuoto, i camici bianchi che volevano dire sicurezza e angoscia insieme.

«Mi dica, dottore.»

«Purtroppo non ho delle buone notizie per lei.»

Vivien attese in silenzio il seguito, stringendo istintivamente il pugno. La sicurezza era svanita ed era rimasta solo l'angoscia.

«Le condizioni di sua sorella si sono improvvisamente aggravate. Non sappiamo di preciso che cosa aspettarci e di conseguenza non so di preciso che cosa dire a lei. Ma questo nuovo corso non promette niente di buono. Sono stato sincero, come mi aveva chiesto fin dall'inizio.»

Vivien chinò la testa, lasciando che le lacrime le scorressero sulle guance.

«Certo dottore, la ringrazio. Io purtroppo non posso essere lì in questo momento.»

«Capisco. La terrò informata, signorina Light. Mi dispiace molto.»

«Lo so. Grazie ancora.»

Chiuse la comunicazione e si alzò di scatto dalla panchina, dando le spalle a Russell e asciugandosi gli occhi con il dorso della mano. Il suo primo impulso sarebbe stato quello di mollare tutto e tutti, prendere la macchina e correre da sua sorella, a dividere con lei i pochi frammenti di vita insieme che ancora restavano loro. Ma non lo poteva fare. Per la prima volta nella sua vita maledisse il suo lavoro, il dovere che la costringeva come una gabbia, il significato di quel distintivo. Maledisse quell'uomo che nel suo delirio la teneva lontana da quello che più amava e che le faceva sembrare quello che amava sempre più lontano.

«Andiamo.»

Russell aveva capito che una brutta notizia era arrivata a sconvolgerla. Chiunque lo avrebbe capito. Trainato dalla sua voce brusca, si alzò dalla panchina, gettò il vassoio nel contenitore dei rifiuti e la seguì in silenzio fino alla macchina, senza chiedere nulla.

Vivien gliene fu grata.

Tornarono al Distretto con le stesse modalità dell'andata, il lampeggiante e la sirena che aprivano loro la strada in mezzo al traffico, un biglietto per un viaggio agevolato che a volte poteva costare molto caro.

Arrivarono alla meta senza scambiare una parola. Per tutto il tempo Vivien aveva guidato come se il destino del mondo dipendesse dalla velocità con cui rientrava alla base, le macchine che incrociavano e superavano nascoste a tratti dal viso di sua sorella.

Mentre si slacciava la cintura, Vivien si chiese se in quel preciso istante fosse ancora viva. Sollevò il viso e guardò Russell. Si accorse che per tutto il viaggio si era dimenticata della sua presenza.

«Scusami. Non è una bella giornata per me, oggi.»

«Non c'è problema. Dimmi se posso aiutarti in qualche modo.»

*Ma certo che puoi aiutarmi in qualche modo. Potresti abbracciarmi e permettermi di essere una ragazza qualunque che piange sulla spalla di qualcuno e...*

Cancellò quel pensiero col suono della voce.

«Grazie. Adesso passa.»

Scesero dalla macchina ed entrarono nel Distretto. Salirono veloci di sopra, nell'ufficio del capitano. Ormai la presenza di Russell era considerata da tutti un fatto acquisito, anche se non da tutti accettata. Senza fornire troppi dettagli, il capitano aveva detto ai suoi uomini che era una persona informata dei fatti, che stava collaborando con Vivien a un'indagine che richiedeva la sua costante partecipazione. Vivien sapeva che i suoi colleghi non erano stupidi e che prima o poi qualcuno avrebbe annusato qualcosa. Ma per il momento, malumori a parte, bastava che facessero finta di niente finché tutto non fosse risolto.

Quando li vide arrivare, il capitano sollevò il viso dai documenti che stava firmando.

«Allora?»

«Forse abbiamo una traccia.»

Bellew chiuse subito la cartellina che aveva davanti. Russell e Vivien si sedettero davanti alla scrivania. In poche parole la detective raccontò del signor Newborn e del Fantasma del Cantiere, un tipo dal viso sfigurato che in modo molto sospetto aveva mostrato un evidente interesse a lavorare nella costruzione della casa del maggiore Mistnick. Spiegò con quale perfezione la casa fosse implosa e con quanta accuratezza dovevano essere state posizionate le cariche per ottenere quel risultato.

Il capitano si appoggiò allo schienale della sedia.

«Ripensando al contenuto della lettera e alla precisione delle esplosioni più recenti, potrebbe essere la persona giusta.»

«È quello che pensiamo anche noi.»

«Ora resta solo da verificare la sua presenza in altri cantieri e risalire al nome. In che modo e in quanto tempo non lo so. Una cosa utile che possiamo fare nel frattempo è approfondire le indagini su questo maggiore. Farò svolgere delle ricerche presso l'esercito. Per quanto riguarda noi, mi hanno appena chiamato Bowman e Salinas dalla Pike's Peak. Hanno il materiale che stiamo cercando. Penso che fra poco saranno qui. Dagli altri uomini che ho mandato in giro non ho ancora novità.»

Il telefono sulla scrivania iniziò a squillare. Vivien vide dalla spia sul quadro dell'apparecchio che la chiamata arrivava dall'atrio. Il capitano allungò la mano e portò la cornetta all'orecchio.

«Che c'è?»

Rimase un attimo ad ascoltare. Poi si concesse uno scatto d'ira.

«Cristo santo, gli ho detto di venire da me appena rientravano. Adesso si fanno prendere dalle manie di etichetta e si fanno annunciare? Falli salire e alla svelta.»

Il telefono ritornò al suo alloggiamento naturale con un poco più di forza del dovuto. Il led si spense.

«Teste di cazzo.»

Vivien era rimasta sorpresa da quello scoppio di nervi. Di

solito Bellew era una persona misurata, che tendeva anzi a diventare impassibile quando si trovava sotto pressione. Tutti, al Distretto, almeno una volta avevano avuto a che fare con la sua voce calma e fredda, che rendeva ancora più efficace la lavata di capo che stavano ricevendo. Un simile scatto non era da lui. Subito dopo ricordò a se stessa che in quelle circostanze, con tutti quei morti alle spalle e la prospettiva di altri morti davanti, sarebbe diventato sempre più difficile definire *che cosa* fosse da *chi*.

Preceduti dal rumore di passi sulle scale, le sagome di due agenti si profilarono nel vetro smerigliato della porta. Bellew con voce alta e non senza un cenno di sarcasmo disse «Avanti» prima che uno dei due avesse il tempo di bussare.

Gli agenti Bowman e Salinas entrarono con l'aria mogia, reggendo ognuno una grossa e pesante scatola di cartone. Di certo il collega di piantone doveva aver riferito loro le parole del capitano.

Bellew indicò il pavimento di fianco alla scrivania.

«Mettetele qui.»

Non appena le scatole furono posate a terra ed ebbe modo di vedere l'interno, a Vivien prese lo sconforto. Erano piene di tabulati. Se anche gli schedari delle altre società avessero avuto quella mole di documenti, confrontarli sarebbe diventato un lavoro lunghissimo. Alzò la testa a guardare Russell e capì che anche lui aveva pensato la stessa cosa.

Il capitano, ancora chino a esaminare l'interno delle scatole, espresse in parole il pensiero di tutti.

«Porca miseria, ma questa è l'Enciclopedia Britannica.»

L'agente Bowman cercò di riabilitare se stesso e il suo collega agli occhi del superiore posando sulla scrivania anche un sottile quadrato di plastica nera.

«Insieme al cartaceo abbiamo pensato che potesse essere utile avere i file. Mi sono fatto masterizzare un cd con tutti i dati.»

«Ottimo lavoro, ragazzi. Potete andare.»

Liberati da quest'ultima affermazione del capitano, i due ritrovarono la porta e un briciolo di sollievo. Vivien avvertiva la loro curiosità per una ricerca che erano stati chiamati a compiere senza saperne del tutto la finalità. In effetti c'era nell'aria la curiosità di tutti, per quella serie di fatti anomali che stavano sconvolgendo la normale prassi inquisitoria: la presenza di Russell, l'ansia inusuale del capitano, il silenzio di Vivien, il segreto che circondava l'indagine. Era certa che ormai tutti avevano capito che riguardava da vicino le due esplosioni che si erano succedute nel giro di tre giorni. Anche da quella parte, con tutta la buona fede del mondo, poteva esserci una percentuale di pericolo, per cui era vitale fare in fretta.

Russell la precedette di una frazione di secondo nel mettere sul tavolo le sue perplessità.

«Per fare in fretta, ci vorranno un sacco di uomini per questo lavoro.»

Se il capitano era stato colto per un attimo dallo stesso avvilimento, lo aveva già superato. La sua voce era positiva e propositiva, mentre forniva l'unica risposta possibile.

«Lo so. Eppure dobbiamo riuscirci a tutti i costi. Per ora non possiamo fare nulla, finché non arrivano gli altri dati. Poi in qualche modo ci organizzeremo, dovessi mettere al lavoro tutti i poliziotti di New York.»

Vivien si alzò e andò a prendere un fascicolo dalla scatola. Tornò a sedersi e se lo appoggiò in grembo. Sulle righe alterne bianche e azzurre delle pagine spiccava un lungo elenco di nomi, memorizzati in ordine alfabetico. Iniziò a scorrerli, per togliersi di dosso quel senso di ristagno che la situazione contingente aveva portato nella mente di tutti.

Una serie senza fine di lettere con una sequenza quasi ipnotica per gli occhi che scivolavano sul foglio

*A*
*Achieson, Hank*
*Ameliano, Rodrigo*
*Anderson, William*
*Andretti, Paul*

e poi tutti gli altri fino alla pagina dopo

*B*
*Barth, Elmore*
*Bassett, James*
*Bellenore, Elvis*
*Bennett, Roger*

e poi ancora nomi fino alla nuova pagina

*C*
*Castro, Nicholas*
*Cheever, Andreas*
*Corbett, Nelson*
*Cortese, Jeremy*
*Crow…*

Gli occhi di Vivien si bloccarono di colpo e quell'ultimo nome divenne gigantesco nella sua immaginazione. Poi subito lo collegò a un sorriso soddisfatto, quando lei aveva trattato come una pezza da piedi la povera Elisabeth Brokens. Si alzò di scatto, facendo cadere a terra l'incartamento.

Alle espressioni stupite di Russell e di Bellew lasciò due sole parole.

«Aspettatemi qui.»

Raggiunse la porta a passo spedito e scese le scale con tutta la velocità che le era possibile senza rischiare di rompersi l'osso del collo a ogni gradino. Dentro di lei vibravano l'eccitazione e la leggera euforia dell'adrenalina, arrivata di colpo in circolo. Dopo tanti forse e tanti se, dopo una sequenza interminabile di «Non ricordo», finalmente un piccolo colpo di fortuna. Arrivò nell'atrio pregando che quella sua speranza, nata dalla casualità più pura e benedetta, non si rivelasse un'illusione alla verifica dei fatti.

Attraversò l'atrio e uscì dalla porta a vetri. Sui gradini si fermò e si guardò un attimo intorno.

Una macchina con due agenti a bordo stava facendo retromarcia per uscire dal parcheggio di fianco all'ingresso del Distretto. Vivien fece loro un segno e scese di corsa la breve scalinata. Raggiunse la macchina, vedendo il riflesso del cielo sparire dal vetro del finestrino abbassato dall'agente.

«Dovete darmi un passaggio fino alla Terza Avenue, all'angolo con la 23sima Strada.»

«Sali.»

Aprì la portiera posteriore e si sedette in un posto che di solito era riservato alle persone arrestate. Tuttavia Vivien aveva troppa furia per cogliere la bizzarria di quel dettaglio.

«Usate la sirena.»

Senza chiedere spiegazioni, l'agente alla guida accese il lampeggiante e partì deciso, con un leggero stridere di pneumatici. Quel viaggio di tre isolati le sembrò lunghissimo, tanta era la smania di arrivare. Quando rivide le transenne di plastica arancione del cantiere, rivisse la scoperta del cadavere di Mitch Sparrow, un caso che poteva essere solo un nuovo fascicolo negli schedari e che invece aveva avviato tutta quella storia pazzesca. E che forse si sarebbe rivelato fondamentale per concluderla. Sembrava che la follia, del caso e degli uomini, fosse il filo rosso da seguire per collegare fra loro fatti e personaggi.

La macchina non era ancora ferma del tutto che Vivien aveva aperto la portiera e si apprestava a scendere.

«Grazie, ragazzi. A buon rendere.»

Non sentì la risposta, non sentì la macchina ripartire. Era già accanto a un operaio appena uscito dal varco nella staccionata di confine. Lo confuse con la sua fretta evidente e la concisione delle sue parole.

«Dove trovo il signor Cortese?»

L'uomo indicò un punto oltre lo steccato.

«Stava salendo dietro di me.»

Dopo un attimo apparve la figura di Jeremy Cortese. Indossava lo stesso giubbetto del giorno in cui si erano incontrati. Quando se la vide venire incontro la riconobbe subito. Difficile dimenticare qualcuno che richiama alla memoria la scoperta di un cadavere.

«Buongiorno, signorina Light.»

«Signor Cortese, ho bisogno di rivolgerle alcune domande.»

Con un briciolo di perplessità, che comprendeva la mancanza di alternative, il capocantiere si mise a disposizione.

«Dica pure.»

Vivien si allontanò di qualche passo. Il posto in cui erano serviva da passaggio e avrebbero potuto disturbare ed essere disturbati dal lavoro degli operai. Si mise di fronte a Cortese e scandì le parole per essere più chiara possibile, come se lei e quell'uomo parlassero due lingue differenti.

«Ho bisogno che faccia un grosso sforzo di memoria. Lo so che sono passati anni ma è importante quello che lei mi risponderà. Molto importante.»

L'uomo confermò con un cenno di avere capito e aspettò

in silenzio il seguito. Vivien pensò che sembrava un concorrente di *Chi vuol essere milionario?*, tutto teso nella sua concentrazione.

«So che lei ha lavorato per l'impresa che ha costruito il palazzo nel Lower East Side, quello dove c'è stato l'attentato sabato scorso.»

Un'ombra di timore e di allarme arrivò a coprire lo sguardo del capocantiere. Quel breve preambolo gli aveva appena comunicato la notizia che la Polizia stava indagando su di lui. Le sue spalle si afflosciarono un poco e il suo tono di voce divenne l'esito del suo malessere.

«Signorina, prima di continuare le faccio io una domanda. Mi serve un avvocato?»

Vivien cercò di metterlo a suo agio e di essere il più possibile rassicurante.

«No, signor Cortese, non ha bisogno di un avvocato. Lo so benissimo che lei non c'entra niente. Voglio solo sapere un paio di cose al riguardo.»

«Mi dica.»

La domanda si posò come un fissante sulla sua espressione ancora smarrita.

«Fra gli uomini che hanno lavorato con lei alla costruzione di quell'edificio, ricorda se ce n'era uno con il viso e la testa sfigurati da cicatrici?»

La risposta arrivò subito, senza esitazioni.

«Sì.»

Il cuore di Vivien saltò un battito.

«Ne è sicuro?»

Dopo il primo duro colpo alla sua serenità, Cortese sembrava rassicurato dalla piega presa dal procedere del colloquio. Sembrava ansioso di rispondere per poter archiviare quella conversazione fra i ricordi poco piacevoli.

«Non era nella mia squadra ma ricordo di avere incrociato diverse volte un tipo con la faccia rovinata in quel modo. Devo dire che un viso del genere si faceva notare.»

Il cuore era diventato un lungo percorso sospeso nel petto di Vivien.

«Ricorda anche come si chiamava?»

«No. Non ci ho nemmeno mai parlato.»

La delusione arrivò e subito scomparve dalla mente di Vivien, cancellata dalla magia di un'idea.

«Dio la benedica signor Cortese. Dio la benedica mille volte. Lei non immagina nemmeno quanto mi è stato utile. Torni pure a lavorare e stia tranquillo.»

Appena il tempo di ricambiare la stretta di mano e poi Vivien gli girò le spalle, lasciando solo in mezzo alla strada un uomo sollevato e allibito. Prese il cellulare e compose il numero diretto del capitano.

Non gli diede nemmeno il tempo di dire il suo nome.

«Alan, sono Vivien.»

«Che succede? Dove sei finita?»

«Puoi richiamare gli uomini. La ricerca sui nomi non serve più.»

Attese un attimo, per dare tempo alla curiosità di Bellew di sintonizzarsi con quello che stava per chiedergli.

«Devi sguinzagliare quanta più gente puoi in ogni ospedale di New York. Devono andare in tutti i reparti oncologici a verificare se, nell'ultimo anno e mezzo, è morto presso di loro un uomo con il viso sfigurato da cicatrici da ustioni.»

*Ora che il cancro ha fatto il suo lavoro e io sono da un'altra parte…*

Bellew, come tutti d'altronde, ormai sapeva quella lettera a memoria. L'eccitazione di Vivien divenne subito anche la sua.

«Sei grande, ragazza. Metto subito gli uomini in caccia. Ti aspettiamo qui.»

Vivien chiuse il telefono e tornò a infilarlo in tasca. Mentre tornava di buon passo verso il Distretto, confusa tra la folla, avrebbe pagato qualsiasi cifra per essere una donna qualunque in mezzo a gente qualunque. Invece a ogni persona che incrociava si chiedeva con angoscia se era una di quelle che avrebbe perso o una di quelle che avrebbe salvato. Anche per loro, tenne sospesa per aria una speranza. Forse l'uomo che aveva lasciato dietro di sé una scia di bombe come i sassolini di una tragica fiaba, morendo come tutti gli esseri umani aveva lasciato dietro di sé anche un nome e un indirizzo.

# CAPITOLO 27

Padre McKean si fece strada di malavoglia fra la gente che affollava il Boathouse Café. Sul suo viso erano evidenti le tracce della notte insonne, passata davanti al televisore a risucchiare con l'avidità di un assetato le immagini dallo schermo e nello stesso tempo a respingerle dalla mente come un pensiero orrendo.

*Io sono Dio...*

Quelle parole continuavano a risuonare nella sua testa, come l'infame colonna sonora delle visioni che la memoria continuava a ripercorrere. Le auto distrutte, le case danneggiate, il fuoco, le persone ferite e coperte di sangue. Un braccio, staccato da un corpo per la violenza dell'esplosione, che giaceva sull'asfalto, impietosamente inquadrato dalle telecamere.

Tirò un profondo respiro.

Aveva pregato a lungo, chiedendo conforto e illuminazione là dove di solito li trovava. Perché la Fede era sempre stata la sua consolazione, il punto da cui era partito e il punto a cui arrivava ogni volta, qualunque fosse la natura del percorso. Grazie alla Fede era iniziata la sua avventura con la comunità e grazie ai risultati che avevano ottenuto con molti ragazzi, si era permesso di sognare. Altre Joy, altre case dislocate per tutto lo Stato nelle quali i giovani attratti dalla droga avrebbero avuto la possibilità di smettere di sentirsi falene davanti a una candela. I ragazzi stessi erano stati, da un certo punto in poi, la sua forza.

Invece quella mattina si era aggirato fra loro cercando di nascondere la sua pena, sorridendo quando gli si chiedeva di sorridere e rispondendo quando gli si chiedeva di rispondere. Ma non appena restava solo tutto tornava a ricadergli addosso, come oggetti stipati a casaccio in un armadio.

Per la prima volta nella sua vita sacerdotale, non sapeva che fare.

Si era trovato in quella situazione già nel passato. Quando ancora viveva nel mondo, prima di capire che quello che voleva fare della sua vita era servire Dio e il suo prossimo. Aveva risolto le sue perplessità e le sue ansie entrando nella pace del seminario. Questa volta era diverso. Aveva chiamato il cardinale Logan senza eccessive speranze. Se fosse stato a New York, lo avrebbe incontrato più per avere un conforto morale che per avere una autorizzazione che sapeva non sarebbe mai arrivata. Non nei tempi e alle condizioni che sarebbero state necessarie. Conosceva bene le ferree regole che governavano quella parte del rapporto con i fedeli. Era uno dei punti fermi del loro Credo, era la certezza per chiunque di potersi accostare al sacramento della Confessione con animo libero e senza timori. Offrendo il suo pentimento in cambio della purificazione dei suoi peccati. Ma la Chiesa in qualità di suo ministro lo condannava al silenzio e così condannava a morte altre centinaia di persone, se quegli attentati fossero continuati.

«E così lei è il famoso padre McKean, il fondatore di Joy.»

Il sacerdote si girò in direzione della voce. Si trovò davanti una donna alta, sulla quarantina, con i capelli scuri e inappuntabili. Era troppo truccata, troppo elegante e forse troppo ricca. Reggeva due bicchieri pieni di un liquido che doveva essere champagne.

La donna non attese la conferma. D'altronde la sua non era una domanda, esprimeva solo un dato di fatto.

«Mi avevano detto che lei era un uomo molto carismatico e molto affascinante. E avevano ragione.»

Gli tese uno dei due calici. Frastornato da quelle parole, padre McKean lo prese d'istinto. Aveva avuto l'impressione che, se non lo avesse sostenuto fra le dita, la donna l'avrebbe in ogni caso lasciato e sarebbe caduto a terra.

«Mi chiamo Sandhal Bones e sono una delle organizzatrici della mostra.»

La donna strinse la mano che le aveva teso e la trattenne fra le sue un attimo più del dovuto. Il sacerdote sentì l'imbarazzo aggiungersi a tutti gli stati d'animo che già lo stavano agitando. Distrasse lo sguardo e osservò nel fondo della flûte le bollicine che salivano vivaci verso la superficie.

«Dunque lei è una delle nostre benefattrici.»

La signora Bones cercò di minimizzare, senza riuscirci troppo bene.

«Benefattrice mi sembra una parola grossa. Diciamo che mi piace dare un aiuto là dove ce n'è bisogno.»

Il reverendo McKean, senza nessuna voglia, portò il bicchiere alle labbra e bevve un piccolo sorso.

«È per merito di persone come lei che Joy continua a sopravvivere.»

«È per merito di persone come lei se esiste.»

Si portò al suo fianco e lo prese sottobraccio. Un profumo delicato e senza dubbio molto costoso arrivò alle narici del sacerdote, insieme al fruscio del suo vestito.

«E adesso andiamo a vedere le opere dei suoi protetti. Mi dicono un gran bene di loro.»

Facendosi largo fra la gente in modo disinvolto, la signora Bones si mosse verso l'altro lato della balconata affacciata sul laghetto.

Il Boathouse Café era un elegante ritrovo in mezzo a Central Park, collegato al resto della città dalla East Drive. Un edificio di un solo piano, con la facciata composta da larghe vetrate che permettevano ai clienti di cenare con la vista sull'acqua e sul verde. Nella bella stagione, sulla terrazza che la percorreva tutta, venivano approntati dei tavoli per mangiare all'aperto.

In quel caso era stata organizzata, da un comitato di cui padre McKean non riusciva mai a ricordare il nome, una mostra di pittura, scultura e artigianato per tutti i ragazzi che erano affidati alle cure di istituzioni simili a quella di Joy. Per consentire loro di comunicare di persona con la gente, oltre che attraverso le loro opere. Quando gli era stata fatta balenare quell'eventualità, il sacerdote ne aveva parlato con Jubilee Manson e Shalimar Bennett. I due ragazzi erano ancora al centro di un percorso difficile ma alla fine, d'accordo con John, si era convinto che quell'esperienza non poteva che fare loro del bene.

Shalimar era una ragazza bianca che proveniva da una normale famiglia borghese. L'avevano strappata a forza dall'eroina e da una tendenza autolesionistica che le aveva segnato le braccia di cicatrici. Padre McKean non lo avrebbe confessato nemmeno all'Inquisizione, ma era la sua preferita. Aveva un viso che ispirava tenerezza e protezione. E pareva irradiare luce dagli occhi quando qualcuno le faceva dei complimenti per i suoi lavori a metà strada fra la scultura e i monili. Braccialetti, collane, orecchini che abbinavano originalità e colore, tutti realizzati con i materiali poveri più disparati.

Jubilee, un ragazzo nero di diciassette anni, veniva invece da una famiglia dove le regole erano bandite e dove l'approccio giornaliero alla sopravvivenza era diventato un assalto. La madre era una prostituta e il padre era morto accoltellato in una rissa. Suo fratello Jonas si spacciava per rapper e aveva assunto il nome d'arte di Iron7. In realtà era il capo di una gang che aveva fatto del traffico di droga e dello sfruttamento della prostituzione la sua area di interessi. Quando la madre aveva trovato nella camera di Jubilee delle pasticche di crack, aveva capito che il figlio più giovane stava per essere trascinato sulle orme dal fratello. In un momento di lucidità, colta da una fortunata intuizione, lo aveva portato a Joy da padre McKean. Lo stesso pomeriggio si era suicidata.

Superate le prime difficoltà, Jubilee si era integrato bene con la vita della comunità e poco dopo il suo arrivo aveva mostrato una notevole inclinazione verso le arti figurative, che era stata incoraggiata e coltivata. Ora alcune delle sue opere più interessanti, per quanto acerbe e da vedere in prospettiva, erano esposte per l'occasione a Central Park.

Il sacerdote e la sua accompagnatrice arrivarono nella zona dove, su dei cavalletti, erano esposte tre tele di Jubilee. Era chiara l'influenza della pop-art e nello specifico di Basquiat, ma il senso del colore e l'originalità degli accostamenti lasciavano intravedere una grande e felice possibilità di evoluzione.

Il giovane pittore era in piedi accanto alle sue opere. La signora Bones si fermò davanti ai quadri, in modo da poterli valutare con un solo colpo d'occhio.

«Ed ecco il nostro giovane artista.»

Esaminò i lavori con sguardo attento, nel quale non era assente un briciolo di perplessità.

«Be', io non sono un critico e questo non è certo Norman Rockwell. Ma devo dire che sono... che sono...»

«Esplosivi?»

Dopo aver suggerito quella definizione, padre McKean strizzò l'occhio a Jubilee, il quale fece fatica a non mettersi a ridere. La signora Bones si girò verso il sacerdote, come se quella parola l'avesse illuminata.

«Certo. È la definizione esatta. Sono esplosivi.»

«È quello che pensiamo tutti.»

Il prete, dopo la gratificazione all'ego dell'artista e alla smania da mecenate della sua accompagnatrice, cominciava a trovare ingombrante la sua presenza. Vide a pochi passi di distanza John Kortighan che parlava con un gruppo di persone. Gli lanciò un'occhiata nella quale c'era una disperata richiesta di soccorso.

Il suo braccio destro si rese conto della situazione. Si liberò di quelli con cui stava parlando e si diresse verso di loro.

Padre McKean si preparò a sganciarsi.

«Signora Bones...»

Ne ebbe in cambio uno sguardo dove le ciglia sbatterono una volta di troppo.

«Può chiamarmi Sandhal, se preferisce.»

In quel momento John arrivò al loro fianco e lo tolse dal disagio.

«Signora Bones, questo è John Kortighan, che collabora con me. È il principale artefice del buon funzionamento...»

Il sacerdote, mentre lo presentava, girò la testa verso di lui, che aveva le spalle rivolte all'acqua. I suoi occhi furono come attratti oltre. Superarono la balconata piena di gente e si fermarono sulla pista ciclabile che costeggiava sulla sinistra il laghetto.

In piedi, con le mani infilate nelle tasche dei jeans, c'era un uomo con una giacca militare verde. Padre McKean sentì il respiro mozzarsi e una vampa di calore salire al viso. Riuscì per inerzia a finire la frase di presentazione.

«...della nostra piccola comunità.»

John, diplomatico come sempre, tese la mano.

«È un piacere conoscerla, signora Bones. So che lei è una delle principali artefici di questo evento.»

Come in trance gli arrivò la risatina della donna.

«Come ho già detto a padre McKean, sono sempre disposta a fare qualcosa per il mio prossimo.»

Il sacerdote sentiva quelle frasi giungere da lontano, come ovattate dallo spazio e dalla nebbia. Non riusciva a staccare lo sguardo da quell'uomo solo, in piedi tra le biciclette che gli passavano accanto, che guardava nella sua direzione. Si disse che giacche del genere erano molto comuni e che un avvenimento come quello avrebbe destato la curiosità di chiunque. Era normale che qualcuno si fermasse a cercare di capire che cosa stava succedendo.

Nonostante questo tentativo di tranquillizzarsi, sapeva che non era così. Percepiva che quella non era una persona qualunque ma l'uomo che all'interno del confessionale gli aveva sussurrato poche parole sacrileghe insieme al suo proposito di morte.

*Io sono Dio...*

Le facce e il brusio e la gente intorno erano svaniti. Restava solo quella figura inquietante a calamitare la sua attenzione, i suoi pensieri, il suo sguardo. Il suo desiderio di misericordia. In qualche modo era certo che quell'uomo lo aveva visto e che fra tutta quella gente era lui che stava fissando.

«Scusatemi un istante.»

Non sentì neanche quello che John e la signora Bones risposero.

Si era già staccato da loro e si stava facendo largo tra la folla, diretto verso il lato opposto della balconata. Perdendo e ritrovando lo sguardo scuro di quello sconosciuto che gli era entrato dentro come una promessa di sventura. Era sua intenzione raggiungerlo e provare a parlare con lui, cercare di farlo ragionare, anche se sapeva che era un'impresa disperata. Dal canto suo, l'uomo continuava a seguirlo con gli occhi nel suo percorso, in attesa, come se fosse venuto al Boathouse Café con lo stesso intento.

Padre McKean si trovò davanti all'improvviso due persone di colore che gli sbarravano la strada.

Uno era alto poco meno di lui e indossava una giacca imbottita con cappuccio, sovradimensionata rispetto alla sua statura e di un peso decisamente inadatto alla stagione. Portava un berretto nero con la visiera di traverso, jeans e un paio di pesanti scarpe da ginnastica. Sul petto una scintillante catena d'oro.

Quello che si ergeva dietro di lui era enorme. Sembrava persino impossibile che un uomo di quella mole potesse muoversi. Era tutto vestito di nero, con una specie di bandana che gli copriva la testa e che sembrava una di quelle retine da notte un tempo usate dagli uomini per stirare i capelli.

L'uomo più magro portò una mano sul torace di padre McKean e lo bloccò.

«Dove vai, corvo?»

Pressato dall'ansia per quell'intoppo, il sacerdote girò d'istinto lo sguardo alla sua destra. L'uomo con la giacca verde era ancora là e osservava senza espressione la scena. Riportò a malincuore la sua attenzione sulla persona che aveva davanti.

«Che vuoi, Jonas? Non mi pare che tu sia stato invitato.»

«A Iron7 non serve un invito per andare in mezzo a stronzi come questi. Vero Dude?»

Il grosso, impassibile, fece un semplice cenno di conferma con la testa.

«Bene, adesso che hai dimostrato quanto sei forte, credo che tu possa andartene.»

Jonas Manson fece un sorriso, mostrando un piccolo diamante incastonato in un incisivo.

«Ehi, un momento, prete. Che fretta c'è? Sono il fratello di uno degli artisti. Non posso ammirare le sue opere come tutti gli altri?»

Diede uno sguardo in giro e, oltre le spalle di padre McKean, intravide Jubilee che era rimasto accanto ai suoi quadri e li commentava con alcune persone.

«Eccolo là, il mio ragazzo.»

L'uomo che si faceva chiamare Iron7 scostò il sacerdote e si avviò in quella direzione, seguito dalla mole impressionante di Dude, davanti alla quale i presenti facevano largo d'istinto. Padre McKean gli andò dietro, per cercare di tenere sotto controllo la situazione.

Il rapper arrivò davanti ai quadri e, senza nemmeno salutare il fratello, si mise in una plateale posa di studio davanti ai dipinti. Jubilee, nel vederlo arrivare, si era ammutolito, aveva fatto un passo indietro e si era messo a tremare.

«Be', roba forte. Roba davvero forte. Che ne dici Dude?»

Di nuovo il grassone, senza parlare, confermò le parole del suo capo con un movimento della testa. John, che aveva capito la precarietà della situazione, si avvicinò, cercando di mettere il suo corpo fra Jonas e il fratello.

«Voi non potete stare qui.»

«Ah sì? E chi l'ha detto? Tu, mezzasega?»

Il rapper si girò verso il colosso e gli sorrise.

«Dude, levami dai piedi questo coglione.»

La mano enorme dell'uomo si sporse e afferrò John per il colletto della camicia. Lo attirò a sé come se non avesse peso e lo spinse all'indietro, mandandolo a urtare contro la balaustra. Padre McKean intervenne a bloccare ogni tentativo di reazione, che avrebbe potuto portare a conseguenze molto peggiori. Se si fosse scatenata una rissa, qualcuno avrebbe potuto andarci di mezzo.

«Lascia stare, John. Ci penso io.»

Jonas si lasciò sfuggire una risata volgare.

«Ecco, bravo. Pensaci tu.»

Nel frattempo attorno a loro si era formato il vuoto. Tutte le persone che erano vicine, pur non sapendo di preciso cosa stesse capitando, avevano capito che era meglio allontanarsi da quei due soggetti variopinti dal comportamento rude e dalle facce poco raccomandabili.

«Tu e io dobbiamo parlare d'affari, prete.»

«Noi non possiamo avere affari in comune, Jonas.»

«Lascia perdere l'orgoglio. So che ve la state passando male, in quel posto. Io vi posso dare una mano. Pensavo che una ventina di grandi vi avrebbero fatto comodo.»

Padre McKean si chiese da chi quel delinquente avesse saputo delle difficoltà economiche di Joy. Di sicuro non dal fratello, che lo evitava come la peste e che ne era terrorizzato. Era chiaro che in quel momento ventimila dollari sarebbero stati manna dal cielo nelle casse deserte della comunità. Ma non potevano provenire da quell'uomo, con tutto quello che aveva alle spalle.

«Puoi tenere i tuoi soldi. Ce la caveremo da soli.»

Jonas gli puntò il dito indice sul petto. Prese a batterlo come se volesse perforargli lo sterno.

«Rifiuti il mio denaro? Pensi che sia sporco?»

Fece una pausa, come riflettendo su quello che aveva appena sentito e sul suo significato. Tornò a levare lo sguardo su padre McKean.

«Dunque il mio denaro non va bene...»

Poi indicò la gente intorno a loro ed esplose la sua ira.

«Ma i soldi di questi stronzi sì, vero? Questi uomini in giacca e cravatta e l'aria da persone per bene sono quelli che si comprano le puttane e l'altra roba che io vendo. E queste donne con l'aria da santarelline sono quelle che vanno in giro e si prendono tutti i cazzi neri che riescono a recuperare.»

Un brusio e un lamento alle sue spalle. Senza voltarsi il sacerdote capì che una delle donne presenti era svenuta. Il rapper continuò a spargere intorno il suo livore.

«Io volevo solo fare del bene. Aiutare mio fratello e quel posto del cazzo dove state.»

Jonas Manson infilò una mano in tasca e quando la tirò fuori stringeva un coltello. Padre McKean lo sentì aprirsi con uno scatto secco e vide la lama scintillare nella luce. Il vociare intorno aumentò e divenne scalpiccio di piedi sul legno della terrazza. Salirono le urla isteriche di paura di un paio di donne.

Con il coltello in mano, Jonas si girò verso Jubilee, che lo guardava terrorizzato.

«Hai sentito, fratellino? Questa cornacchia fa il grand'uomo.»

Jubilee fece ancora un passo indietro, mentre Jonas si avvicinava ai quadri. Padre McKean si spostò per cercare di intercettarlo ma Dude si mosse con una agilità impressionante per uno della sua mole. Gli passò le braccia intorno al busto e lo immobilizzò. Quando lo strinse il sacerdote sentì il dolore percorrergli i muscoli e l'aria uscirgli dai polmoni senza possibilità di ritorno.

«Stattene tranquillo, prete. Sono questioni di famiglia.»

Ancora il teppista si rivolse a Jubilee, che pareva sul punto di svenire.

«E così, tu non dici niente. Permetti a questo pezzo di merda di insultare tuo fratello.»

Fece un gesto veloce e in un fruscio di tela strappata un lungo taglio in diagonale si aprì sul quadro che aveva davanti. Stava per fare la stessa cosa con il dipinto successivo, quando da un punto alla loro destra arrivò una voce.

«Bene, ragazzi, vi siete divertiti abbastanza. Adesso giù il coltello e sdraiatevi a terra.»

Padre McKean girò la testa e vide un agente in divisa, che stava in piedi sul prato e teneva una pistola puntata su Jonas. Il rapper lo guardava indifferente, come se avere una pistola puntata addosso fosse per lui un fatto abituale.

Il poliziotto fece un gesto impaziente con la sua arma.

«Hai sentito quello che ho detto? Sdraiati a terra con le mani dietro la testa. E tu scimmione molla quell'uomo.»

Padre McKean sentì la pressione allentarsi e recuperò tutta l'aria che poteva. Dude si staccò e raggiunse il suo capo. Lentamente, come se fosse per loro gentile concessione e non per un'imposizione arrivata da fuori, si sdraiarono a terra e misero le mani sopra il capo.

Mentre l'agente li teneva sotto controllo e chiamava rinforzi via radio, il sacerdote, finalmente libero, si girò verso il laghetto. Percorse la sponda e la pista ciclabile con l'ansia del suo sguardo, alla ricerca di qualcuno che non riuscì a trovare.

Il suo incubo, l'uomo con la giacca verde, era sparito.

CAPITOLO 28

Vivien ascoltò preoccupata il variare del rumore del motore, mentre l'elicottero scendeva di quota.

Non le piaceva volare. Non le piaceva essere in balia di un mezzo sconosciuto del quale non aveva il controllo, che la faceva sobbalzare a ogni turbolenza e la metteva in apprensione a ogni variazione dei giri del rotore. Si sporse dal finestrino a osservare il suolo che si avvicinava. Sospese in una massa nera di oscurità che pareva avere invaso tutta la terra, sotto di loro c'erano le luci del mondo. Quella trionfale di una grande città e quelle più staccate, satelliti, dei piccoli centri che la circondavano. L'elicottero si inclinò e fece una virata agile verso destra. In basso, dritti alla prua dell'apparecchio, segnali luminosi delimitavano la pista di un piccolo aeroporto.

La voce intubata del pilota le arrivò nelle cuffie di sorpresa. Per tutto il tempo non avevano scambiato una parola.

«Fra poco atterreremo.»

Vivien accolse con piacere quella notizia. Sperava di partire per il viaggio di ritorno con un risultato che le consentisse di affrontare con un diverso stato d'animo quella parentesi nel vuoto e nel nero.

Erano stati colti dall'oscurità a metà del tragitto e Vivien aveva capito il bisogno di una macchina dotata del volo strumentale, anche se non riusciva a capacitarsi di come il pilota potesse districarsi e decifrare qualcosa in quell'orgasmo di schermi colorati che aveva di fronte.

Di fianco a lei, appoggiato al vetro dalla sua parte, la testa leggermente inclinata all'indietro, Russell si era tolto le cuffie e dormiva, russando un poco. Vivien rimase qualche istante a osservarlo al riverbero delle luci del quadro comandi. Ne ebbe in cambio l'immagine del suo capo appoggiato sul cuscino, il suo respiro regolare nella penombra, la sera in cui si era alzata dal letto per raggiungere la finestra.

La sera in cui il mondo era esploso, in tutti i sensi.

Come se quell'immagine fosse stata proiettata di prepotenza nel suo sonno, Russell aprì gli occhi.

«Devo essermi addormentato.»

«A meno che tu non russi anche da sveglio, direi di sì.»

Si girò a guardare fuori dal finestrino, sbadigliando.

«Dove siamo?»

«Stiamo scendendo. Siamo arrivati.»

«Bene.»

Vivien tornò a studiare il terreno sotto di loro che, dopo quella breve assenza, si preparava a riceverli di nuovo, anche se a molte miglia di distanza dal posto da cui erano partiti. Sentiva l'urgenza risucchiarla verso il basso come un vortice e la responsabilità gravarle sulle spalle molto di più dell'aria che aveva sopra di lei.

*Dopo il suo colloquio con Jeremy Cortese, ci era voluto quasi tutto il resto della giornata per arrivare a un risultato. Bellew si era messo in contatto con Willard, il capo della Polizia, che subito aveva disposto il supporto che serviva per quel tipo di ricerca. Un numero imprecisato di agenti si era sparpagliato per gli ospedali grandi e piccoli di Manhattan, del Bronx, del Queens e di Brooklyn.*

*Codice RFL.*

*L'indagine era stata estesa anche a quelli del New Jersey, chiedendo l'appoggio della Polizia locale. Loro tre erano rimasti in attesa nell'ufficio al secondo piano, ognuno alle prese con i suoi spettri personali e i suoi dubbi mezzi per esorcizzarli.*

*Vivien aveva diviso il suo tempo fra il desiderio che il telefono del capitano squillasse e il timore che squillasse il suo cellulare, portando cattive notizie dalla clinica dove era ricoverata Greta. Russell si era seduto su una poltrona e aveva appoggiato le gambe sul tavolino davanti a lui. Guardava nel vuoto, dimostrando un potere di astrazione di cui lei non lo faceva capace. Il capitano aveva continuato per tutto il tempo a leggere dei rapporti, ma Vivien era pronta a scommettere che di quello che c'era sulle pagine non aveva assimilato una sola parola. Il silenzio era diventato la tela di un ragno dalla quale nessuno aveva voglia di districarsi. I discorsi avrebbero portato solo altre congetture e altre speranze e in quel momento tutto quello che serviva era un messaggio concreto dalla realtà.*

*Quando il telefono sulla scrivania era squillato, la luce oltre i vetri segnava sui muri l'approssimarsi del tramonto. Il capitano aveva portato all'orecchio la cornetta con una rapidità che, nonostante le circostanze, Vivien era riuscita a definire dentro di sé da cartone animato.*

*«Bellew.»*

*L'espressione impassibile del capitano non aveva dato soddisfazione ai visi ansiosi di Russell e di Vivien.*

*«Aspetta.»*

*Aveva preso una penna e un foglio e Vivien lo aveva visto scrivere sotto dettatura parole frettolose.*

*«Magnifico lavoro, ragazzi. I miei complimenti.»*

*Il ricevitore non era ancora tornato al suo posto che il capi-*

*tano aveva sollevato la testa e teso verso di lei l'appunto che si era segnato. Vivien l'aveva preso come un oggetto che era stato nel fuoco fino a poco tempo prima.*

«*Abbiamo un nome. Dal Samaritan Faith Hospital a Brooklyn. Un paio di infermiere di turno ricordano benissimo un tipo del genere. Dicono che era un autentico mostro, sfigurato da capo a piedi. È morto poco più di sei mesi fa.*»

*Vivien aveva chinato gli occhi sul foglio che teneva fra le mani. C'era scritto*

Wendell Johnson – Hornell NY 7 giugno 1948.
140 Broadway Brooklyn

*con la calligrafia inclinata e rapida del capitano.*

*A Vivien era sembrato incredibile che un'ombra alla quale avevano dato la caccia senza risultato fosse diventata d'improvviso un essere umano con un nome e un indirizzo e una data di nascita. Ma era altrettanto incredibile il numero delle vittime legate a quel nome e quante altre avrebbero potuto aggiungersi e allargare quel numero.*

*Mentre lei leggeva, Bellew era già entrato in azione. La sua mente, come quella di tutti, era alimentata a fretta e angoscia, in quel momento. Stava già parlando con il centralino.*

«*Passami la Polizia di Hornell, nello Stato di New York.*»

*Mentre attendeva di essere messo in contatto, aveva posto la chiamata in vivavoce, in modo che tutti potessero ascoltare.*

*Una voce professionale era uscita dal piccolo diffusore dell'apparecchio.*

«*Comando di Polizia di Hornell. In cosa posso esserle utile?*»

«*Sono il capitano Alan Bellew del 13° Distretto di Manhattan. Con chi parlo?*»

«*Sono l'agente Drew, signore.*»

«*Devo parlare con il suo capo. Il più in fretta possibile.*»

«*Un attimo, signore.*»

*La comunicazione era stata messa in attesa, supportata da un jingle da centralino. Poco dopo una voce profonda e dal suono molto più maturo di quella precedente era venuta a prenderne il posto.*

«*Capitano Caldwell.*»

«*Sono il capitano Alan Bellew della Polizia di New York.*»

*Dall'altra parte c'era stato un breve silenzio. Nominare la Grande Mela in quei giorni richiamava subito alla mente immagini di edifici in fiamme e di cadaveri ricoperti da teli.*

«*Buonasera, capitano. Cosa posso fare per lei?*»

«*Ho bisogno di informazioni su un certo Wendell Johnson. I miei dati mi dicono che è nato a Hornell il 7 giugno del 1948. Ha qualcosa su di lui nei suoi file?*»

«*Un secondo.*»

*Solo il rumore di dita che procedevano veloci su una tastiera. Poco dopo la voce del capitano Caldwell era tornata.*

«*Ecco qua. Wendell Bruce Johnson. L'unico precedente che mi risulta a suo carico è un arresto per guida in stato di ebbrezza avvenuto nel maggio del 1968. Non ho altro su di lui.*»

«*Solo questo?*»

«*Mi dia un altro secondo, per favore.*»

*Di nuovo il rumore delle dita sui tasti e poi ancora la voce.*

*Vivien immaginò un uomo corpulento alle prese con una tecnologia troppo difficile per lui e con il solo obiettivo di fare quante più multe possibile per giustificare il suo stipendio con il Consiglio Comunale.*

«*Insieme a lui è stato trattenuto per resistenza anche un certo Lester Johnson.*»

«*Il padre o il fratello?*»

«*Dalla data di nascita direi più il fratello. Fra i due c'è un anno di differenza.*»

«*Sa se questo Lester vive ancora a Hornell?*»

«*Purtroppo io non sono di qui e mi sono appena insediato. Non conosco ancora molta gente. Se mi dà un altro paio di secondi controllo subito.*»

«*Mi sarebbe molto utile.*»

Vivien aveva letto sul volto di Bellew la tentazione di spiegare che secondo dopo secondo si componevano i giorni e i mesi. E loro facevano fatica a trovare delle ore, in quel frangente. Nonostante tutto aveva risposto in modo calmo e cortese.

«*Non ho un Wendell Johnson nell'elenco telefonico. Ma ho un Lester Johnson, all'88 di Fulton Street.*»

«*Molto bene. Le mando un paio di persone con un elicottero. Mi predisponga un posto dove possano atterrare.*»

«*C'è l'Hornell Municipal Airport.*»

«*Perfetto. Arriveranno il più in fretta possibile. Poi mi servirà il suo appoggio.*»

«*Tutto quello che vuole.*»

«*Se lei personalmente potesse andare ad accoglierli sarebbe una grande cosa. Inoltre è vitale che questa conversazione resti riservata. Molto riservata, mi sono spiegato?*»

«*Perfettamente.*»

«*A presto, allora.*»

Il capitano aveva chiuso la comunicazione e aveva guardato Vivien e Russell.

«*Come avete sentito, dovete fare un viaggio. Io nel frattempo mando una squadra a fare un sopralluogo a Brooklyn, all'indirizzo di questo Johnson. È un pro forma, perché non credo ci troveremo nulla, ma in un caso come questo non possiamo trascurare nessun dettaglio.*»

In un quarto d'ora, Bellew aveva richiesto e ottenuto il

*supporto di un elicottero attrezzato per il volo notturno. Vivien e Russell erano stati trasportati a tutta velocità da una macchina in un campo da calcio sulla 15sima Strada, sulle sponde dell'East River. L'elicottero era arrivato poco dopo, uno sgraziato insetto troppo cresciuto che si muoveva agile nel cielo. Il tempo di salire e già la terra non gli apparteneva più e la città era diventata una sequenza di case e guglie giù in basso finché non era sparita alle loro spalle. Il tuffo nel buio era avvenuto al rallentatore, con solo una lama di luce sempre più sottile all'orizzonte a ricordare che esisteva il sole.*

Il pilota posò l'elicottero al suolo senza scosse, di fianco a un edificio stretto e lungo illuminato da una fila di lampioni. Su uno spiazzo alla loro sinistra erano parcheggiati diversi piccoli aerei da turismo. Cessna, Piper, Socata e altri modelli che Vivien non conosceva. Quando aprì il portello, una macchina con le insegne della Polizia che aspettava accanto al fabbricato venne verso di loro.

Quando il mezzo si fermò, ne scese un uomo in divisa. Era alto, sulla quarantina, con baffi e capelli sale e pepe. Si avvicinò con un'andatura flemmatica e dinoccolata da giocatore di basket. Mentre gli stringeva la mano e lo guardava negli occhi, Vivien rivide dentro di sé il giudizio espresso con troppa facilità quando aveva sentito la sua voce al telefono. Ispirava fiducia e dava l'idea di non occupare abusivamente il ruolo che ricopriva.

«Capitano Caldwell.»

La sua stretta di mano era decisa e precisa.

«Detective Vivien Light. Questo è Russell Wade.»

I due uomini si salutarono con un cenno della testa. In qualche modo, l'urgenza che li spingeva aveva contagiato anche il capo della Polizia di Hornell.

Indicò subito la macchina.

«Vogliamo andare?»

Salirono in macchina e il mezzo si mosse mentre ancora si stavano allacciando le cinture. Uscirono dall'aeroporto e poco dopo si lasciarono alle spalle le luci della pista, mentre imboccavano verso sud la Route 36.

«Fulton Street non è lontana. Sta nella parte nord di Hornell. Qualche minuto e ci siamo.»

Non c'era molto traffico a quell'ora ma il capitano Caldwell accese lo stesso il lampeggiante. Vivien ci tenne a precisare una cosa.

«La pregherei di spegnere, quando siamo nei paraggi. Preferirei arrivare senza essere annunciata.»

«D'accordo.»

Se anche stava morendo di curiosità, il loro autista non lo diede a vedere. Procedette in silenzio, il viso illuminato dal riverbero fioco del cruscotto. Vivien sentiva la presenza di Russell sul sedile di dietro, silenzioso e all'apparenza assente. Tuttavia, da quello che ricordava di aver letto sul suo computer, dietro quell'aria svagata aveva la capacità di cogliere aspetti e riferire stati d'animo in modo molto coinvolgente. Dopo aver partecipato a qualcosa, riusciva a trasmettere a chi leggeva la sensazione di essere stati con lui. Era un modo completamente diverso di trattare un argomento, diverso da qualunque approccio avesse trovato prima in un articolo su un quotidiano.

E Dio sapeva quanto ci fosse bisogno anche di verità. La carta stampata, dopo aver riferito e documentato le conseguenze degli attentati, dopo essersi lanciata sulla pista delle possibili rivendicazioni, molto presto si sarebbe scatenata in una violenta campagna contro l'operato della Polizia e degli altri organismi inquirenti, accusandoli di non essere in grado di garantire la sicurezza dei cittadini. Un atto criminale come quello che stava devastando la città avrebbe avuto ben presto delle ripercussioni politiche e offerto un valido pretesto a chiunque avesse voluto attaccare Willard o il sindaco o chi per loro. Ogni persona con un minimo di autorità e di coinvolgimento in quella storia, lei compresa, sarebbe stato investito da quella bufera che dall'alto si sarebbe sfogata senza possibilità di controllo verso il basso.

Il telefono nella tasca si mise a squillare. Dal display vide che era il cellulare personale di Bellew.

Rispose con la speranza assurda di sentirsi dire che era tutto finito.

«Dimmi, Alan.»

«Dove siete?»

«Siamo atterrati adesso. Ci stiamo dirigendo verso la casa del soggetto.»

A quel punto si erano persi i nomi e gli uomini. Era caduta ogni traccia di identità, sostituita da parole fredde e impersonali, quelle che permettevano di avere nel mirino non un essere umano ma solo «il soggetto» o «una persona sospetta».

«Perfetto. Per quanto riguarda noi, abbiamo scoperto una cosa curiosa, che non so interpretare.»

«Vale a dire?»

«Siamo arrivati a casa di Wendell Johnson. Non ci abbiamo trovato nessuno, naturalmente. Però questo tipo, pur sapendo di essere in uno stadio terminale, poco prima di essere ricoverato ha pagato l'affitto per un anno.»

«Strano.»

«L'ho trovato strano anche io.»

Il capitano Caldwell spense le luci sul tetto. Vivien capì che stavano per arrivare a destinazione.

«Alan, ci siamo. Ti chiamo appena ho notizie.»

«Okay. A dopo.»

La macchina svoltò sulla sinistra e dopo aver visto sfilare una serie di case tutte uguali, si fermò al fondo di quella breve via che era Fulton Street. Di fianco a loro c'era il numero 88, una villetta alla quale, da ciò che potevano vedere, avrebbe fatto piacere una riverniciata e una sistemata al tetto. Le finestre erano illuminate e Vivien ringraziò di non dover tirare nessuno giù dal letto. Sapeva che in quella eventualità ci sarebbe voluto parecchio tempo prima di poter parlare con persone davvero presenti a se stesse.

«È qui.» Scesero in silenzio dalla macchina e percorsero in fila indiana il vialetto d'ingresso. Vivien lasciò andare avanti il poliziotto locale, per lasciargli il senso della sua autorità.

Caldwell suonò il campanello accanto alla porta. Poco dopo, dalle strisce di vetro smerigliato che la scontornavano, filtrò la luce. Un passo leggero e rapido di piedi scalzi si avvicinò e poco dopo l'uscio venne aperto. Un bambino biondo e lentigginoso sui cinque anni fece capolino oltre il battente. Rimase perplesso ma senza timore nel vedere un uomo in divisa che torreggiava su di lui.

Caldwell si chinò leggermente e gli parlò con voce calma e amichevole.

«Ciao, campione. Come ti chiami?»

Il bambino prese con diffidenza quel tentativo di comunicazione.

«Io sono Billy. Che volete?»

«Dobbiamo parlare con Lester Johnson. È in casa?»

Il bambino corse via, permettendo alla porta di spalancarsi.

«Nonno, c'è la Polizia che ti vuole.»

Davanti ai loro occhi apparve un corridoio che finiva nella

scala che portava al piano di sopra. A destra un piccolo vestibolo e a sinistra una porta oltre la quale il bambino si dileguò correndo. Poco dopo ne uscì un uomo sulla sessantina, dall'aria energica, vestito con una camicia azzurra e un paio di jeans sbiaditi. Aveva una chioma ancora folta e occhi vigili che si spostarono a valutare una per una le persone che aveva fuori dalla porta. Vivien pensò che in certe prigioni quella era la tenuta dei carcerati.

Lasciò al poliziotto in divisa l'incarico di condurre le operazioni. Era il suo territorio e Vivien glielo doveva. Sperava che al momento giusto avrebbe avuto l'accortezza di farsi da parte.

«Il signor Lester Johnson?»

«Sì, sono io. Che volete?»

Quella frase sembrava fare parte del patrimonio dialettico della famiglia, perché era la stessa che aveva pronunciato il bambino.

«Sono il capitano Caldwell. Io…

«Sì, lo so chi è lei. Chi sono loro, piuttosto.»

Vivien decise che quello era il momento di farsi avanti.

«Sono la detective Vivien Light, della Polizia di New York. Avrei bisogno di parlare con lei.»

Lester Johnson la valutò un istante, un rapido esame compiaciuto che comprendeva anche e soprattutto il suo aspetto fisico.

«Okay. Venite di qua.»

Li guidò oltre la porta dalla quale era sbucato lui e sparito il bambino. Si trovarono in un ampio soggiorno, con divani e poltrone. Su una di queste Billy era seduto a guardare i cartoni animati su un televisore a schermo piatto. Nonostante l'aspetto migliorabile dell'esterno, l'interno era molto curato nella scelta dei tessuti e della tappezzeria in colori naturali.

Vivien pensò che ci doveva essere la mano di una donna in quegli abbinamenti.

Lester Johnson si rivolse con voce autorevole a suo nipote.

«Billy, è ora di andare a letto.»

Il bambino si girò e tentò una debole protesta.

«Ma nonno…»

«Ho detto che è ora di andare a letto. Vai in camera tua senza fare storie.»

La voce del nonno non ammetteva deroghe. Il bambino spense il televisore e passò davanti a loro, imbronciato. Senza salutare nessuno, sparì dietro l'angolo. Poco dopo sentirono il rumore dei suoi piedi nudi sulle scale affievolirsi fino a sparire.

«Mio figlio e mia nuora sono in libera uscita, stasera. E io con il piccolo sono di manica un poco più larga dei genitori.»

Dopo quel laconico spaccato della sua vita privata, il loro ospite indicò il divano e le poltrone.

«Accomodatevi.»

Vivien e Caldwell si sedettero sul sofà e Lester Johnson sulla poltrona di fronte. Russell scelse quella più lontana.

Vivien decise di arrivare subito al dunque.

«Signor Lester, lei è parente di un certo Wendell Johnson?»

«Era mio fratello.»

«Perché dice era?»

Lester Johnson fece un gesto vago con le spalle.

«Perché all'inizio del 1971 è partito per il Vietnam e da allora non ne ho saputo più nulla. Non è stato dichiarato né morto né disperso in azione. Il che vuol dire che è uscito vivo dalla guerra. Se ha preferito non farsi più vedere o sentire, affari suoi. In ogni caso ha smesso di essere mio fratello da molto tempo.»

Vivien sentendo liquidare in quel modo un rapporto fraterno, d'istinto si girò a osservare Russell. Il suo sguardo si era per un attimo indurito ma subito dopo tornò nel posto che aveva deciso di occupare, vale a dire al silenzio e all'ascolto.

«Wendell, prima di partire, lavorava nell'edilizia?»

«No.»

Quel monosillabo suonò alle orecchie di Vivien come una cattiva profezia. Cercò rifugio nell'illusione.

«Ne è sicuro?»

«Signorina, sono abbastanza anziano da poter essere un poco rincoglionito. Ma non al punto di non ricordare che cosa faceva mio fratello finché è rimasto qui. Lui aveva aspirazioni da musicista. Suonava la chitarra. Non avrebbe mai fatto un lavoro nel quale poteva correre il rischio di rovinarsi le mani.»

Il disagio di Vivien si stava a poco a poco trasformando in gelo. Tirò fuori dalla tasca interna del giubbotto le foto che li avevano guidati fino a Hornell. Le porse all'uomo seduto davanti a lei.

«È questo Wendell?»

Lester si chinò a guardarle senza prenderle in mano. La sua risposta arrivò dopo un attimo e sembrò durare per sempre.

«No. Io questo tipo non l'ho mai visto.»

Il padrone di casa tornò ad appoggiarsi allo schienale della poltrona. La voce di Russell, che fino a quel momento era rimasto in silenzio, sorprese tutti i presenti nella stanza.

«Signor Johnson, se quello non è suo fratello, potrebbe essere un suo compagno nell'esercito. Di solito tutti i ragazzi che finivano in Vietnam mandavano a casa delle foto in divisa. A volte da soli, ma spesso con un gruppo di amici. Non è che per caso l'ha fatto anche lui?»

Lester Johnson lo guardò con occhi acuti, come se quella

domanda fosse arrivata a spezzare il suo sogno di vedere uscire quegli intrusi il più in fretta possibile da casa sua.

«Aspettate un attimo. Torno subito.»

Si alzò dalla poltrona e Vivien lo vide sparire oltre la soglia. Rimase via per un tempo che sembrava interminabile. Quando tornò reggeva in mano una scatola di cartone. La tese verso Vivien e si rimise seduto.

«Ecco, in questa scatola ci sono tutte le immagini che mi restano di Wendell. Ce ne dovrebbe essere anche qualcuna del Vietnam.»

Vivien la aprì. Era piena di fotografie, alcune a colori, alcune in bianco e nero. Le fece scorrere velocemente. Il soggetto era sempre lo stesso. Un ragazzo biondo dall'aria simpatica, solo o con amici. Alla guida di un'auto, da bambino su un pony, con il fratello, con i genitori, con i capelli lunghi stretti da una fascia mentre abbracciava una chitarra. Le aveva già passate quasi tutte quando la trovò. Era in bianco e nero e raffigurava due soldati davanti a un carro armato. Uno era il ragazzo sorridente che aveva visto più volte nelle foto precedenti, l'altro era il ragazzo che in quelle in loro possesso tendeva verso l'obiettivo un gatto con tre zampe.

Vivien la girò e dietro ci trovò una scritta sbiadita

*The King e Little Boss*

segnata con una calligrafia irregolare ma che ai suoi occhi presentava una caratteristica: era completamente diversa da quella sulla lettera che aveva dato inizio al delirio. Tese la foto a Russell, in modo che potesse vedere il frutto della sua intuizione. Quando la ebbe indietro, la passò a Lester Johnson.

«Cosa significa la scritta che c'è dietro?»

L'uomo prese la foto e guardò prima il fronte e poi il retro.

«The King era il soprannome che si era dato per scherzo Wendell. Presumo che Little Boss significhi la stessa cosa per l'altro ragazzo.»

Tese di nuovo il rettangolo che portava il segno degli anni a Vivien.

«Le chiedo scusa se le ho detto di non averlo mai visto. Credo di avere guardato queste foto l'ultima volta trent'anni fa.»

Tornò ad appoggiarsi allo schienale e Vivien lo sorprese con gli occhi lucidi. Forse il suo atteggiamento cinico era solo un modo per difendersi, forse il fatto di non avere avuto più notizie di suo fratello lo aveva fatto soffrire più di quanto volesse ammettere. E lei era arrivata a riaprire una vecchia ferita.

«Non ha proprio idea di chi possa essere la persona che sta con Wendell?»

L'uomo scosse la testa senza dire nulla. Il suo silenzio valeva più di mille parole. Voleva dire che quella sera aveva perso suo fratello un'altra volta. Voleva dire che loro avevano perso l'unica traccia vera che avevano in mano.

«Possiamo tenere questa fotografia? Le prometto che gliela farò riavere.»

«Va bene.»

Vivien si alzò. Gli altri capirono che la loro permanenza in quella casa non aveva più motivo di essere. Lester Johnson sembrava aver perso tutta la sua energia. Li accompagnò alla porta in silenzio, forse rimuginando dentro di sé quanto basta poco a far affiorare i ricordi e quanto possono fare male.

Mentre Vivien stava per uscire, la trattenne.

«Posso farle una domanda, signorina?»

«Dica.»

«Perché lo state cercando?»

«Non glielo posso dire. Ma c'è una cosa che sono in grado di affermare in tutta certezza.»

Gli concesse una pausa per isolare quello che stava per dirgli.

«Suo fratello non si è più fatto vivo non perché non voleva. Suo fratello è morto in Vietnam, insieme ad altri ragazzi come lui.»

Vide un respiro profondo gonfiare il petto dell'uomo.

«Grazie. Buonanotte.»

«Grazie a lei, signor Johnson. Ci saluti Billy. È un gran bel bambino.»

Quando la porta si richiuse alle sue spalle fu contenta di aver risolto i suoi dubbi e di lasciarlo solo a concedersi qualche lacrima senza testimoni in memoria di suo fratello. Mentre si avvicinava alla macchina, pensava che per loro, invece, la certezza era una meta ancora lontana. Era arrivata a Hornell convinta di trovare un punto di arrivo, invece si era trovata di fronte un nuovo incerto punto di partenza.

*Le guerre finiscono. L'odio dura per sempre.*

Quella frase di Russell le tornò in mente mentre apriva la portiera. L'odio covato per anni aveva portato un uomo a disseminare una città di bombe. L'odio ne aveva portato un altro a farle esplodere. L'illusione di tornare a New York in uno stato d'animo diverso era crollata davanti alla realtà. Sapeva che per tutto il viaggio di ritorno avrebbe pensato alle conseguenze di quel gioco insano che era la guerra e di come avesse il potere, a distanza di anni, di continuare a mietere vittime.

# CAPITOLO 29

Quando la sveglia suonò, Vivien non aprì subito gli occhi.

Rimase stesa nel letto a godere del contatto del suo corpo fra le lenzuola, con la pigrizia che derivava da una notte di sonno incerto e senza riposo. Si mosse e si accorse di essere in diagonale nel letto, segno che l'agitazione che le aveva fatto cambiare cento posizioni nel dormiveglia era proseguita anche dopo che si era addormentata. Allungò una mano a spegnere la sveglia. Segnava le nove. Si stirò e fece un lungo respiro. Il cuscino di fianco portava ancora tracce dell'odore di Russell.

O lei immaginava che fosse così, il che era ancora peggio.

Si concesse uno sguardo nella penombra su quel paesaggio familiare che era la sua camera da letto. Il prosieguo delle indagini, ora, non faceva capo a lei e Bellew le aveva consigliato una notte di tregua. Aveva sorriso a quelle parole. Come se una tregua fosse possibile, con il cellulare posato sul comodino che da un momento all'altro poteva squillare e portare notizie da nascondere la testa sotto le coperte e desiderare di svegliarsi mille anni e mille miglia lontano da lì.

Si alzò, indossò un accappatoio di spugna morbida, prese il telefono e si diresse a piedi scalzi verso la cucina. Iniziò a preparare il caffè. Quel mattino, contrariamente alle sue abitudini, non aveva voglia di fare colazione. Solo all'idea del cibo lo stomaco le si chiudeva. E dire che l'ultima volta che aveva mangiato era stato con Russell al chiosco in Madison Square Park.

*Russell...*

Mentre infilava il filtro nella macchinetta ebbe un moto di dispetto. Con quello che stava attraversando, con un pazzo là fuori che minacciava di far esplodere mezza città, con Greta stesa nel letto di una clinica in condizioni disperate, non le sembrava né possibile né giusto che nel suo cervello ci fosse ancora spazio per pensare a quell'uomo.

La sera prima, al ritorno da Hornell, era venuto a casa con lei, aveva preso la sua roba e se n'era andato. Lui non aveva chiesto di restare e lei sapeva che se glielo avesse proposto si sarebbe trovata di fronte a un rifiuto.

Fermo sulla soglia, prima di uscire, si era girato a guardarla. Con quegli occhi scuri nei quali alla tristezza si era affiancata la fermezza.

«Ti chiamo domani mattina.»

«Va bene.»

Era rimasta qualche secondo immobile davanti alla porta chiusa, solo una delle tante che in quel momento si trovava di fronte.

Versò nella tazza un caffè che per quanto zucchero aggiungesse sarebbe stato sempre troppo amaro.

Si disse che era successo quello che tante volte nella vita succedeva. Troppe volte, forse. Era stata una notte piena dell'unico amore che il tempo non copriva di brina, quello che si accendeva la sera per spegnersi con il sole il mattino dopo. Lui l'aveva presa così e lei doveva prenderla nello stesso modo.

*Ma se sono il prezzo da pagare per avere te, le accetto volentieri...*

«Vaffanculo, Russell Wade.»

Pronunciò ad alta voce il suo esorcismo di strada e rimase in piedi, appoggiata al bancone a bere un caffè di cui non aveva nessuna voglia. Si costrinse a pensare ad altro.

All'Hornell Municipal Airport, poco prima che l'elicottero si staccasse da terra per riportarli a New York, aveva chiamato il capitano per metterlo al corrente delle brutte novità. Dopo che gli aveva esposto i fatti, un breve silenzio dall'altra parte le aveva detto che Bellew stava cercando di soffocare un'imprecazione.

«Tutto da rifare, allora.»

Vivien non si era data per vinta.

«Una strada c'è ancora da battere.»

«Dimmi.»

Una leggera nota di sfiducia nella voce del capitano.

«Bisogna risalire al periodo della guerra in Vietnam. Dobbiamo a ogni costo sapere che cosa è successo al vero Wendell Johnson e a quell'altro ragazzo soprannominato Little Boss. È l'unico appiglio che ci resta.»

«Chiamo il capo. A quest'ora non credo sia possibile fare nulla ma vedrai che domattina si metterà subito in moto.»

«Okay. Tienimi informata.»

La risposta era stata falciata dal rotore che iniziava a dividere l'aria in quella sopra e quella sotto. Lei e Russell erano saliti sull'elicottero e per tutto il viaggio nessun rumore era sembrato abbastanza forte da spezzare il loro silenzio.

Il telefono di fianco a lei squillò. Come evocato dal suo pensiero, sul display era visualizzato il numero di Bellew.

Vivien rispose.

«Eccomi.»

«Come stai?»

«Sto. Hai novità?»

«Sì. E non buone.»

Attese in silenzio che arrivasse la doccia fredda appena annunciata.

«Willard stamattina presto si è messo in contatto con l'esercito. Il nome di Wendell Johnson è legato al segreto militare. Non è possibile accedere alla sua cartella.»

Vivien sentì il calore della furia prenderle lo stomaco.

«Ma sono pazzi. In un caso come questo…»

La voce di Bellew la interruppe.

«Lo so. Dimentichi due cose, però. La prima è che non possiamo rivelare nei dettagli quello a cui stiamo lavorando. La seconda è che se anche lo facessimo sarebbe una traccia troppo labile per far crollare di colpo il muro. Il capo ha richiesto sulla fiducia l'intervento del sindaco, il quale ha la possibilità di consultare il presidente. Ma in ogni caso ci sono delle prassi che richiedono un minimo di tempo anche all'uomo più importante d'America. E se Russell ha visto giusto, il tempo è proprio quello che ci manca.»

«È pazzesco. Tutta quella gente morta…»

La frase sospesa era un riferimento più che esauriente a quella che poteva ancora morire.

«Già. Però non possiamo fare nulla, adesso.»

«Altre novità?»

«Una piccola cosa, per tua personale soddisfazione. L'esame del DNA ha dimostrato che l'uomo nel muro è davvero Mitch Sparrow. Avevi visto giusto.»

In un altro momento, quello sarebbe stato un segnale di successo. Una vittima identificata e il suo assassino già punito da una giustizia che andava oltre la loro comprensione. Ora era solo un misero orgoglio senza consolazione.

Vivien cercò di reagire allo sconforto. C'era una cosa che poteva fare, nell'attesa.

«Voglio andare a dare un'occhiata all'appartamento di quell'uomo.»

Stava per dire Wendell Johnson ma si rese conto che quel nome non aveva più senso. Ormai era tornato a essere anche per loro il Fantasma del Cantiere.

«Ho detto agli uomini di non toccare nulla. Sapevo che lo avresti fatto. Mando un agente ad aspettarti con le chiavi.»

«Molto bene. Ci vado subito.»

«Una curiosità. In tutto l'appartamento non ci sono quasi impronte digitali. E di quelle poche non ce n'è una che corrisponda a quelle di Wendell Johnson che mi sono fatto mandare dal capitano Caldwell.

«Questo significa che le ha ripulite?»

«Forse. Oppure che il nostro uomo non aveva impronte digitali. Probabilmente cancellate quando ha subito le ustioni.»

Un fantasma.

Senza nome, senza volto, senza impronte.

Un uomo che nemmeno dopo la morte accettava di avere un'identità. Vivien si chiese quali esperienze avesse vissuto quello sventurato e quali sofferenze avesse attraversato per diventare quello che era diventato, nel corpo e nello spirito. Si chiese per quanto tempo avesse maledetto la società che lo circondava, che si era presa la sua vita senza dargli nulla in cambio. Sul come l'avesse maledetta non c'erano dubbi. Decine di morti ne erano la prova più che esauriente.

«Va bene. Mi muovo.»

«Tieniti in contatto.»

Vivien chiuse la comunicazione e infilò il telefono nella tasca dell'accappatoio. Sciacquò la tazza nel lavandino e la pose ad asciugare nello scolapiatti. Andò in bagno e aprì l'acqua della doccia. Poco dopo, godendo dello scroscio tiepido sul corpo nudo, non riusciva a fare a meno di pensare che tutta quella storia rasentava il grottesco, nella sua drammaticità. Non per il risultato sfuggente, ma per come la sorte le offriva sempre nuove derisorie vie di fuga, per i sorprendenti nascondigli che la verità era in grado di trovare.

Uscì dalla doccia, si asciugò e si vestì, indossando abiti puliti. Quando infilò nel cesto della biancheria sporca quelli che portava il giorno prima, le parve di sentire l'odore della delusione, che nella sua immaginazione corrispondeva a quello dei fiori morti.

Quando fu pronta, prese il telefono e chiamò Russell.

Una voce impersonale le disse che il telefono era spento o non raggiungibile.

Strano.

Le sembrava impossibile che la sua ansia di partecipazione, l'opportunità che aveva di fronte e l'acume dimostrato durante le indagini gli permettessero quella noncuranza. Forse era rimasto addormentato. Tutte le persone abituate a una vita disinvolta sviluppavano la capacità di dormire a comando e a oltranza, proprio come riuscivano a superare i normali limiti della veglia.

*Peggio per lui...*

Sarebbe andata da sola a fare il sopralluogo nell'appartamento. Era il modo in cui era abituata a lavorare e le sembrava ancora e sempre il migliore. Scese le scale e uscì all'aperto. Fuori trovò il sole e il cielo azzurro che in quel periodo continuavano a blandire la terra.

Quando arrivò al suo posto macchina, di fianco all'auto c'era Russell.

Era in piedi, di spalle. Vide che anche lui si era cambiato, per quanto i suoi vestiti risentissero della permanenza troppo lunga in una borsa. Stava osservando il fiume, dove una chiatta risaliva con calma la corrente trainata da un rimorchiatore. C'era in quell'immagine un messaggio di vittoria contro la sorte avversa che in quel momento era difficile da condividere.

Sentendo un passo dietro di sé, Russell si girò.

«Ciao.»

«Ciao. È molto che sei qui?»

«Un po'.»

Vivien indicò il suo portone poco lontano.

«Potevi salire.»

«Non ti volevo disturbare.»

Vivien si disse che in realtà non voleva trovarsi da solo con lei. Questa era forse l'interpretazione giusta da dare alle sue parole. In ogni caso accertarlo non avrebbe cambiato il senso delle cose.

«Ti ho chiamato e avevi il telefono spento. Pensavo che avessi gettato la spugna.»

«Non me lo posso permettere. Per tutta una serie di motivi.»

Vivien non ritenne opportuno chiedere quali. Fece scattare le serrature della Volvo e aprì la portiera. Russell passò dall'altra parte e si sedette sul sedile del passeggero. Mentre avviava il motore si informò sulla loro destinazione.

«Dove andiamo?»

«140 Broadway, a Brooklyn. A casa del Fantasma del Cantiere.»

Si immisero sulla West Street proseguendo verso sud. Poco dopo si lasciarono alle spalle l'imbocco del Brooklyn Battery Tunnel e proseguirono in direzione della F.D. Roosevelt Drive. Mentre procedevano, Vivien mise al corrente Russell del fatto che la storia di Wendell Johnson era coperta dal segreto militare e di come non fosse facile aggirarlo in tempi brevi. Lui ascoltò in silenzio, con la sua solita espressione assorta, come seguendo un'idea che tuttavia non ritenne opportuno esprimere. Intanto avevano imboccato il Williamsburg Bridge e l'acqua dell'East River splendeva sotto di loro, appena increspata da un vento leggero. Alla fine del ponte piegarono a destra sulla Broadway e poco dopo si trovarono di fronte alla casa che stavano cercando.

Era un palazzone di appartamenti, dall'aria consumata, come le centinaia di altri anonimi alveari che ospitavano in quella città gente altrettanto anonima. Era in posti come quello che le persone vivevano per anni senza lasciare traccia della loro presenza e a volte morivano senza che per giorni qualcuno li venisse a cercare.

Davanti al portone contrassegnato con il numero 140 c'era una macchina della Polizia in attesa. Vivien parcheggiò proprio di fronte, in uno stallo destinato al carico e scarico delle merci. Salinas scese dalla macchina e venne verso di lei.

Non degnò di uno sguardo Russell. Ormai quello pareva essere diventato l'atteggiamento ufficiale del 13° Distretto nei suoi confronti. E anche la simpatia che l'agente aveva sempre dimostrato verso di lei sembrava svanita.

Le tese un mazzo di chiavi.

«Ciao, Vivien. Il capitano mi ha detto di darti queste.»

«Perfetto.»

«L'appartamento è il 418B. Vuoi che ti accompagni?»

«Non c'è problema. Facciamo da soli.»

L'agente non insistette, ben lieto di potersene andare da quel posto e da quella compagnia. Mentre guardavano la macchina partire, la sorprese la voce di Russell.

«Grazie.»

«Di che cosa?»

«Quell'agente ha chiesto solo *a te* se doveva accompagnarti. Gli hai risposto usando il verbo al plurale, in un modo che comprendeva anche me. Di questo ti ringrazio.»

Vivien si accorse di averlo fatto inconsciamente, tanto la presenza di quell'uomo al suo fianco era diventata una cosa abituale. Tuttavia fu costretta a considerare la delicatezza di quel pensiero.

«Bene o male, siamo un team.»

Russell accettò con un mezzo sorriso la definizione.

«Non credo che con questo tu ti stia facendo degli amici, al Distretto.»

«Gli passerà.»

Con questo laconico commento lasciato a rimbalzare sull'asfalto del marciapiede, entrarono nel portone. Attesero in un atrio che sapeva di uomini e di gatti l'arrivo di un ascensore che si presentò preceduto da qualche incomprensibile cigolio nella lingua dei montacarichi. Salirono al quarto piano e individuarono subito l'appartamento, sigillato alla buona da un paio di strisce di nastro giallo che indicavano un luogo interdetto e soggetto a indagine.

Vivien tolse il nastro e girò le chiavi nella toppa.

Appena aprirono la porta, ebbero subito in cambio quella sensazione desolata che si ha dalle case disabitate da tempo. L'ingresso dava senza preamboli su un ambiente che era cucina e soggiorno insieme. Al primo sguardo si capiva senza ombra di dubbio che quella era la casa di un uomo solo. Solo e senza nessun interesse verso il mondo. A destra c'erano un angolo cottura e un frigorifero accanto a un tavolo con un'unica sedia. Di fronte ai fuochi, accanto alla finestra, una poltrona e un vecchio televisore posato su un tavolino malandato. Su tutto, un sottile strato di polvere che recava le tracce della perquisizione degli agenti il giorno prima.

Entrarono nell'appartamento come in un tempio del male, trattenendo il fiato, pensando che per anni un uomo era vissuto fra quelle pareti, si era mosso, aveva dormito, aveva mangiato in compagnia di presenze che solo lui poteva vedere e che aveva scelto di combattere nel modo più violento che aveva trovato.

Adesso che in qualche modo potevano intuire la sua storia, avevano l'esatta dimensione di cosa avesse, giorno dopo giorno, alimentato il rancore che lo aveva portato alla sua devastante follia giornaliera.

Aveva scelto di uccidere uomini illudendosi di uccidere con loro i suoi ricordi.

Diedero una rapida occhiata alla stanza spoglia, priva di qualsiasi oggetto che non fosse l'indispensabile. Niente quadri, niente soprammobili, nessuna concessione al gusto personale, a meno che non si volesse considerare come gusto personale quella sua devastante assenza. Di fianco al frigorifero c'era la sola traccia di vita quotidiana e di umanità di quella stanza. Una mensola carica di essenze aromatiche, segno che chi abitava in quella casa cucinava da solo i suoi pasti.

Passarono nella stanza di fianco, che concludeva la visita in quel minuscolo appartamento. Addossato alla parete a destra della porta c'era un armadio, che aveva di fronte un letto a una piazza quasi accostato al muro. Alla destra del letto, a dividerlo dalla parete, un tavolino da notte con un abat-jour dall'aria impietosa. A sinistra, dei cavalletti reggevano due piani di legno paralleli. Uno all'altezza di un normale tavolo, l'altro rialzato di una ventina di pollici dal pavimento. Qui c'era la seconda sedia di tutta la casa, una vecchia poltrona da ufficio con le rotelle, dall'aria talmente malandata da dare l'idea che fosse stata regalata da un rigattiere, piuttosto che comprata. Anche qui i muri erano spogli, a parte una grande mappa della città appesa al muro sopra al bancone.

Sul piano inferiore c'erano degli oggetti. Libri, perlopiù. Qualche rivista. Un mazzo di carte che faceva pensare a degli interminabili solitari piuttosto che al piacere di una partita fra amici. E una grossa cartellina di cartone grigio contenente dei fogli.

Vivien si avvicinò.

Se quello era il posto dove preparava i suoi marchingegni, gli attrezzi e gli elementi soggetti ad analisi erano già stati prelevati dalla squadra di agenti durante la perquisizione del giorno prima. Tuttavia il capitano le aveva assicurato che tutto era stato lasciato intatto, per cui era possibile che non avessero trovato nulla.

Si chinò a prendere in mano uno dei libri. Una Bibbia. Un libro di ricette di cucina. Un thriller di Jeffery Deaver, uno scrittore che anche lei amava molto. Una guida turistica di New York.

Prese la cartellina e la appoggiò sul piano più alto del tavolo. Quando la aprì la trovò piena di disegni che avevano una caratteristica particolare. Erano tutti stati eseguiti, invece che su una normale carta, su dei fogli rigidi di plastica trasparente, come se l'artista avesse scelto quella strada per esprimere la sua originalità oltre che il suo talento.

Iniziò a passare i disegni a uno a uno.

Forse il supporto assicurava l'originalità, ma anche allo

sguardo di un incompetente risultava chiaro che di talento l'autore dei disegni non ne aveva affatto. La composizione era approssimativa, il tratto incerto e l'uso del colore senza gusto e senza tecnica. La persona che aveva abitato quella casa sembrava ossessionata dalle costellazioni. Ogni disegno ne raffigurava una, secondo una mappa stellare che solo lui aveva nella testa.

*Costellazione della Bellezza, Costellazione di Karen, Costellazione della Fine, Costellazione dell'Ira...*

Una serie di punti uniti fra loro da tratti di diverso colore. A volte stelle, tracciate con la mano di un bambino, a volte cerchi, a volte croci, a volte semplici arruffati tocchi di pennello. Russell, che fino a poco prima si era tenuto un paio di passi discosto da lei, si era avvicinato in modo da poter vedere quello che Vivien stava esaminando.

Si concesse un giudizio che lei non poteva che condividere.

«Che orrori.»

Stava per aggiungere un parere simile, quando il cellulare si mise a suonare. Mise la mano in tasca con il desiderio di spegnerlo senza nemmeno vedere chi la stesse chiamando. Lo tirò fuori con malagrazia e lo guardò, temendo di veder apparire il numero della Mariposa.

Invece la rubrica dell'apparecchio stava visualizzando il nome di padre McKean.

«Pronto.»

Una voce conosciuta ma che in quel frangente non riconosceva le arrivò all'orecchio. Era tesa, come impaurita, senza traccia dell'energia che di solito sapeva trasmettere.

«Vivien, sono Michael.»

«Ciao. Che succede?»

«Ho bisogno di vederti, Vivien. Al più presto e da sola.»

«Michael, adesso sono in un pasticcio tremendo e non...»

Il sacerdote parlava come se quel discorso l'avesse già fatto dentro di sé diverse volte.

«Vivien, è questione di vita o di morte. Non la mia ma quella di tante persone.»

Un attimo di esitazione. Un attimo che all'uomo dall'altra parte doveva essere sembrato eterno, da come proseguì il suo discorso.

«È una cosa legata a quelle esplosioni, che Dio mi assolva.»

«Le esplosioni? Che c'entri tu con le esplosioni?»

«Vieni presto, ti prego.»

Padre McKean riattaccò e Vivien rimase in piedi in mezzo alla stanza, nel riquadro di sole disegnato dalla finestra sul pavimento. Si accorse che mentre era impegnata al telefono, come spesso le succedeva quando era assorta, si era spostata nel soggiorno.

Russell l'aveva seguita e si era fermato sulla soglia dell'altra stanza.

Lo guardò, incerta su cosa dirgli ma soprattutto su cosa dire a se stessa. Michael le aveva chiesto di parlare con lei da solo. Portare Russell significava forse contrariare il prete e magari inibirlo in quello che aveva da dirle. Nello stesso tempo significava confessare che sua nipote era in una comunità di tossicodipendenti. Non se la sentiva di sopportare anche quello.

Scelse in fretta, riservandosi di scoprire poi se aveva scelto bene o male.

«Devo andare in un posto.»

«Il verbo al singolare significa che devi andarci da sola? Ho capito bene?»

Durante la conversazione Vivien si era fatta sfuggire la parola «esplosioni». Questo argomento aveva attivato subito l'attenzione di Russell.

«Sì. Devo vedere una persona e la devo vedere da sola.»

«Credevo avessimo un accordo.»

Gli diede le spalle. Poi si vergognò di averlo fatto.

«L'accordo non vale per questo.»

«Il capitano mi aveva dato la sua parola che avrei potuto seguire le indagini.»

Sentì la furia montarle dentro. Per quello che era lui, per quello che era lei, per quello che stava vivendo senza alcuna possibilità di intervenire a cambiare le cose. Solo quella di subirle.

Si girò di scatto, la voce secca, l'espressione dura.

«Hai avuto la parola del capitano, non la mia.»

Il secondo dopo durò un secolo, in quella stanza.

*Non posso credere di aver detto davvero questa cosa...*

Russell impallidì. Poi rimase un istante a guardarla come si guarda una persona che sta partendo per non tornare più. Con quella tristezza in fondo agli occhi che sembrava la luce stessa del rimpianto.

Infine, in silenzio, raggiunse la porta. Senza che lei avesse la forza di fare o di dire nulla, la aprì e uscì nel corridoio. L'ultimo segno che ebbe da lui fu l'uscio richiuso con delicatezza.

Vivien rimase sola come non si era mai sentita. L'impulso sarebbe stato quello di uscire nel corridoio e richiamarlo, ma si disse che non poteva farlo. Non in quel momento. Non prima di avere saputo quello che padre McKean aveva da dirle. C'erano in ballo le vite di tante persone. La sua e quella di Russell passavano in secondo piano. D'ora in poi avrebbe avuto bisogno di tutta la sua volontà e di tutto il suo coraggio, troppo per impegnarne una parte ad ammettere di essersi innamorata di un uomo che non la voleva.

Attese qualche istante, in modo da dargli il tempo di uscire dal palazzo e allontanarsi. Mentre aspettava, le tornarono in mente come un'accusa le parole che gli aveva detto mentre stavano entrando.

Gli aveva detto che erano un team.

Lui si era fidato e lei lo aveva tradito.

## CAPITOLO 30

Quando Vivien aprì la porta, vide il corridoio deserto e male illuminato. La penombra e l'idea che quell'uomo lo avesse percorso per anni, che avesse ogni giorno poggiato i piedi su quella moquette dal colore ormai indefinibile, le diedero la sensazione di un luogo malvagio e ostile.

Una donna di colore vecchia e rugosa, con le gambe incredibilmente storte, sbucò da dietro l'angolo del pianerottolo e si diresse verso di lei, aiutandosi con un bastone. Il braccio libero sorreggeva un sacchetto della spesa. Quando la vide chiudere la porta non riuscì a trattenere un commento.

«Ah, finalmente l'hanno affittato a un essere umano.»

«Prego?»

La vecchia non si curò di dare altre spiegazioni. Si fermò davanti all'uscio di fronte a quello da cui Vivien era appena uscita. Le tese senza troppi complimenti il sacchetto. Probabilmente la sua età e la sua condizione le avevano insegnato a imporsi, invece che a chiedere. O forse pensava che la sua età e la sua condizione fossero già di per sé un diritto a ottenere.

«Regga questo. Ma si ricordi che io non do mance.»

Vivien si trovò fra le braccia il pacchetto da cui proveniva un odore di cipolle e di pane. Sempre sorreggendosi al bastone, la donna si frugò nella tasca del pastrano. Tirò fuori una chiave e la infilò nella toppa. Diede risposta a una domanda che nessuno aveva formulato.

«È venuta la Polizia, ieri. Lo sapevo che quel tipo non era una persona per bene.»

«La Polizia?»

«Già. Altra bella gente, quella. Hanno suonato, ma io non ho aperto.»

Dopo quella aperta dichiarazione di diffidenza, Vivien decise di non qualificarsi. Attese che la vecchia aprisse la porta. Subito un grosso gatto nero fece capolino. Quando vide che la sua padrona era in compagnia di una sconosciuta, corse via. D'istinto, Vivien controllò che avesse tutte e quattro le zampe.

«Chi abitava qui, prima di me?»

«Un tipo con la faccia tutta sfregiata. Un vero mostro. Nell'aspetto e nei modi. Un giorno è venuta un'ambulanza e se lo sono portato via. Gente del manicomio, spero.»

Nel suo lapidario e impietoso giudizio, la donna aveva colpito nel segno. Sarebbe stato il posto giusto dove quell'uomo, chiunque fosse, avrebbe dovuto trascorrere i suoi giorni. La vecchia entrò in casa e indicò con un cenno della testa il tavolo.

«Lo metta lì.»

Vivien la seguì all'interno e vide che l'appartamento era speculare a quello che aveva appena finito di ispezionare. Nella stanza c'erano altri due gatti, in aggiunta a quello nero. Uno bianco e rosso stava dormendo su una sedia senza curarsi di loro. Un secondo, grigio e tigrato, saltò sul tavolo. Vivien appoggiò il sacchetto e subito il felino corse ad annusarlo.

La donna gli diede uno scappellotto sul sedere.

«Via tu. Si mangia dopo.»

Il gatto saltò a terra e andò a nascondersi sotto la sedia dove il suo simile continuava a dormire.

Vivien diede uno sguardo in giro. La camera era il trionfo dello spaiato. Non c'era una sedia uguale all'altra. I bicchieri sulla mensola sopra l'acquaio erano tutti diversi fra loro. Un piccolo caos di colori e di cose vecchie. L'odore di gatto nella casa era il fratello maggiore di quello nell'atrio.

La vecchia si girò verso Vivien e la guardò come se le fosse comparsa di fronte di colpo.

«Cosa stavo dicendo?»

«Mi stava parlando dell'inquilino dell'appartamento di fronte.»

«Ah, sì, quel tipo. Non è più tornato. È venuto quell'altro a vederlo, un paio di volte. Ma non deve essergli piaciuto e non l'ha affittato. Chissà in che stato era quella casa.»

Vivien sentì un tuffo al cuore.

«Quell'altro? Il padrone di casa non mi ha detto che c'era un'altra persona interessata all'appartamento.»

La vecchia si tolse il soprabito e lo gettò sullo schienale di una sedia.

«È successo un po' di tempo fa. Un tipo alto, con una giacca verde. Di quelle militari, credo. Uno strano anche lui. È venuto un paio di volte e poi non è più tornato. Meno male che non l'ha preso.»

Vivien avrebbe avuto voglia di fermarsi e continuare a farle delle domande, cercando di non insospettirla. Fin dall'inizio non aveva fatto mistero su come la pensava a proposito della Polizia. Ma questo richiedeva tempo e l'urgenza dimostrata al telefono da padre McKean la tirava fuori di lì come una fune legata alla vita. Si ripromise di tornare e di approfondire l'argomento dopo avere incontrato il sacerdote.

La donna si avvicinò all'angolo cottura.

«Vuole un caffè?»

Vivien guardò l'orologio come una persona che considerava quell'eventualità un piacere al quale era costretta a rinunciare.

«Mi spiace. Lo accetterei volentieri ma sono di fretta.»

Una lieve delusione si dipinse sul viso della vecchia. Vivien arrivò in suo soccorso.

«Lei come si chiama?»

«Judith.»

«Bene, Judith, io sono Vivien. Adesso ti dirò cosa faremo. Io andrò al mio appuntamento e quando tornerò busserò alla tua porta e ci prenderemo quel caffè. Come due brave vicine di casa.»

«Non fra le tre e le quattro. Devo andare dal dottore perché la mia schiena mi…»

*Oh no. Non ora l'elenco degli acciacchi.*

Vivien interruppe sul nascere quella che poteva rivelarsi una lunga litania di artriti e dolori di stomaco.

«Okay. Ora devo proprio andare. Ci vediamo dopo.»

Raggiunse la porta e prima di uscire lanciò un sorriso alla sua nuova amica.

«E tieni in caldo quel caffè. Ne avremo di cose da raccontarci.»

«Va bene. Ma ricordati che io non do mance.»

Vivien si ritrovò da sola nel corridoio, a chiedersi quanto fosse attendibile quella vecchia signora svanita. Ma, per quanto esile, le aveva fornito l'ipotesi di una traccia. Come aveva più volte detto Bellew, nella loro situazione non andava trascurata nessuna eventualità.

Strattonata dall'ascensore, scese nell'atrio e uscì in strada. Un agente era in piedi davanti alla sua macchina e le stava facendo la multa. Raggiunse l'auto mentre il poliziotto stava sollevando il tergicristallo per infilarci il foglio.

«Mi scusi, agente.»

«È suo questo mezzo?»

«Sì.»

«Lo sa che questo spazio è riservato al carico e scarico delle merci?».

Senza parlare Vivien gli mostrò il distintivo. Il poliziotto sbuffò e tolse la multa dal vetro.

«La prossima volta le conviene esporre il contrassegno. Eviteremo di perdere tempo. Lei e io.»

Il tempo era proprio un materiale che Vivien non aveva. Nemmeno per controbattere le giuste osservazioni di un agente di quartiere.

«Mi scusi. Non era mia intenzione.»

L'uomo in divisa si allontanò bofonchiando un saluto. Vivien salì in macchina e avviò il motore. Chiese di nuovo aiuto al lampeggiante. Con la massima velocità possibile per non rischiare la propria e non far rischiare la pelle ad altri, iniziò la sua risalita verso nord. Prese la Brooklyn-Queens Expressway poi seguì la 278 finché dopo il ponte divenne la Bruckner.

Durante il viaggio, dopo averci riflettuto a lungo, provò un paio di volte a chiamare Russell. Il telefono era sempre spento. Per ribattere al proprio malumore, cercò di convincersi che aveva agito per il meglio. Nonostante la buona volontà, si rese conto che una parte di lei aveva seguito Russell quando se ne era andato. E adesso non sapeva dov'erano e verso cosa stessero camminando.

Si costrinse a riassumere nella mente tutta la storia, esaminando bene ogni particolare per vedere se nella loro analisi fosse sfuggito qualcosa. Ziggy, la lettera, Wendell Johnson,

Little Boss, quell'assurdo gatto a tre zampe. Tutte le bombe che un pazzo era riuscito a seminare prima della sua morte. Le vittime che c'erano state e quelle che ci sarebbero state ancora, se non prendevano chi aveva rilevato il suo proposito di vendetta e lo stava ponendo in atto senza nessuna pietà.

E infine quella gattara strampalata, Judith. Era degna di fede o no? Russell aveva visto un uomo con una giacca verde uscire dall'appartamento di Ziggy. Un uomo con lo stesso tipo di indumento era stato lì. La domanda era: si trattava della stessa persona? In caso affermativo, non poteva essere un possibile inquilino, perché il capitano aveva detto che l'appartamento era stato bloccato per un anno. Il motivo non era ben chiaro. A meno che, insieme alla lettera, il padre avesse inviato al figlio anche le chiavi della sua casa. In quella eventualità, la giacca verde era stata in quell'appartamento addosso alla persona che stavano disperatamente inseguendo.

Lasciò volutamente fuori da quell'analisi la voce preoccupata e tesa di padre McKean, anche se continuava a risuonarle nelle orecchie.

*È una cosa legata a quelle esplosioni, che Dio mi assolva...*

Non sapeva che aspettarsi. Ma non vedeva l'ora di arrivare per saperlo.

Il tempo e la velocità sembravano svilupparsi con due modalità opposte. Uno era troppo veloce, l'altra troppo lenta. Provò ancora una volta a chiamare Russell. Più per passare il tempo che per vero interesse, si disse.

Niente.

Il telefono era spento o non raggiungibile. Cedette alla sua umanità e si concesse la fantasia di essere altrove, con lui, in un qualsiasi posto dove non arrivassero gli echi del mondo e le grida delle vittime. Sentì un flusso caldo di desiderio arrivare a lambirle l'inguine. Si disse che questo era sbagliato, ma era l'unico segnale che aveva, dopo tanto tempo, di essere ancora viva.

Quando imboccò la strada sterrata e dopo un paio di curve le apparve il tetto di Joy, una improvvisa ansia la prese. Di colpo non fu più del tutto certa di voler conoscere quello che padre McKean aveva da dirle. Rallentò per non arrivare nel cortile seguita da uno strascico di polvere. Il sacerdote la stava aspettando all'inizio del giardino, una macchia nera nel verde della vegetazione e sotto l'azzurro del cielo. Vide che indossava l'abito talare, quella veste lunga che una Chiesa al passo con i tempi aveva concesso ai sacerdoti di sostituire talvolta con abiti più comodi e moderni. Mentre scendeva dalla macchina e andava verso di lui, Vivien ebbe l'impressione che quella scelta non fosse casuale, che avesse un significato preciso. Come se padre McKean avesse in qualche modo bisogno di rincorrere la propria identità e lo facesse con tutti i mezzi che aveva a disposizione.

Quando gli arrivò vicino, si accorse che le sue supposizioni non dovevano essere lontane dalla realtà. Gli occhi dell'uomo che si trovava di fronte erano spenti, fuggitivi, casuali. Nemmeno l'ombra della vitalità e della benevolenza che di solito erano parte integrante del suo essere.

«Meno male che sei arrivata.»

«Michael, che c'è di tanto urgente? Che ti succede?»

Padre McKean si guardò intorno. Un paio di ragazzi in fondo al giardino stavano riparando una griglia di recinzione. Un terzo stava in piedi accanto a loro e porgeva gli attrezzi che di volta in volta gli venivano richiesti.

«Non qui. Seguimi.»

Passò oltre e procedette verso la casa. Superarono l'ingresso e si trovarono di fronte la porta del locale di fianco all'ufficio, che fungeva da piccola infermeria. Il prete la aprì e la precedette all'interno.

«Ecco, vieni. Qui non ci disturberà nessuno.»

Vivien lo seguì. La stanza era tutta bianca. Bianche le pareti e il soffitto e alla destra, addossato al muro, un lettino in metallo coperto da un lenzuolo pure bianco. Poco oltre, nell'angolo, c'era un vecchio paravento da ospedale, restaurato e rivestito di tela ancora bianca. Dalla parte opposta un armadietto per i medicinali, dello stesso colore. Il vestito del sacerdote spiccava come una macchia d'inchiostro sulla neve.

Padre McKean si mise davanti a lei, senza avere la forza di guardarla negli occhi per più di due secondi.

«Vivien, tu credi in Dio?»

Vivien si chiese il senso di quella domanda. Le sembrava impossibile di essere stata convocata con tanta urgenza solo per una verifica della sua fede. Decise che se padre McKean le aveva chiesto quello, un senso lo doveva avere.

«Nonostante il lavoro che faccio, io sono una sognatrice, Michael. È il massimo che mi posso permettere.»

«Questa è la differenza fra di noi. Un sognatore ha la speranza che i suoi sogni si avverino.»

Fece una pausa durante la quale cercò il suo sguardo. Per un attimo fu quello di sempre.

«Un credente ha la certezza.»

Poi si girò e si avvicinò all'armadietto. Appoggiò una mano sulla sommità e rimase per un istante a guardare le scatole di medicinali all'interno.

Parlò senza guardarla.

«E quello che sto per dirti è proprio contro quella certezza. Contro gli insegnamenti che per anni ho seguito. Contro quelli che ho impartito. Ma ci sono casi in cui i dogmi della

Chiesa si rivelano incomprensibili davanti alle sofferenze umane. A tante, troppe sofferenze umane.»

Tornò a voltarsi verso di lei. Il suo viso era livido.

«Vivien, l'uomo che ha fatto esplodere le bombe nel Lower East Side e sull'Hudson è venuto a confessarsi da me.»

Vivien fece un tuffo nelle acque gelate dell'Artico. E rimase a lungo immersa, prima di poter riemergere e di ritrovare il fiato.

«Ne sei sicuro?»

La domanda le era venuta istintiva e portava con sé molti sottintesi. Ebbe in cambio una risposta calma e prudente, quella di chi sa come spiegare una cosa difficile da credere.

«Vivien, ho una laurea in psicologia. Lo so che il mondo è popolato di pazzi mitomani disposti a confessare tutte le colpe della terra pur di avere un momento di notorietà. So che una difficoltà della Polizia in certe indagini è dividersi fra la ricerca dei colpevoli e sfuggire a quelli che dicono di esserlo. Ma in questo caso è diverso.»

«Cosa te lo fa pensare?»

Il prete scrollò le spalle.

«Tutto e niente. Dettagli, particolari, parole. Ma dopo il secondo attentato sono certo che è lui.»

Dopo un iniziale istante di sbigottimento, Vivien era tornata presente a se stessa, vivificata da un soffio innaturale di adrenalina nel sangue. Capiva l'importanza di quello che il sacerdote le aveva appena confidato. Nello stesso tempo sapeva quale battaglia avesse vinto e perso dentro di sé per arrivare a farlo.

«Ti va di partire dall'inizio?»

Padre McKean assentì con il capo, in attesa. Ora che il vaso era stato aperto, aveva capito che, nella sua esperienza, Vivien sapeva cosa chiedere e il modo giusto per farlo.

«Quante volte lo hai visto?»

«Una.»

«Quando è stato?»

«Domenica mattina, il giorno dopo il primo attentato.»

«Cosa ti ha detto?»

«Mi ha confessato quello che aveva fatto. E mi ha detto quello che aveva intenzione di fare in seguito.»

«Come? Ricordi le parole precise?»

«Come se potessi dimenticarle. Ha detto che la prima volta aveva riunito la luce e il buio. La prossima volta avrebbe riunito l'acqua alla terra.»

Le lasciò il tempo per riflettere. Poi arrivò per lei a una conclusione.

«E così è stato. La prima esplosione è avvenuta al calare della sera, quando la luce e il buio si riuniscono. La seconda si è verificata in riva al fiume. In quel modo la terra e le acque sono tornate a essere una cosa sola. Sai che significa?»

«Significa che sta ripercorrendo la Genesi, con propositi distruttivi invece che creativi.»

«Esatto.»

«Ti ha detto perché lo fa?»

Padre McKean si sedette su uno sgabello, come se le forze, durante quella confessione, lo stessero abbandonando.

«Gli ho posto la domanda quasi con le stesse parole.»

«E lui che ti ha risposto?»

«Ha risposto "Io sono Dio".»

Quella frase, ripetuta a mezza voce per la prima volta fuori dal confessionale, dava a tutti e due il senso urticante della pazzia. Dell'andata senza ritorno verso la follia omicida, quella che cancella ogni barlume di indulgenza e lascia spazio solo all'incedere del male fino a diventare il male fatto uomo.

Il reverendo richiamò alla mente i suoi studi di psicologia.

«Quest'uomo, chiunque sia, è molto più di un serial killer o di un omicida di massa. Lui riunisce dentro di sé tutte e due le patologie. E di tutte e due le patologie presenta la furia e la totale e sanguinaria assenza di discernimento.»

Vivien si trovò a pensare che, se avessero preso quell'uomo, ci sarebbero stati psichiatri disposti a pagare qualsiasi cifra pur di poterlo studiare. E molte persone che avrebbero pagato altrettanto pur di poterlo uccidere con le loro mani.

«Puoi darmi una descrizione?»

«Non l'ho visto bene in viso. Il confessionale a Saint Benedict è volutamente mantenuto nella penombra. Inoltre lui ha sempre avuto l'accortezza di tenersi di lato.»

«Dimmi quello che ricordi.»

«Bruno, giovane, alto, credo. Voce sommessa ma calma e fredda come il ghiaccio.»

«Altri dettagli?»

«Per quello che può servire, ho avuto l'impressione che indossasse una giacca verde, di quelle militari. Ma un vestito non significa molto.»

*Significa tutto, invece.*

Vivien sentì arrivare rotolando l'esultanza a gonfiarle i polmoni come se avesse respirato elio puro.

Dunque Judith, quella che non dava mance, aveva visto giusto. La benedisse nel suo intimo, giurando a se stessa che avrebbe preso quel caffè e ascoltato tutte le sue lamentele su ogni singolo malanno. Si accucciò davanti al sacerdote che stava guardando desolato il pavimento e gli appoggiò le mani sulle ginocchia. In quel momento non le sembrava un eccesso di confidenza, solo una conferma di vicinanza.

«Michael, è troppo lungo da spiegare, ma è lui. Hai visto giusto. È lui.»

Questa volta la domanda incredula arrivò dal sacerdote, incerto se cedere al proprio sollievo.

«Ne sei sicura?»

Vivien si rialzò di scatto come spinta da una molla.

«Al cento per cento.»

Fece qualche passo avanti e indietro nella stanza, riflettendo a una velocità di cui non si credeva capace. Poi si fermò e proseguì quella loro corsa verso un risultato.

«Ti ha detto che sarebbe tornato?»

«Non mi ricordo. Ma credo che lo farà.»

Mille pensieri si affollavano nella sua testa, mille immagini giravano in una rapida sequenza interiore senza il controllo della mente.

Infine le fu chiaro quello che avrebbe fatto.

«Michael, se si venisse a sapere che hai tradito il segreto confessionale, quali sarebbero per te le conseguenze?»

Il sacerdote si alzò con il volto di chi sente la sua anima sprofondare verso il basso.

«La scomunica. L'interdizione perenne dal mio ministero.»

«Non succederà. Perché nessuno ne sarà al corrente.»

Vivien proseguì nell'esposizione di come intendeva muoversi. E lo fece pensando all'uomo che era con lei nel bianco di quella stanza e al bene di Joy e a ciò che in quella casa ogni giorno veniva fatto per ragazzi come Sundance.

«Non posso mettere una cimice nel confessionale. Dovrei spiegare troppe cose. Ma c'è una cosa che potresti fare.»

«Vale a dire?»

«Se quell'uomo ritorna, chiamami al cellulare. Lascialo acceso fra di voi in modo che io possa seguire la vostra conversazione. In quel modo lo sentirò solo io e potrò guidare le operazioni perché sia preso lontano dalla chiesa.»

Michael McKean, un sacerdote che aveva perso ogni certezza, vide all'orizzonte risplendere una speranza.

«Ma quell'uomo, quando lo avrete preso, dirà tutto.»

«E chi gli crederà, dal momento che tu e io negheremo ogni cosa? Ho un'altra testimone che ha visto altrove un tipo con la giacca verde e posso scaricare su di lei tutto il merito. Tu ne usciresti pulito.»

Il reverendo rimase in silenzio, esaminando quella proposta come se Vivien fosse davanti a lui tendendogli con la mano una mela.

«Non so, Vivien. Non so più niente.»

Vivien gli mise le mani sulle braccia e le strinse forte.

«Michael, non posso essere io a farti delle prediche. Per tutta la mia vita sono andata in chiesa poco e male. Ma di una cosa sono certa. Tu stai sottraendo alla morte molte vite umane e quel Cristo che è morto in croce per salvare tutto il mondo non potrà non perdonarti.»

La risposta arrivò dopo un istante lungo come l'eternità a cui il sacerdote insegnava a credere.

«Va bene. Lo farò.»

Vivien sentì la gratitudine e la liberazione invaderla e si trattenne a stento dall'abbracciare padre McKean, che non era mai stato così vicino agli uomini come in quel momento in cui credeva che la sua anima si fosse allontanata da Dio.

«Che ne dici adesso di uscire in giardino? Ho una voglia pazza di vedere mia nipote.»

«I ragazzi stanno per andare a pranzo. Vuoi fermarti con noi?»

Vivien si rese conto di avere fame. L'ottimismo le aveva aperto lo stomaco.

«Con grande piacere. La cucina della signora Carraro merita sempre di essere onorata.»

Senza dire altro, uscirono dalla stanza e chiusero l'uscio alle loro spalle.

Dopo qualche istante, la figura di John Kortighan sbucò da dietro il paravento. Rimase per qualche istante a guardare la porta, con le sopracciglia aggrottate e gli occhi umidi. Poi si sedette sul lettino e, come se quel gesto gli costasse una fatica immensa, nascose il viso fra le mani.

# CAPITOLO 31

Seduto su una comoda poltroncina rossa, Russell attendeva. Era abituato a farlo. Aveva atteso per anni, senza nemmeno sapere cosa stesse aspettando. Forse senza nemmeno rendersi conto del semplice fatto di essere in attesa. Continuando per tutto quel tempo a guardare il mondo come uno spettatore timoroso che nascondeva le sue paure dietro al sarcasmo, così stordito da una vita sempre di corsa da ignorare che il solo modo per scordare i propri problemi era risolverli. Capirlo gli aveva fatto allargare dentro una nuova sicurezza e di conseguenza una calma inusuale. E infatti, anche adesso che l'impazienza gli mordeva il respiro, era seduto tranquillo e osservava con aria indifferente l'ambiente intorno a sé.

Si trovava nella saletta di attesa di un ufficio ultramoderno, progettato e arredato da Philippe Starck, che occupava un intero piano di un elegante grattacielo sulla 50sima Strada. Cristalli, cuoio, dorature, un briciolo di ragionato kitsch e di follia voluta. Nell'aria un vago profumo di menta e cedro. Segretarie dall'aspetto gradevole e funzionari dall'aria adeguata. Tutto era stato realizzato nel modo giusto per accogliere e stupire i visitatori.

Era la sede di New York della Wade Enterprise, la società di suo padre. Un'impresa con sede a Boston e con diversi uffici di rappresentanza nelle maggiori città degli Stati Uniti e in diverse capitali del mondo. Gli interessi dell'azienda si ramificavano in molteplici direzioni, dall'edilizia alle forniture di tecnologia all'esercito, dalla finanza al commercio di materie prime, con il petrolio al primo posto.

Chinò la testa a guardare una moquette color tabacco con il logo della società che di certo era costata un occhio della testa. Oppure era arrivata al prezzo di fabbrica perché era stata prodotta in una delle aziende del gruppo. Tutto intorno a lui era un silenzioso e discreto atto di omaggio al Dio Denaro e ai suoi adoratori. Li conosceva bene e sapeva quanto potessero essergli fedeli.

Invece a Russell non era mai importato molto dei soldi. Ora più che mai. L'unica cosa che gli interessava era che non voleva più sentirsi un fallito.

Mai più.

Quella era stata la sua vita da sempre. Dappertutto si era trovato nell'ombra. Di suo padre, di suo fratello, del nome che portava, del grande palazzo sede della società a Boston. Dell'ala protettrice di sua madre, che fino a un certo punto era riuscita a superare il dispiacere e l'imbarazzo in cui alcuni suoi atteggiamenti l'avevano fatta precipitare. Adesso era giunto il momento di togliersi da quell'ombra e correre i propri rischi. Non si era chiesto che cosa avrebbe fatto Robert in quelle circostanze. Lo sapeva per conto suo. L'unico modo possibile per raccontare al mondo la storia che aveva fra le mani era arrivare alla fine e poi cominciare dall'inizio.

Da solo.

Quando finalmente l'aveva realizzato, il ricordo di suo fratello era cambiato. L'aveva sempre talmente idealizzato da rifiutarsi di considerarlo una persona, con tutti i suoi pregi e con tutti i difetti che per anni si era ostinato a non vedere.

Adesso non era più un mito, ma un amico il cui ricordo camminava al suo fianco, un punto di riferimento e non un idolo dal piedistallo troppo alto.

Un uomo calvo con gli occhiali e un inappuntabile abito blu entrò e raggiunse la reception. Vide la donna che lo aveva accolto alzarsi dalla sua postazione e accompagnarlo nella saletta.

«Ecco, signor Klee. Se ha la cortesia di attendere qualche istante, il signor Roberts la riceverà subito.»

L'uomo fece un cenno di ringraziamento e mosse lo sguardo in cerca di un posto dove sedersi. Quando lo vide, lanciò un'occhiata disgustata ai suoi abiti spiegazzati e andò a sedersi nella poltrona più lontana. Russell sapeva che la sua presenza in quell'ufficio era una nota stonata nel regno ovattato dell'armonia e del buon gusto. Gli venne da sorridere. Sembrava che il suo maggiore talento fosse da sempre quello di essere un contrattempo per il mondo.

Gli tornarono di prepotenza alla mente le parole di Vivien, la sera in cui a casa sua l'aveva baciata.

*L'unica cosa che so è che non voglio complicazioni…*

Lui aveva dichiarato la stessa cosa, ma nello stesso tempo sapeva di mentire. Sentiva che Vivien era una storia nuova, un ponte che aveva desiderio di attraversare per scoprire chi ci fosse dall'altra parte. Per la prima volta nella sua vita, non era fuggito. E aveva pagato sulla sua pelle quello che sovente aveva fatto patire ad altre donne. Con in bocca il gusto amaro dell'ironia, confuse nell'imbarazzo, si era sentito dire parole che anche lui aveva pronunciato molte volte prima di girare la schiena e andarsene. Non aveva nemmeno permesso a Vivien di finire il suo discorso. Per non essere ferito, aveva preferito ferire. Dopo, era rimasto seduto nell'auto a guardare fuori dal finestrino, sentendosi solo e inutile. A dibattere dentro di sé la sola verità:

quella notte gli era rimasta cucita addosso come un abito su misura e, nonostante tutto, le complicazioni erano arrivate.

Solo per lui, a quanto pareva.

Quando davanti ai suoi occhi Vivien si era trasformata di colpo in una persona che non conosceva, era uscito dall'appartamento sulla Broadway ucciso dalla delusione e dal rancore. Era entrato in un bar dall'aria improbabile con il desiderio di prendere qualcosa da bere, qualcosa dal sapore forte che scendesse a scaldare quel nocciolo freddo che sentiva nello stomaco. Tutti i suoi propositi erano naufragati nel tempo impiegato dal barman per arrivare fino a lui. Aveva chiesto un caffè e si era messo a riflettere su come muoversi. Non aveva nessuna intenzione di rinunciare alla sua ricerca ma era conscio delle difficoltà che si trovava davanti per arrivare a un risultato con le sue sole forze. A malincuore, aveva dovuto ammettere che l'unica strada percorribile era ricorrere alla sua famiglia.

Il cellulare era scarico, sia di batteria che di credito, ma aveva visto che in fondo al bar c'era un telefono a gettone. Aveva pagato il caffè e si era fatto dare una manciata di quarti di dollaro. Poi si era avviato a fare una delle telefonate più difficili della sua vita.

Le monete erano scese nella feritoia con il rumore della speranza e aveva composto il numero di casa sua a Boston premendo i tasti come un marconista che da una nave lanciava nell'etere un disperato SOS.

Naturalmente aveva risposto la voce impersonale di un domestico.

«Wade Mansion. Buongiorno.»

«Buongiorno. Sono Russell Wade.»

«Buongiorno, signor Russell. Sono Henry. Cosa posso fare per lei?»

Il viso compito del maggiordomo si era sovrapposto ai

cartelli pubblicitari davanti a lui. Di media statura, preciso, inappuntabile. La persona giusta per dirigere una casa complicata come l'abitazione della famiglia Wade.

«Vorrei parlare con mia madre.»

Un comprensibile attimo di silenzio. La servitù, come si ostinava a chiamarla sua madre, era dotata di un ufficio informazioni molto efficiente. Di certo tutti sapevano della difficoltà dei suoi rapporti con i genitori.

«Vedo se la signora è in casa.»

Russell aveva sorriso davanti a quella ennesima dimostrazione di diplomazia del domestico. In realtà la sua risposta prudente avrebbe dovuto essere tradotta con «Vedo se la signora le vuole parlare».

Dopo un tempo che gli parve interminabile e un altro paio di quarti di dollaro

*tlink tlink*

ingoiati dal telefono, arrivò la voce gentile ma sospettosa di sua madre.

«Ciao, Russell.»

«Ciao, mamma. Sono contento di sentirti.»

«Anche io. Che ti succede?»

«Ho bisogno del tuo aiuto, mamma.»

Silenzio. Un comprensibile silenzio.

«Lo so che in passato ho abusato del tuo sostegno. E l'ho ripagato molto male. Ma questa volta non voglio denaro, non mi serve assistenza legale. Non sono nei pasticci.»

Una nota di curiosità nella voce aristocratica di sua madre.

«Allora che ti serve?»

«Ho bisogno di parlare con papà. Se telefono in ufficio, come sentono il mio nome mi dicono che non c'è o che è in riunione o che è sulla luna.»

*tlink*

La curiosità della donna si era trasformata di colpo in apprensione.

«Che vuoi da tuo padre?»

«Mi serve il suo aiuto. Per una cosa seria. La prima vera cosa seria della mia vita.»

«Non lo so, Russell. Forse non è una buona idea.»

Aveva capito l'esitazione di sua madre. E in qualche modo l'aveva scusata. Era fra l'incudine del marito probo e il martello del figlio scapestrato. Ma non poteva darsi per vinto, a costo di implorare.

«Mi rendo conto che non ho mai fatto nulla per meritarla, ma ho bisogno della tua fiducia.»

Dopo qualche istante, la voce aristocratica di Margareth Taylor Wade gli portò attraverso il telefono la sua resa.

*tlink*

«Tuo padre è nella sede di New York per un paio di giorni. Ora gli parlo e ti richiamo.»

Russell aveva sentito l'euforia allargarsi dentro con un effetto più efficace di qualunque bevanda alcolica. Quello era un inaspettato colpo di fortuna.

«Ho il cellulare scarico. Digli solo che io vado in ufficio e aspetto lì che mi riceva. Non me ne andrò finché non l'avrà fatto, dovessi aspettare tutta la giornata.»

Fece una pausa. Poi disse una cosa che non aveva detto più da anni.

«Grazie, mamma.»

*tlink*

Non aveva avuto tempo di sentire la risposta, perché l'ultima moneta era caduta insieme alla comunicazione.

Era uscito in strada e aveva investito gli ultimi dollari a sua disposizione in una corsa in taxi fino alla 50sima Strada. E adesso era lì da due ore, sotto lo sguardo di persone come il signor Klee, ad attendere che suo padre gli concedesse udienza. Sapeva che non lo avrebbe fatto subito, che non si sarebbe fatto scappare l'occasione di infliggergli una umiliante attesa. Ma lui non si sentiva affatto umiliato, solo impaziente.

E aveva atteso.

Una segretaria alta ed elegante si materializzò davanti a lui. La moquette aveva attutito il rumore dei suoi tacchi nel corridoio. Era bella, adeguata all'ambiente e doveva essere anche capace, se l'avevano scelta per quel lavoro.

«Signor Russell, venga pure. Il signor Wade la sta aspettando.»

Si rese conto che finché suo padre fosse stato vivo, sarebbe esistito un unico e solo «Signor Wade». Ma lui aveva la possibilità di cambiare quello stato di cose. Lo voleva con tutte le sue forze.

Si alzò dalla poltrona e seguì l'assistente in un lungo corridoio. Mentre guardava il sedere della ragazza muoversi con garbo sotto la gonna, gli venne da sorridere. Forse pochi giorni prima si sarebbe esibito in qualche commento di dubbio gusto, tale da mettere in difficoltà quella giovane donna e fare di conseguenza un dispetto a suo padre. Poi ricordò a se stesso che fino a qualche giorno prima non si sarebbe mai sognato di entrare in quell'ufficio e di incontrare Jenson Wade.

La segretaria si fermò davanti a una porta in legno scuro. Bussò leggermente e, senza attendere un segnale dall'interno, aprì il battente e gli fece segno di entrare. Russell fece un paio di passi, sentendo il fruscio della porta che si richiudeva.

Il capo di quell'impero economico stava seduto dietro una scrivania messa in diagonale, con alle spalle due vetrate d'angolo che offrivano una vista mozzafiato sulla città. Il controluce era compensato da lampade messe ad arte nella grande stanza che era uno dei ponti di comando di suo padre. Da molto tempo non si incontravano di persona. Era un poco invecchiato ma in una forma ineccepibile. Rimase a osservarlo mentre continuava a leggere dei documenti, ignorandolo del tutto. Jenson Wade era il ritratto di suo figlio minore. O meglio, era Russell a portare in giro una somiglianza che in passato si era rivelata in più occasioni scomoda per tutti e due.

Il solo e unico signor Wade alzò la testa e lo guardò con occhi fermi, senza concessioni.

«Che vuoi?»

Suo padre non amava i preamboli. E Russell non ne fece uso.

«Ho bisogno di aiuto. E tu sei la sola persona che conosco che me lo può dare.»

La risposta arrivò secca e scontata.

«Non avrai un centesimo da me.»

Russell scosse la testa. Nessuno lo aveva invitato a farlo, ma lui scelse con calma una poltrona e si sedette.

«Non me ne serve nemmeno uno.»

Quell'uomo senza affetto lo fissava dritto negli occhi. Di certo si stava chiedendo che cosa Russell avesse architettato questa volta. Ma si trovava inaspettatamente di fronte a una novità. Prima di allora suo figlio non aveva mai avuto la forza di sostenere lo sguardo.

«Che vuoi allora?»

«Sto seguendo una pista per un reportage giornalistico. Una cosa grossa.»

«Tu?»

In quel monosillabo incredulo c'erano anni di foto sui

giornali scandalistici, parcelle di avvocati, fiducia tradita, denaro gettato al vento. Gli anni passati a piangere due figli: uno perché era morto, l'altro perché stava facendo di tutto per farsi considerare tale.

E alla fine c'era riuscito.

«Sì. Posso aggiungere che molte persone moriranno, se non ottengo il tuo aiuto.»

«In che guaio ti sei cacciato, stavolta?»

«Non sono in un guaio. Ma c'è tanta altra gente che non sa di esserci.»

La curiosità iniziava ad affiorare negli occhi sospettosi di Jenson Wade. La sua voce si ammorbidì un poco. Forse aveva intuito che la persona che si trovava di fronte aveva una fermezza diversa dal Russell che era abituato a conoscere. In ogni caso le troppe delusioni passate gli imponevano di muoversi con estrema cautela.

«Di che si tratta?»

«Non te lo posso dire. Questo è un punto a mio sfavore. Temo dovrai fidarti.»

Vide suo padre appoggiarsi allo schienale e sorridere come a una battuta di spirito.

«Con te la parola fiducia mi sembra perlomeno sovradimensionata. Perché dovrei fidarmi?»

«Perché ti pago.»

Il sorriso divenne una smorfia di sarcasmo derisorio. Quando si parlava di denaro, il potente signor Wade entrava nel suo territorio di caccia preferito. E Russell sapeva che in quel campo pochi erano alla sua altezza.

«Con che soldi, di grazia?»

Ricambiò il sorriso.

«Ho una cosa che sono certo ti farà più piacere dei soldi.»

Mise la mano nella tasca interna della giacca e tirò fuori

un foglio di carta da lettera piegato in tre. Lo aprì, si alzò dalla poltrona e lo pose delicatamente sul piano davanti a suo padre. Jenson Wade riprese il paio di occhiali che aveva posato sulla scrivania accanto a lui, li inforcò e lesse quello che c'era scritto.

*Con la presente il sottoscritto Russell Wade si impegna dall'i-nizio del mese di giugno prossimo venturo a prestare la sua opera alle dipendenze della Wade Enterprise per tre anni alla cifra di dollari uno mensili.*

*In fede*
Russell Wade

Russell vide la sorpresa, poi la tentazione rincorrersi sul viso di suo padre. L'idea di averlo in suo potere e di poterlo umiliare a proprio piacimento doveva essere una prospettiva allettante. Di certo la vista di Russell con una tuta da lavoro che puliva i pavimenti e i bagni gli avrebbe tolto molti anni di vita dalle spalle.

«Mettiamo il caso che io accetti. Cosa dovrei fare?»

«Tu hai un sacco di agganci a Washington. O meglio, hai un sacco di persone sul tuo libro paga, sia nella politica che nell'esercito.»

Prese il silenzio di suo padre come una compiaciuta ammissione del suo potere.

«Io sto seguendo una traccia, mi sono bloccato davanti a un muro che da solo non riesco ad abbattere. Forse grazie a te riesco ad aggirarlo.»

«Vai avanti.»

Russell si avvicinò alla scrivania. Tirò fuori dalla tasca la foto del ragazzo, quella con il gatto. Prima di consegnare l'originale a Vivien l'aveva scansionata e se n'era stampata una copia di riserva. Allora si era sentito un poco in colpa, ma adesso era lieto di averlo fatto.

«È una cosa che ha a che fare con la guerra del Vietnam. Dal 1970 in poi. Ho il nome di un soldato che si chiamava Wendell Johnson e questa fotografia di un uomo sconosciuto ma che era sotto le armi insieme a lui. Credo che tutti e due siano stati coinvolti in qualcosa di strano, qualcosa che è tuttora coperto dal segreto militare. Ho bisogno di sapere cosa. E di saperlo nel minor tempo possibile.»

Il businessman rimase a lungo a riflettere, fingendo di guardare le immagini. Russell ignorava che non sarebbero state le sue parole a convincere il padre, ma il tono con cui le aveva pronunciate. Quel tono appassionato che solo la verità può avere.

Si vide indicare la poltrona proprio di fronte alla scrivania.

«Siediti.»

Quando lo vide seduto, Jenson Wade premette un tasto sul telefono.

«Signorina Atwood, mi passi il generale Hetch. Subito.»

In attesa, premette il pulsante per mettere la chiamata in vivavoce. Russell pensò che c'erano due ragioni per quel gesto. La meno rilevante era di permettergli di sentire la conversazione che sarebbe seguita. La seconda, quella fondamentale, era perché stava per dare al figlio l'ennesima dimostrazione di quello che il nome di suo padre significava.

Poco dopo una voce rude e leggermente rauca venne a galleggiare per la stanza.

«Ciao, Jenson.»

«Ciao, Geoffry, come stai?»

«Ho appena finito di giocare a golf.»

«Golf? Non sapevo che giocassi a golf. Prima o poi ci dobbiamo fare una bella partita.»

«Sarebbe bello.»

«Contaci, amico mio.»

A quel punto i convenevoli erano esauriti. Russell sapeva che suo padre spendeva ogni anno delle cifre enormi per mettersi al sicuro dalle intercettazioni, per cui era certo che quella sarebbe stata una telefonata senza mezze parole.

«Bene. Che posso fare per te?»

«Ho bisogno di un grosso favore, una cosa che solo tu puoi fare.»

«Vediamo se riesco.»

«È una cosa di un'importanza vitale. Hai vicino carta e penna?»

«Un attimo.»

Si sentì la voce del generale Hetch chiedere a qualcuno accanto a lui un foglio e qualcosa per scrivere. Subito dopo rientrò nel telefono e nell'ufficio.

«Dimmi.»

«Segnati questo nome. Wendell Johnson. Guerra del Vietnam, dal 1970.»

Il silenzio arrivò a indicare che il generale stava scrivendo.

«Johnson, hai detto?»

«Sì.»

Jenson Wade attese un istante prima di proseguire.

«È stato coinvolto insieme a un suo compagno d'armi in qualcosa che passa sotto il segreto militare. Voglio sapere cosa.»

Russell si rese conto che il padre, per riferire al generale quello che voleva, aveva usato quasi le stesse parole con cui lui prima gli aveva formulato la sua richiesta.

Questo piccolo dettaglio lo mise di buonumore.

Dall'altra parte arrivò invece una energica protesta

«Jenson, non posso mica andare a scartabellare...»

che fu stroncata sul nascere dalla voce dura del padrone della Wade Enterprise.

«Sì che puoi. Se ci rifletti bene, vedrai che puoi.»

Quella frase era piena di riferimenti e sottintesi, qualcosa che apparteneva a loro due soltanto. Il tono del generale cambiò di colpo.

«Va bene. Vedrò cosa posso fare. Dammi ventiquattro ore.»

«Te ne do una.»

«Ma Jenson…»

«Chiamami appena sai qualcosa. Sono a New York.»

La comunicazione venne chiusa prima che il generale avesse il tempo di replicare qualcosa. Jenson si alzò dalla poltrona e gettò uno sguardo distratto fuori dalla finestra.

«Adesso non ci resta che aspettare. Hai mangiato?»

Russell si rese conto di essere affamato.

«No.»

«Dirò alla mia assistente di farti portare qualcosa. Io devo incontrare delle persone, nella sala riunioni. Sarò di ritorno in tempo per la chiamata di Hetch.»

Senza dire altro, uscì dalla porta e lasciò Russell da solo a respirare l'aria dell'ufficio, che sapeva di sigari costosi, di legno e di passaggi segreti. Si avvicinò alla finestra e rimase qualche istante a guardare quello sterminato orizzonte di tetti, con la striscia dell'East River in mezzo come una lucida strada d'acqua sotto il sole.

Poco dopo, la porta si aprì ed entrò l'assistente di prima con un vassoio. Un coperchio d'argento copriva un piatto e di fianco c'era una mezza bottiglia di vino, un bicchiere, del pane e delle posate. Lo posò su un tavolino in cristallo di fronte al divano.

«Ecco qua, signor Russell. Mi sono presa la libertà di ordinarle una bistecca al sangue. Va bene?»

«Perfetto.»

Russell si mosse verso la ragazza, che era rimasta in piedi a osservarlo con aria curiosa. E in qualche modo allusiva. Con un sorriso e la testa piegata di lato, i lunghi capelli che si spargevano sulla spalla.

«Sei una persona molto famosa, Russell. E molto attraente.»

«Dici?»

La donna si avvicinò d'un passo. In mano stringeva un biglietto da visita. Glielo infilò con un sorriso nel taschino della giacca.

«Io sono Lorna. Questo è il mio numero. Chiamami, se vuoi.»

La seguì con lo sguardo mentre arrivava alla porta. Prima di uscire lei si girò un'ultima volta, con quell'invito ancora acceso negli occhi.

Russell rimase da solo. Si sedette e iniziò a mangiare la sua bistecca, senza toccare il vino. Andò a prendere nel frigobar nascosto in un mobile di fronte al divano una bottiglia d'acqua. Gli ritornò alla mente un momento di sole, di mare, di vento e di vicinanza.

Con un'altra donna.

*Ma visto che sei con me, possiamo ritenerci tutti e due in servizio, per cui niente alcol...*

Mangiò ricordando e masticando, due pessime attività da fare insieme, specie con i pensieri che gli attraversavano la testa. Si costrinse a finire il cibo, ricordando il consiglio di Vivien. Da quel momento in poi, non sapeva quando avrebbe avuto la possibilità di mangiare di nuovo.

Si alzò e tornò alla finestra. Rimase tutto il tempo a guardare fuori, cercando di vincere l'impazienza e di allontanare il viso di Vivien dalla sua mente. Senza risultato in entrambi i casi.

Lo sorprese l'ingresso di suo padre nell'ufficio. Russell

controllò l'orologio e si accorse che era passata quasi un'ora e mezza da che era uscito.

«Il generale ha chiamato. Ho detto di passarmelo qui.»

Si diresse a passo veloce verso la scrivania, si sedette e attivò il vivavoce.

«Eccomi. Hai notizie?»

«Sì.»

«Di che si tratta?»

«Una normale faccenda di panni sporchi dell'esercito.»

«Vale a dire?»

Si udì un rumore di carta stropicciata.

«Ecco qui. Wendell Johnson nato a Hornell il 7 giugno 1948. Abitava lì quando è stato chiamato sotto le armi. Faceva parte dell'11° Reggimento Cavalleria Meccanizzata di stanza a Xuan-Loc. Qualifica 1Y. Apparteneva al MOS, il Military Occupational Specialty.»

Russell fece il gesto di stringere.

«Vieni al sodo. Che gli è successo?»

«Questi dati relativi alla persona me li sono segnati. Per il resto ti dico quello che ricordo. Non ho potuto aver accesso diretto all'incartamento. Ci sono arrivato per vie traverse, per cui posso solo riportare quello che è stato detto a me.»

«Sì, ma fallo, Cristo santo.»

La voce del generale si adeguò all'urgenza del suo interlocutore.

«Nel 1971 il plotone di Johnson partecipò a un'azione a nord del Distretto di Cu Chi, sconsigliata dal servizio di intelligence ma predisposta lo stesso dai ranghi militari. Furono tutti massacrati, a parte lui e un altro soldato. Sono stati fatti prigionieri e in un secondo tempo usati dai vietcong come scudi umani contro un bombardamento.»

Russell avrebbe voluto porre direttamente le domande al generale, ma non poteva farlo per ovvi motivi. Prese un blocco di carta e una penna dalla scrivania e scrisse

*poi?*

e mise il foglio davanti a suo padre. Lui fece con la testa cenno di aver capito.

«E poi?»

«La persona che ha ordinato l'incursione aerea, il maggiore Mistnick, sapeva dai ricognitori della loro presenza in quel posto ma ha fatto finta di nulla. Gli aerei sono arrivati e hanno sparso il napalm su tutta la zona. Quell'ufficiale aveva in diverse occasioni dato segni di squilibrio, per cui è stato rimosso e il tutto nascosto, nel disagio collettivo, dietro il segreto militare. Era un periodo in cui la guerra era sotto accusa da parte di tutta l'opinione pubblica mondiale. Non mi stupisco affatto che sia andata in quel modo.»

Russell scrisse un'altra frase

*e quei due?*

Anche stavolta Jenson Wade trasformò in voce quel pensiero.

«E che è successo a quei due?»

«Johnson è rimasto ustionato ed è stato soccorso dalle truppe che sono arrivate in loco subito dopo. Lo hanno salvato per miracolo ed è stato un bel po' ricoverato in un ospedale militare per la riabilitazione, non ricordo dove.»

Arrivò un nuovo foglio.

*l'altro?*

«E quell'altro che fine ha fatto?»

«È morto carbonizzato.»

Con mano tremante Russell scrisse la cosa che lo interessava di più.

*il nome?*

«Sai come si chiamava?»

«Aspetta, mi sono segnato anche quello. Ecco…»

Un rumore di carta sfogliata. Poi il suono benedetto di una voce che diceva un nome.

«Matt Corey, nato a Corbett Place il 27 aprile 1948 e residente a Chillicothe, in Ohio.»

Russell segnò velocemente quei dati e poi fece un gesto di esultanza alzando le braccia al cielo. Subito dopo puntò verso il padre il pugno destro con il pollice alzato.

«Va bene, Geoffry. Ti ringrazio, per ora. Vediamoci, per quella partita di golf.»

«Quando vuoi, vecchio mio.»

Un pulsante eliminò dall'ufficio la presenza del generale Hetch, lasciando nell'aria le sue ultime parole. Jenson Wade si rilassò contro lo schienale della sedia. Russell stringeva incredulo fra le mani quel nome che avevano inseguito così a lungo.

«Devo andare a Chillicothe.»

Suo padre lo guardò un istante, valutando quella persona nuova che a sorpresa si trovava di fronte. Poi indicò con l'indice il soffitto.

«Questo è un palazzo di uffici e sul tetto abbiamo una pista d'atterraggio, invece della piscina. Se vai su, posso farti venire a prendere dal nostro elicottero entro dieci minuti.»

Russell rimase incredulo. Quell'offerta inaspettata di aiuto gli mise addosso una energia e una lucidità di cui non si credeva capace. Alzò la mano a guardare l'orologio.

«Per arrivare in Ohio saranno più o meno cinquecento miglia, in linea d'aria. Ce la facciamo ad arrivare prima che faccia buio?»

Un gesto delle spalle che valeva qualche miliardo di dollari.

«Non c'è problema. L'elicottero ti porterà al La Guardia dove ci sono i jet della compagnia. Ti farò sbarcare all'aeroporto più vicino a Chillicothe. Mentre sei in viaggio chiederò alla mia assistente di farti trovare una macchina dove atterrerai.»

Russell si trovò senza parole in piedi davanti alla scrivania dell'uomo che più aveva temuto nella sua vita. Disse l'unica cosa che gli veniva in mente.

«Non so come ringraziarti.»

«Un modo ce l'hai.»

Jenson Wade tirò fuori dalla tasca interna della giacca il foglio con l'impegno di Russell, si sporse e lo appoggiò nel centro della scrivania. Poi tornò ad appoggiarsi allo schienale in pelle con un'espressione soddisfatta in viso.

«Lavorerai per me per i prossimi tre anni, ricordi?»

# CAPITOLO 32

«Hai una sigaretta?»

Russell si svegliò chiedendosi chi cazzo...

Una faccia smunta con le guance coperte da una barba sparsa a casaccio era a una spanna dal suo viso. Due occhi piccoli e cisposi lo guardavano. Un tatuaggio saliva dal colletto sudicio della camicia verso l'orecchio sinistro. Il fiato sapeva di alcol e denti cariati.

«Cosa?»

«Hai una sigaretta?»

Russell realizzò di colpo dove si trovava. Si mise a sedere, sentendo le giunture scricchiolare. Una notte passata sul giaciglio di una cella non era il massimo del conforto per il corpo. Quando era stato arrestato, la sera prima, quel tipo magro e male in arnese non c'era. Dovevano averlo portato in prigione mentre lui dormiva. Era talmente stanco che non aveva sentito nulla.

L'uomo confermò la dedizione al tabagismo continuando la sua caccia al fumo con voce roca.

«Allora, ce l'hai questa sigaretta o no?»

Russell si alzò in piedi. L'uomo d'istinto fece un passo indietro.

«Non si può fumare qui.»

«Ragazzo, sono già in galera. Cosa vuoi che facciano, che mi arrestino?»

Il suo compagno di cella sottolineò la sua battuta con una

risata catarrosa. Russell non aveva sigarette e umore per continuare a discutere.

«Lasciami in pace.»

Vedendo che non avrebbe ricavato nulla, brontolando un personale e incomprensibile anatema, l'uomo andò a sdraiarsi sul lettino accostato al muro di fronte. Girò la schiena e rimase steso con una giacca arrotolata sotto la testa a fare da cuscino.

Dopo un attimo russava.

Russell si avvicinò alle sbarre. Di fronte aveva la parete di un corridoio che spariva verso sinistra. Alla destra indovinava un'altra cella dalla quale non proveniva nessun rumore. Forse la proba gente di Chillicothe non dava motivo alle autorità di visitarle spesso. Tornò anche lui a sdraiarsi sul letto, guardando un soffitto che sembrava appena ridipinto, pensando a come si era trovato per l'ennesima volta a trascorrere una notte in prigione.

*Suo padre era stato di parola.*

*Dopo cinque minuti che era arrivato in cima all'edificio, un elicottero era sceso dall'alto e si era posato con grazia sulla pista ricavata sul tetto. Il pilota doveva essere stato avvertito dell'urgenza, perché non aveva spento i motori. Un uomo era sceso dal sedile del passeggero ed era venuto verso di lui, camminando chino per combattere lo spostamento d'aria delle pale. Lo aveva preso sottobraccio e facendo segno di camminare nello stesso modo, lo aveva accompagnato verso la macchina.*

*Giusto il tempo di chiudere il portello e allacciare la cintura ed erano in volo. La città era passata a tutta velocità sotto di loro diventando presto la pista dei voli privati dell'aeroporto Fiorello La Guardia. Il pilota aveva portato l'elicottero a posarsi accanto a un piccolo e snello Cessna CJ1+ con le insegne della Wade Enterprise.*

*I motori erano già accesi e una assistente di volo lo attendeva ai piedi della scaletta. Era una ragazza bionda con una divisa color tabacco e una camicetta chiara che ricordavano i colori del logo della società. Russell si era avvicinato sentendo alle sue spalle il rotore dell'elicottero che decollava e che si allontanava.*

*«Buonasera, signor Wade. Sono Sheila Lavender. Sarò la sua assistente per tutto il volo.»*

*Gli aveva indicato l'interno dell'aereo.*

*«Prego.»*

*Russell era salito e si era trovato in un elegante salottino dove c'erano quattro comodi posti a disposizione dei passeggeri. Due piloti erano seduti al loro posto in cabina. Davanti avevano una miriade di strumenti che parlavano un linguaggio incomprensibile per qualsiasi profano.*

*Sheila gli aveva indicato i sedili.*

*«Si accomodi, signor Wade. Posso servirle qualcosa da bere?»*

*Russell era andato a occupare uno dei posti, sentendo l'abbraccio morbido della pelle avvolgergli la schiena. Aveva deciso di non bere, ma forse un drink se l'era meritato. Con un briciolo di sarcasmo aveva pensato che le sue regole di servizio erano molto meno limitative di quelle di Vivien.*

*«Su questo aereo c'è una bottiglia di whisky della riserva di mio padre?»*

*L'hostess aveva sorriso.*

*«Sì. Ne siamo forniti.»*

*«Molto bene. Allora prenderò un sorso di quello. Con un po' di ghiaccio, se possibile.»*

*«Arriva subito.»*

*L'assistente di volo si era allontanata e aveva iniziato ad armeggiare di fronte a un mobile bar. Dall'interfono era arrivata la voce del pilota.*

*«Signor Wade, sono il comandante Marcus Hattie. Buonasera e benvenuto a bordo.»*

*Russell aveva fatto un gesto in direzione della cabina per ricambiare il saluto.*

*«Abbiamo scelto questo aereo per le sue dimensioni che permettono l'atterraggio e il decollo sulla pista del Ross County Airport. Purtroppo ora abbiamo un problema di traffico aereo. Siamo in lista d'attesa e temo che ci sarà da attendere qualche minuto prima di poter staccare le ruote da terra.»*

*Russell aveva incassato questa notizia con disappunto. Se la fretta fosse stata velocità, a piedi sarebbe potuto arrivare a destinazione molto prima di quell'aereo. Il ritorno di Sheila con un bicchiere l'aveva un poco calmato. Guardando fuori dal finestrino, aveva sorseggiato il whisky con la calma che riusciva a permettersi. Dopo un quarto d'ora interminabile, si erano mossi e avevano raggiunto la pista. Una spinta potente dei motori, un senso di vuoto ed erano in cielo, impegnati in una virata che li avrebbe portati a dirigere la prua dell'aereo verso Chillicothe, Ohio.*

*Russell aveva guardato prima l'orologio, poi il sole all'orizzonte, cercando di azzardare una previsione di viaggio. Come risposta era arrivata di nuovo la voce del pilota.*

*«Finalmente siamo decollati e prevediamo di arrivare a destinazione in poco meno di due ore.»*

*Durante il viaggio aveva provato un paio di volte a chiamare Vivien con il telefono dell'aereo ma il cellulare era sempre occupato. Russell aveva immaginato che in quel frangente stesse facendo e ricevendo una quantità di chiamate. E con tutto quello che era successo non era nemmeno sicuro che gli volesse parlare.*

Hai avuto la parola del capitano, non la mia...

*Al ricordo di quelle parole il sapore del liquore era diventato di colpo amaro. Per migliorarlo, ci aveva aggiunto il sapore della rivalsa, quando le avrebbe rivelato di aver trovato da solo quello che invano avevano inseguito insieme.*

*Dopo un paio di secoli e un altro paio di drink, la voce del pilota lo aveva informato che avevano iniziato la discesa verso l'aeroporto di destinazione. Di nuovo, come nel viaggio di qualche giorno prima, l'oscurità li aveva sorpresi in volo. Ma questa volta le luci sotto di lui gli erano sembrate una promessa più facile da mantenere. Senza fargli dimenticare che le promesse le mantenevano anche i pazzi assassini.*

*L'atterraggio era stato perfetto e l'apparecchio era stato condotto con perizia davanti al terminal. Quando finalmente il portello era stato aperto e aveva posato i piedi a terra, si era trovato davanti un panorama che era praticamente uguale a quello del piccolo aeroporto di Hornell.*

*Di fianco all'edificio basso e lungo davanti a lui, c'era una persona in attesa di fianco a una macchina, una Mercedes berlina nera, lucida e pulita sotto i lampioni. Si era detto che suo padre non aveva badato a spese. Subito dopo gli era tornato alla mente che quei lussi li avrebbe ripagati con il sudore della fronte. Aveva smesso di sentirsi in colpa e convenuto con se stesso che se li era meritati.*

*Si era avvicinato alla macchina dove lo aveva accolto un tipo alto e magro, con l'aria di chi è più abituato a noleggiare casse da morto piuttosto che automobili.*

«*Il signor Russell Wade?*»

«*Sono io.*»

«*Sono Richard Balling, della Ross Rental Service.*»

*Nessuno dei due aveva teso la mano per un gesto amichevole. Russell aveva avuto il sospetto che il signor Balling avesse un leggero disprezzo verso quelli che scendevano da un jet privato e trovavano una Mercedes pronta ad attenderli.*

*Anche se l'aveva fornita lui.*

*«Questa è la macchina che è stata riservata per lei. Le serve un autista?»*

*«L'auto ha il navigatore satellitare?»*

*L'uomo lo aveva guardato scandalizzato.*

*«Naturalmente sì.»*

*«Allora guido io.»*

*«Come vuole.»*

*Aveva atteso che l'uomo compilasse i documenti con i suoi dati, li aveva firmati ed era salito in macchina.*

*«Mi dà l'indirizzo dell'ufficio dello sceriffo, per favore?»*

*«28 North Paint Street. A Chillicothe, naturalmente. Mi dà un passaggio fino in città?»*

*Russell gli aveva fatto un sorriso complice, mentre avviava il motore.*

*«Naturalmente no.»*

*Era partito facendo slittare le ruote sulla ghiaia, senza curarsi delle legittime preoccupazioni del signor Balling per la sua creatura. Mentre guidava aveva programmato il navigatore. Gli era comparsa la strada e un punto d'arrivo a una distanza di nove miglia, con un tempo di percorrenza di circa ventuno minuti. Aveva permesso alla voce suadente della signorina meccanica di guidarlo fino a consigliargli di svoltare a destra sulla Route 104. Mentre si avvicinava alla città, si era messo a pensare alle sue prossime mosse. Non aveva fatto un programma di indagine preciso. Aveva un nome. Aveva delle foto. Per prima cosa avrebbe chiesto informazioni allo sceriffo, poi si sarebbe regolato di conseguenza. Era arrivato lì seguendo l'istinto e l'improvvisazione. Avrebbe continuato su quella linea d'azione.* Il lungo rettilineo lo aveva portato senza accorgersene a premere il piede sull'acceleratore, finché un lampo multicolore e un suono acuto alle sue spalle erano arrivati a chiederne il conto.

Aveva accostato sulla destra e aveva atteso l'inevitabile arrivo dell'agente. Aveva abbassato il finestrino giusto in tempo per vederlo toccarsi il cappello in segno di saluto.

«Buonasera, signore.»

«Buonasera, agente.»

«Mi favorisce la patente e il libretto della macchina, per favore?»

Russell aveva teso i documenti della vettura, il certificato di noleggio e la patente. L'agente con le insegne della Ross County li aveva esaminati, senza restituirglieli. Era un tipo tarchiato, con un naso largo e la pelle butterata.

«Da dove viene, signor Wade?»

«Da New York. Sono appena atterrato al Ross County Airport.»

La smorfia che ne aveva avuto in cambio gli aveva fatto capire il suo errore. Forse l'agente apparteneva alla stessa scuola di pensiero del signor Balling.

«Signor Wade, temo che ci sia un problema.»

«Quale?»

«Lei andava come una palla di fucile. E dal suo fiato mi pare che andasse come una palla di fucile un poco alticcia.»

«Agente, non sono ubriaco.»

«Questo lo vedremo subito. Basterà che soffi in un palloncino, come faceva da bambino.»

Era sceso dalla Mercedes, aveva seguito l'agente alla sua macchina. Aveva fatto quello che gli chiedeva ma purtroppo il risultato non era stato lo stesso dell'infanzia. La riserva perso-

*nale di whisky di Jenson Wade non aveva consentito al suo fia-*
*to di essere come quello di quando era un ragazzino.*
*L'agente lo aveva guardato con aria soddisfatta.*
*«Deve venire con me. Lo fa con le buone o devo metterle le*
*manette? Le ricordo che la resistenza all'arresto è una aggra-*
*vante.»*
*Russell lo sapeva fin troppo bene. Aveva imparato a sue*
*spese quell'ultimo dettaglio.*
*«Le manette non servono.»*
*Con buona pace del signor Balling, aveva lasciato la Merce-*
*des in una piazzola ed era salito sulla macchina di pattuglia.*
*Mentre scendeva dall'auto al 28 di North Paint Street, un pen-*
*siero lo aveva confortato. Stava cercando l'ufficio dello sceriffo*
*e in qualche modo c'era arrivato.*

Il rumore di un passo nel corridoio lo fece alzare e avvicinare alle sbarre. Poco dopo un uomo in divisa si fermò davanti alla porta della cella.

«Russell Wade?»

«Sono io.»

Senza cortesia, l'agente gli fece un cenno con la testa dai
capelli radi. Sembrava il fratello buono del tipo che dormiva
russando nel letto di fianco.

Forse lo era.

«Vieni, sono arrivati i rinforzi.»

Dopo lo scatto della serratura e il cigolio dell'inferriata,
si trovò a seguire l'uomo nel corridoio. Si fermarono davanti a una porta in legno sulla quale c'era scritto che Thomas
Blein era lo sceriffo della Ross County. L'agente bussò e
aprì subito dopo. Gli fece cenno di entrare e richiuse il battente alle sue spalle. Russell aveva vissuto una situazione
pressoché identica il giorno prima. Avrebbe voluto dire

all'agente che era felice di non aver ricevuto le stesse attenzioni della segretaria di suo padre ma lo ritenne quanto meno inopportuno.

Nell'ufficio c'erano due uomini e un vago aroma di sigaro. Uno era seduto dietro una scrivania carica di fogli ed era senza ombra di dubbio quel Thomas Blein di cui parlava la scritta sulla porta. Alto, capelli folti e bianchi, un viso sereno ma deciso. Il fisico asciutto era valorizzato dalla divisa e le conferiva nello stesso tempo la giusta importanza.

Quello seduto sulla sedia proprio davanti alla scrivania era un avvocato. Non ne aveva l'aspetto ma il fatto che fosse lì e le parole dell'agente glielo facevano supporre. La conferma arrivò quando il tipo dall'aria paciosa ma dagli occhi acuti si alzò in piedi e gli tese la mano.

«Buongiorno, signor Wade. Sono Jim Woodstone, il suo avvocato.»

La sera prima, aveva approfittato dell'unica telefonata concessa per chiamare l'aereo al numero che l'hostess gli aveva dato. Dopo aver spiegato la situazione in cui si trovava, aveva chiesto di mettersi in contatto con suo padre e metterlo al corrente. Le era sembrato che Sheila Lavender non fosse del tutto sorpresa di quello che le aveva riferito.

Russell strinse la mano al legale.

«Lieto di conoscerla, avvocato.»

Russell si rivolse poi all'uomo dietro la scrivania.

«Buongiorno, sceriffo. Mi dispiace di averle creato qualche inconveniente. Non era mia intenzione.»

Alla luce di ciò che era noto di lui, quell'atteggiamento remissivo doveva avere sorpreso entrambi i due uomini di legge, che si trovarono per un istante dalla stessa parte della barricata. Blein gli fece un semplice cenno interrogativo con la testa.

«Lei è Russell Wade, quello ricco?»

«Mio padre è quello ricco. Io sono quello scapestrato e diseredato.»

Lo sceriffo sorrise alla descrizione breve ed esauriente che Russell aveva dato di se stesso.

«Lei è una persona molto discussa. Penso a ragione. È così?»

«Be', direi di sì.»

«Di cosa si occupa nella vita?»

Russell sorrise.

«Quando non impiego il mio tempo a farmi arrestare, sono un giornalista.»

«Per che giornale lavora?»

«Per nessuno, attualmente. Sono un free-lance.»

«E cosa l'ha portata a Chillicothe?»

L'avvocato Woodstone intervenne. Professionale e guardingo. Doveva in qualche modo giustificare la parcella che avrebbe mandato alla Wade Enterprise.

«Signor Wade, non è tenuto a rispondere, se non lo ritiene opportuno.»

Russell con la mano gli fece un gesto a significare che andava tutto bene e soddisfò la curiosità dello sceriffo. In questo caso era facile, bastava dire la verità.

«Sto facendo un servizio sulla guerra del Vietnam.»

Blein inarcò un sopracciglio, con un fare vagamente cinematografico.

«Interessa ancora a qualcuno?»

*Più di quanto tu possa immaginare...*

«Ci sono cose rimaste in sospeso che secondo me è giusto che il pubblico sappia.»

Vide posata sulla scrivania di fianco allo sceriffo una pesante busta di carta marrone. Gli pareva quella dove la sera precedente avevano infilato il contenuto delle sue tasche, qualche minuto prima di fargli le foto segnaletiche, prendergli le impronte digitali e sbatterlo in cella.

«Sono i miei esigui averi, quelli?»

Lo sceriffo prese la busta e la aprì. Ne estrasse il contenuto e lo mise sul piano della scrivania davanti a lui. Quando Russell si avvicinò vide che non mancava niente. Orologio, portafoglio, chiavi della Mercedes...

L'occhio dello sceriffo cadde sulla fotografia del ragazzo con il gatto. Il suo viso aveva l'impronta di un punto interrogativo quando si alzò dallo schienale della sedia e si appoggiò con i gomiti sulla scrivania.

«Posso?»

Russell rispose di sì senza nemmeno capire bene quello che aveva autorizzato.

Lo sceriffo la prese e la guardò un istante. Poi la ripose di nuovo fra gli oggetti personali di Russell.

«Mi dice come fa ad avere questa foto, signor Wade?»

Subito dopo aver posto la domanda, Blein si girò a dare una significativa occhiata all'avvocato.

«Naturalmente può anche non rispondere, se non lo ritiene opportuno.»

Russell bloccò la replica dell'avvocato e si lanciò nel vuoto.

«Secondo le mie informazioni questo ragazzo è morto in Vietnam e si chiamava Matt Corey.»

«Esatto.»

Quella parola suonò alle sue orecchie come l'apertura di un solido paracadute.

«Lo conosceva?»

«Abbiamo lavorato insieme da giovani. Io mi guadagnavo qualche dollaro lavorando nel tempo libero come muratore nei cantieri. Lui era di un paio d'anni più vecchio di me ed era alle dipendenze di un'impresa con la quale sono stato un'intera estate.»

«Ricorda come si chiamava?»

«Oh, era quella di Ben Shepard. Aveva il deposito verso il North Folk Village. Matt era come un figlio per Ben e abitava da lui, in una stanza nel capannone.»

Blein indicò con l'indice una delle due fotografie.

«Con Walzer, quel bizzarro gatto a tre zampe.»

Senza troppe speranze, Russell gli rivolse la domanda successiva.

«Questo Ben Shepard è ancora vivo?»

La risposta dello sceriffo gli arrivò inattesa e appena velata da una lontana nota d'invidia.

«Più che mai. Quel vecchio animale ha quasi ottantacinque anni ma è dritto come un fuso e scoppia di salute. E sono certo che ancora scopa come un riccio.»

Russell attese che il coro di angeli che sentiva in testa arrivasse alla fine della sua resa di gloria.

«Dove posso trovarlo?»

«Ha una casa a Slate Mills, poco lontano dal suo vecchio magazzino. Le scrivo l'indirizzo.»

Blein prese carta e penna e scarabocchiò qualche parola su un foglio. Lo appoggiò sopra le foto. Russell prese quel gesto come un buon augurio. Quelle immagini erano state l'inizio di tutto. Sperava che quello segnato sul foglio fosse l'indirizzo della fine.

Russell sentiva l'impazienza frullargli nello stomaco come un volo di farfalle.

«Posso andarmene?»

Blein fece con le mani un gesto che significava libertà.

«Certo. Il suo legale e la cauzione che ha pagato dicono di sì.»

«La ringrazio di cuore, sceriffo. Nonostante le circostanze è stato un piacere.»

Woodstone si alzò dalla sedia. Lui e l'uomo dietro la scrivania si strinsero la mano. Di sicuro la loro era una frequentazione abituale, visti i rispettivi lavori in una piccola città come Chillicothe. Intanto Russell era già arrivato alla porta e la stava aprendo.

Lo bloccò la voce dello sceriffo.

«Signor Wade?»

Si girò e si trovò con la mano sulla maniglia davanti agli occhi chiari dello sceriffo.

«Sì?»

«Visto che mi ha sottoposto a un interrogatorio, adesso posso fargliene una io di domanda?»

«Dica pure.»

«Perché si interessa a Matt Corey?»

Russell mentì senza pudore cercando con tutte le sue forze di non farlo trapelare.

«Fonti sicure mi dicono che questo ragazzo è stato protagonista di un atto di eroismo che non gli è stato riconosciuto. Sto facendo un servizio per rendere noto il suo sacrificio e quello di altri soldati ignorati come lui.»

Non si chiese se il suo tono patriottico avesse tratto in inganno il maturo rappresentante della legge. Nella sua testa era già seduto davanti a un vecchio costruttore di nome Ben Shepard. Ammesso che quel vecchio animale, come l'aveva definito Blein, accettasse di parlargli. Russell ricordava bene con quanta difficoltà fosse riuscito a farsi ricevere da quell'altro vecchio animale che era suo padre.

Seguì l'avvocato Woodstone all'aperto, attraversando la parte dell'ufficio aperta al pubblico, dove una ragazza in divisa stava dietro al bancone e un altro agente era seduto a una scrivania a compilare documenti. Appena fuori, si ritrovò in America. Chillicothe ne era la piena essenza, con tutti i suoi pregi e i suoi difetti. Auto e persone si muovevano fra case, insegne, cartelli stradali, divieti, semafori. Tutto quello che un Paese aveva costruito, vincendo e perdendo guerre, nella luce della gloria o nella penombra dell'imbarazzo. In ogni caso pagandone il prezzo sulla sua pelle.

Russell vide che parcheggiata dall'altra parte della strada c'era la Mercedes che aveva preso a noleggio. L'avvocato seguì il suo sguardo e indicò la macchina con un gesto.

«Il signor Balling ha mandato una persona a prendere l'auto con il secondo mazzo di chiavi. Ho dato disposizioni perché gliela facessero trovare qui.»

«Ottimo lavoro. La ringrazio signor Woodstone. Riferirò alla persona che l'ha contattata.»

«È stato suo padre in persona.»

Russell non riuscì a trattenere la sorpresa.

«Mio padre?»

«Sì. All'inizio credevo in uno scherzo, ma quando ho sentito che lei era stato arrestato…»

Il legale si bloccò prima di terminare la gaffe. Stava dicendo che aveva ritenuto più convincente il fatto che Russell Wade fosse in cella per eccesso di velocità e guida in stato di ebbrezza piuttosto che la voce di suo padre al telefono che dichiarava il proprio nome.

Russell nascose il desiderio di sorridere dietro una prudente grattata di naso.

«Le è sembrato alterato, mio padre?»

L'avvocato fece un gesto con le spalle per cancellare il proprio disagio.

«È questo che mi ha tratto in inganno. Quando ho sentito

la sua voce al telefono, ho avuto l'impressione che stesse trattenendosi a fatica dal ridere.»

Russell si concesse quel sorriso.

Scoprire dopo tutto quel tempo che Jenson Wade aveva il senso dell'umorismo era quanto meno bizzarro. Si chiese quante cose non sapeva di suo padre. Subito dopo si rispose con un accenno di amarezza che erano perlomeno quante quelle che suo padre non sapeva di lui.

# CAPITOLO 33

Russell fermò la macchina davanti alla casa e spense il motore.

Rimase seduto qualche istante in quel paesaggio di campagna, sotto un cielo che non aveva voglia di sorridere. Aveva ricusato con gentilezza e con fermezza l'offerta dell'avvocato Woodstone che si era proposto per accompagnarlo, millantando una conoscenza ultradecennale con Ben Shepard. Vero o no che fosse, mentre si offriva, gli occhi brillavano di curiosità. Russell aveva capito il motivo. Quella era una piccola città ed essere in possesso di informazioni fresche poteva far diventare chiunque il centro dell'attenzione al barbecue della domenica. Già aver difeso il figlio del proprietario della Wade Enterprise era un motivo sufficiente per farlo parlare un'ora. Non voleva infliggere ai suoi commensali la pena di ascoltare le sue chiacchiere per almeno altre due.

La casa che stava osservando era in pietra e legno, aveva larghe vetrate e dava l'impressione della solidità. Di certo il suo proprietario se l'era costruita secondo le sue necessità e secondo i suoi criteri estetici, che erano ammirevoli. Era a due piani, piazzata sulla sommità di un cucuzzolo. Sul fronte aveva un portico sopraelevato al quale si accedeva salendo alcuni gradini. Davanti c'erano un prato e un giardino ben curati e nella parte posteriore, dal punto in cui era, Russell riusciva a intravedere un orto. Un centinaio di iarde alla sua destra c'era una strada asfaltata che raggiungeva il retro della casa, dove di sicuro era posizionato il garage per le auto.

Scese dalla macchina e si avvicinò allo steccato che circondava la proprietà. Di fianco all'ingresso pedonale una cassetta delle lettere dipinta di verde riportava il nome Shepard a lettere bianche. Il cancelletto non era chiuso e non c'erano cartelli che avvertivano della presenza di cani all'interno. Russell lo aprì e si inoltrò per il sentiero tracciato con lastre di pietra incastonate fra l'erba. Era arrivato a pochi passi dalla casa, quando alla sua sinistra una persona sbucò da dietro l'angolo. Era un uomo di statura superiore alla media, dal fisico ancora pieno di vigore, con un viso rugoso e abbronzato e occhi azzurri sorprendentemente giovani. La tenuta da lavoro e il cesto di verdura che teneva in una mano indicavano che veniva dall'orto. Prima non lo aveva visto perché era coperto dalla casa.

Quando si accorse della sua presenza si arrestò. La sua voce era tranquilla e ferma.

«Desidera?»

«Sto cercando il signor Ben Shepard.»

«Allora lo ha trovato.»

Russell rimase impressionato dalla personalità di quel vecchio signore. D'istinto, decise che l'unico modo di trattare con lui era di dirgli solo e sempre la verità.

«Mi chiamo Russell Wade e sono un giornalista di New York.»

«Molto bene. Adesso che me lo ha detto può prendere la macchina e tornare da dove è venuto.»

Ben Shepard gli sfilò con tranquillità davanti e salì i gradini che portavano alla veranda.

«È molto importante, signor Shepard.»

L'uomo rispose senza girarsi.

«Ho quasi ottantacinque anni, giovanotto. Alla mia età l'unica cosa importante è riaprire gli occhi il giorno dopo.»

Russell capì che se non avesse detto qualcosa l'incontro sarebbe finito prima ancora di cominciare.

«Sono venuto a parlare con lei di Little Boss.»

Nel sentire quel nome, che probabilmente era stato per anni pronunciato solo nella sua memoria, il vecchio si bloccò sugli scalini.

Poi la sua nuca divenne il suo viso.

«Che ne sa lei di Little Boss?»

«So che era il soprannome di un ragazzo che si chiamava Matt Corey.»

La replica fu brusca e decisa.

«Matt Corey è morto in Vietnam molti anni fa.»

«No. Matt Corey è morto a New York da poco più di sei mesi.»

Le spalle di Ben Shepard sembrarono afflosciarsi. Sembrava colpito ma non sorpreso da quella notizia. Rimase per qualche istante con il capo chinato verso terra. Quando lo rialzò, Russell vide che aveva gli occhi lucidi. Gli tornarono alla mente le lacrime trattenute di Lester, il fratello di Wendell Johnson. Si rese conto di come la guerra, qualunque guerra, riuscisse a fare piangere anche molti anni dopo che era finita.

Il vecchio gli indicò la casa con un cenno del capo.

«Venga dentro.»

Russell seguì Ben Shepard all'interno e si trovò in un ampio salone che occupava tutto il fronte dell'edificio. Sulla destra, verso il camino, c'era un biliardo con la rastrelliera per le stecche. La sinistra era dedicata alla zona Tv, con poltrone e divani. Quel grande ambiente era arredato in modo sobrio e sorprendentemente moderno. I mobili tuttavia non avevano l'aria di essere nuovi. Russell pensò che in passato quella stanza doveva essere stata all'avanguardia, nel suo genere. Dappertutto, come elemento unificante, c'erano quadri e oggetti che rappresentavano i ricordi di una vita.

Shepard si avviò verso la zona living e indicò con un gesto i divani.

«Si sieda. Vuole un caffè?»

Russell si lasciò andare su una poltrona che prometteva comodità. Una volta seduto fu lieto di constatare che la promessa era stata mantenuta.

«Con piacere. Ho appena passato la notte in prigione. Un caffè sarebbe l'ideale.»

Il vecchio non commentò ma parve apprezzare la sua sincerità. Si girò verso una porta dall'altra parte del salone, attraverso la quale si indovinava la cucina.

«Maria.»

Una ragazza bruna, dalla carnagione olivastra, aprì del tutto l'uscio e si presentò sulla soglia. Era giovane e piuttosto carina e Russell capì da dove era arrivato il commento malizioso dello sceriffo sul suo ospite.

«Puoi prepararci del caffè, per favore?»

Senza dire nulla, la ragazza rientrò in cucina. Il vecchio si sedette davanti a Russell, sull'altra poltrona. Accavallò le gambe e lo guardò con un'aria curiosa.

«Chi l'ha messa dentro?»

«Un agente dello sceriffo, sulla 104.»

«Uno grosso, con il viso butterato e l'aria da cowboy che ha perso le vacche?»

«Sì.»

Il vecchio fece un gesto della testa, con un'espressione che ricordava una storia di lupi e di peli.

«Lou Ingraham. Per lui il mondo finisce ai confini della contea. Non gli piacciono i forestieri e non perde occasione di tartassarli, appena può. La sua collezione di scalpi è molto significativa.»

In quel momento Maria uscì dalla porta reggendo un vassoio su cui c'erano una caraffa di caffè, una di latte e due tazze. Si avvicinò a Shepard e appoggiò il tutto sul tavolino di fianco alla poltrona.

«Grazie, Maria. Puoi prenderti la giornata libera. Ci penso io, qui.»

La ragazza fece un sorriso che illuminò la stanza.

«Grazie, Ben.»

Si allontanò e sparì dietro la porta della cucina, lieta di quella vacanza inattesa. Russell capì che le chiacchiere oziose del suo ospite erano servite solo a prendere tempo, in attesa di liberarsi di una presenza che poteva essere indiscreta. Questo lo mise di buonumore e nello stesso tempo lo mise in guardia.

«Come lo vuole il caffè?»

«Nero e senza zucchero. Come vede costo poco.»

Mentre il vecchio versava il caffè dalla caraffa termica, decise di prendere l'iniziativa.

«Signor Shepard, per primo parlerò io. Se quello che le dico è giusto, mi permetterò di rivolgerle qualche domanda. In caso contrario farò quello che mi ha consigliato lei. Prenderò la macchina e me ne andrò da dove sono venuto.»

«D'accordo.»

Russell iniziò la sua esposizione dei fatti. Con una certa apprensione, visto che non era del tutto sicuro che le cose si fossero svolte in quel modo.

«Matt Corey lavorava per lei e viveva nel suo capannone. Teneva con sé un gatto che per una bizzarria della natura o degli uomini, aveva solo tre zampe. E si chiamava Walzer.»

Tirò fuori dalla tasca la foto del ragazzo con il suo animale e la pose in grembo a Ben Shepard. Il vecchio piegò appena la testa e la guardò senza prenderla in mano.

«Nel 1971 è partito per il Vietnam, 11° Reggimento Cavalleria Meccanizzata, per essere precisi. A Xuan-Loc si è trovato sotto le armi insieme a un ragazzo che si chiamava Wendell Johnson. I due sono diventati amici. Un giorno hanno partecipato a un'operazione che si è rivelata un massacro e sono stati gli unici superstiti del loro plotone. Sono stati fatti prigionieri e in un secondo tempo sono stati usati dai vietcong come scudi umani contro un bombardamento.»

Russell fece una pausa, chiedendosi se non andava troppo veloce. Vide che Ben Shepard lo guardava con interesse, attento forse più al suo atteggiamento che alle sue parole.

«Nonostante ci fossero loro, il bombardamento è stato ordinato lo stesso. Wendell Johnson e Matt Corey sono stati colpiti dal napalm. Uno è stato investito in pieno ed è morto carbonizzato, l'altro si è salvato ma ha riportato delle ustioni gravissime su tutto il corpo. Dopo un lungo periodo di degenza e di riabilitazione in un ospedale militare, è stato dimesso, in condizioni devastate sia sotto l'aspetto fisico che psicologico.»

Russell fece un'altra pausa, durante la quale si rese conto che tutti e due stavano trattenendo il fiato.

«Ho ragione di credere che, per un motivo a cui non so dare una spiegazione, le piastrine dei due siano state confuse. Matt Corey è stato dichiarato morto e tutti hanno creduto che quello sopravvissuto fosse Wendell Johnson. E lui, quando si è ripreso, ha avallato questo scambio di identità. Non c'erano foto o impronte che potessero smentirlo. Il suo viso era completamente deturpato e di impronte forse non ne aveva più.»

Nella stanza cadde il silenzio. Quello che evoca i ricordi e favorisce il volo dei fantasmi. Ben Shepard permise a una lacrima ferma da anni di rotolare dai suoi occhi fino a bagnare le foto.

«Signor Shepard...»

Il vecchio lo interruppe e lo guardò con occhi non corrotti né dall'età né dagli uomini.

«Ben.»

Quell'invito voleva dire che, per una strana alchimia che a volte si crea fra persone fino a un attimo prima sconosciute, da quel momento in poi fra loro non ci sarebbero state soltanto parole. Alla luce di questa inattesa confidenza, Russell fece scivolare la domanda con la voce più calma che gli riuscì di trovare.

«Ben, quando è l'ultima volta che hai visto Matt Corey?»

Il vecchio ci mise un'eternità a rispondere.

«Nell'estate del 1972, subito dopo che è uscito dall'ospedale militare.»

Dopo quell'ammissione, il vecchio si decise infine a versare del caffè anche per sé. Prese la tazza e bevve un lungo sorso.

«È venuto da me e mi ha raccontato la stessa storia che hai appena finito di dire. Poi ha preso il gatto e se n'è andato. Non l'ho mai più rivisto.»

Russell decise che Ben Shepard non era capace di mentire e che quella che gli aveva riferito, se non era una bugia, era solo una mezza verità. Ma nello stesso tempo capì che se avesse sbagliato qualcosa, quell'uomo si sarebbe chiuso come un riccio e non ne avrebbe ricavato più niente.

«Ti risulta che Matt avesse un figlio?»

«No.»

Il modo in cui Ben Shepard portò di nuovo la tazza alla bocca subito dopo aver pronunciato quel monosillabo sembrò a Russell un poco troppo precipitoso. Capì che l'unica possibilità era mettere al corrente quell'uomo dell'estrema importanza di ogni informazione in suo possesso.

E c'era un solo modo per farlo.

«Ben, so che sei un uomo d'onore, nella migliore accezione di questo termine. E a questo io intendo rendere merito. Ti dirò qualcosa che, se tu non fossi l'uomo che penso, non ti avrei mai rivelato.»

Ben fece un gesto con la tazza per ringraziarlo e invitarlo a continuare.

«È una storia difficile da raccontare, perché è una storia difficile da credere.»

Lo disse a favore dell'uomo che aveva davanti ma nello stesso tempo confermò a se stesso l'umana assurdità di tutta quella storia. E la necessità assoluta di venirne a capo.

«Hai seguito le notizie degli attentati a New York?»

Ben fece un cenno con la testa.

«Sì. Brutta faccenda.»

Russell tirò un respiro, prima di continuare. Non poteva farlo fisicamente, ma nella sua mente aveva le dita incrociate. Guardò Ben dritto negli occhi.

«Matt Corey, dopo il vostro ultimo incontro, si è trasferito lì e per tutta la vita ha continuato a lavorare nell'edilizia.»

Il vecchio, istintivamente, si compiacque.

«Era bravissimo. Era nato per quello. Ne capiva alla sua età più di tanta gente che ha studiato.»

C'erano affetto e rimpianto sul viso di Ben Shepard. Invece Russell sentiva l'ansia tendere il suo. Fece attenzione che quello che stava per dire sembrasse una compassionevole constatazione e non un insulto.

«Matt era una persona molto malata, Ben. E dopo quello che gli è successo, la solitudine in cui è vissuto per tutto quel tempo ha peggiorato il disordine mentale in cui era caduto. Nel corso del suo lavoro ha disseminato di bombe molti dei palazzi che ha costruito. New York ne è piena. Sei mesi dopo la sua morte hanno iniziato a esplodere.»

Il viso del vecchio si fece di colpo smorto. Russell gli lasciò il tempo di metabolizzare quella notizia. Infine, cercò di trasmettergli tutta la convinzione di cui disponeva.

«Se non troviamo il figlio di Matt Corey, quelle esplosioni continueranno.»

Ben Shepard appoggiò la tazza sul tavolino accanto a lui, poi si alzò e andò alla finestra. Rimase qualche istante a guardare fuori dai vetri e ad ascoltare. Forse era il canto degli uccelli o il battito del cuore o forse il vento fra i rami. Oppure qualcosa che non veniva da fuori ma veniva da dentro. Forse nella sua mente lucida risuonavano le ultime parole che lui e Matt Corey si erano detti, molti anni prima.

Russell ritenne opportuno chiarire qual era il suo ruolo in quella storia.

«Sono qui perché sto lavorando in collaborazione con la Polizia di New York. Mi è stato concesso questo privilegio perché ho portato io le indagini verso la loro soluzione. Se ne parli con me, hai la mia parola d'onore che dirò lo stretto necessario per fermare gli attentati, senza tirarti in mezzo.»

Ancora spalle e silenzio. Russell sottolineò con dei numeri la gravità della situazione.

«Sono morte più di cento persone, Ben. E altre ne moriranno. Non so dire quante, ma la prossima volta potrebbe essere una strage ancora più grande.»

Il vecchio iniziò a parlare senza voltarsi.

«Quando l'ho conosciuto, Matt era in riformatorio su a nord, ai confini dello Stato. Avevo vinto l'appalto per una ristrutturazione. Quando siamo arrivati e abbiamo iniziato a montare i ponteggi, gli altri ragazzi ci guardavano con diffidenza. Alcuni ci prendevano in giro. Lui invece era interessato ai lavori che vedeva procedere ogni giorno sotto i suoi occhi. Mi faceva delle domande, voleva sapere quello che stavamo facendo e come lo stavamo facendo. Infine mi sono convinto e ho chiesto al direttore se poteva lavorare con noi. Dopo qualche tentennamento il direttore ha dato il suo consenso, avvertendomi che quel ragazzo era un tipo difficile. Aveva una storia famigliare alle spalle che avrebbe fatto rabbrividire chiunque.»

Russell si rese conto che Ben stava rivivendo un momento importante della sua vita. Senza sapere perché, era certo di essere la prima persona che aveva accesso a quelle informazioni e a quelle emozioni.

«Mi sono affezionato a quel ragazzo. Era taciturno e ombroso ma imparava il lavoro molto in fretta. Quando è uscito dal riformatorio l'ho preso a lavorare stabilmente con me. Gli ho dato quella stanza al capannone. Aveva gli occhi che gli brillavano, quando c'è entrato per la prima volta. Era il primo posto veramente suo da che stava al mondo.»

Il vecchio si staccò dalla finestra e tornò a sedersi davanti a Russell.

«Matt è diventato poco alla volta il figlio che non avevo. E il mio braccio destro. Sono stati gli operai a dargli il soprannome di Little Boss, per come dirigeva i lavori in mia assenza. Se fosse rimasto, gli avrei lasciato l'impresa, piuttosto di venderla a quel coglione che l'ha comprata. Invece un giorno mi disse che sarebbe partito volontario per il Vietnam.»

«Volontario? Non lo sapevo.»

«Questa è la parte schifosa della storia. Una di quelle che ti fanno vergognare di essere un uomo.»

Russell rimase in silenzio e in attesa. Il suo interlocutore aveva deciso di condividere con lui un boccone amaro, che per tutto quel tempo non era riuscito a mandare giù da solo.

«Un giorno siamo stati chiamati per dei lavori di ampliamento della casa del giudice di contea. Herbert Lewis Swanson, Dio lo maledica dov'è. In quel periodo Matt ha conosciuto Karen, la figlia del giudice. Ero presente la prima volta che si sono incontrati. Ho subito capito che fra loro era successo qualcosa. E ho subito capito che quel qualcosa non poteva portare che guai.»

Il vecchio sorrise al ricordo di quell'amore. Russell immaginò lo stesso sorriso tenero sul volto del frate che sapeva della storia fra Giulietta e Romeo.

«Hanno iniziato a vedersi di nascosto. Sono stati forse i pochi momenti felici nella vita di Matt Corey. A volte mi illudo e spero che lo siano stati anche quelli che ha passato con me.»

«Sono certo che è così.»

Il vecchio fece un gesto con le spalle che rendeva il passato del tutto inutile perché portava solo la fragilità del presente.

«In ogni caso è servito a poco. Chillicothe è una città

piccola e nascondersi è molto difficile. Prima o poi tutti si accorgono di tutto. E il giudice è venuto a sapere che la sua unica figlia frequentava un ragazzo. Poi ha scoperto *chi* era il ragazzo. La vita di Karen era programmata. Era bella, ricca e intelligente. Un tipo come Matt non rientrava nei piani di suo padre. Il quale era un uomo molto, molto potente a quel tempo. Aveva praticamente in mano tutta la città.»

Ben si concesse qualche altro sorso di caffè. Sembrava restio a trasformare il ricordo in parole, come se farlo volesse dire essere ferito un'altra volta.

«In quel periodo ci fu un duplice omicidio, giù al fiume. Una coppia di hippy che campeggiava all'aperto era stata trovata assassinata. Tutti e due uccisi a coltellate. Il colpevole e l'arma del delitto non sono mai stati trovati. Lo sceriffo a quel tempo era un certo Duane Westlake e aveva un aiutante, Will Farland. Erano tutti e due legati mani e piedi a Swanson, che li aveva comprati con privilegi e denaro. Un paio di notti dopo la scoperta dei cadaveri quei due fecero irruzione nella stanza di Matt con un mandato di perquisizione firmato dal giudice stesso. Fra le sue cose trovarono della marijuana e un grosso coltello da caccia, che avrebbe potuto essere quello usato per l'omicidio. Matt mi disse dopo che era stato obbligato a forza a porre le sue impronte digitali sul manico di quell'arma.»

La voce del vecchio era piena di rabbia, quella che impedisce alle ferite di cicatrizzarsi.

«Sono sicuro che Matt non aveva mai venduto un grammo di quella roba a chicchessia. E non aveva mai posseduto un coltello.»

Russell non aveva motivo per farlo, ma si sentiva di condividere quella fiducia.

«Lo trascinarono in prigione. Gli vennero elencate tutte le cose spiacevoli a cui sarebbe andato incontro. Un'accusa di uso e spaccio di stupefacenti e quella ben più grave di omicidio. Nella stanza di Matt l'erba ce l'avevano messa loro. Per quanto riguarda il coltello, non arrivo a pensare che quei due avessero ucciso gli hippy di proposito. Ma lo sceriffo era stato il primo ad arrivare sul luogo del delitto e far sparire l'arma doveva essere stato un gioco da ragazzi, per uno come lui. Inoltre, visto che Matt stava da me, quei due figli di puttana gli dissero che avevano la possibilità di mettermi in mezzo con l'accusa di complicità e favoreggiamento. Gli venne offerta un'alternativa al processo e alla galera. Partire volontario per il Vietnam.»

Ben finì il suo caffè.

«E lui accettò. Il resto lo sai.»

«Una storia vecchia come il mondo.»

Ben Shepard lo guardò con i suoi occhi azzurri, nei quali in quel momento c'era una sofferta resa.

«Il mondo è ancora troppo giovane per fare in modo che storie come queste non si ripetano più.»

Russell aveva l'impressione di essere entrato con delle scarpe pesanti in un luogo in cui avrebbe dovuto entrare in punta di piedi. Ma doveva a tutti i costi proseguire. Per molti motivi, ognuno dei quali aveva il volto di un essere umano.

«E Karen?»

«Rimase incredula davanti a quella decisione. Poi l'incredulità si trasformò in disperazione. Ma uno dei patti con lo sceriffo era il silenzio. Con lei e con me.»

Senza chiedere nulla, il suo ospite gli versò dell'altro caffè nella tazza vuota.

«Matt, dopo un periodo di addestramento a Fort Polk, in Louisiana, tornò a casa di nascosto per il periodo di licenza che l'esercito concedeva a tutti quelli in partenza per il Nam. È vissuto un mese praticamente chiuso nel capannone, in attesa che lei lo raggiungesse. Passavano tutto il tempo possibile in quella stanza e io spero che ognuno di quei minuti sia durato degli anni, anche se so che di solito non è così. Un mese e mezzo dopo la sua partenza, Karen venne da me a dirmi che era incinta. Lo scrisse anche al ragazzo. Non riuscimmo ad avere una risposta perché poco dopo arrivò la notizia della sua morte.»

«Che ne è stato di lei?»

«Karen era una donna di carattere. Quando suo padre seppe che era incinta, cercò in tutti i modi di convincerla ad abortire. Ma lei tenne duro, minacciando di rivelare a tutti chi era il padre del bambino e che il giudice le aveva consigliato l'aborto. La sua posizione politica non glielo concedeva e così quel farabutto scelse il male minore, lo scandalo di sua figlia che diventava una ragazza madre.»

«Ma poi Matt è tornato.»

«Già. Nello stato che sai.»

Pochi istanti in cui Russell vide scorrere negli occhi di Ben le immagini di quel loro incontro. E tutto il dolore e tutto l'affetto che aveva provato per quello sventurato ragazzo.

«Quando l'ho visto e l'ho riconosciuto, ho provato una pena dentro che ci ha messo anni per passare. Quel ragazzo deve aver sofferto in un modo tremendo, cose che per un essere umano non è giusto provare.»

Ben tirò fuori un fazzoletto dalla tasca del vecchio cardigan e se lo passò agli angoli delle labbra. Senza rendersene conto, aveva usato quasi le stesse parole che aveva detto a Matt la sera che se lo era trovato di fronte nel capannone.

«Per colpa di quello che era diventato, non ha mai voluto

rivelare a Karen di essere ancora vivo. Mi ha fatto giurare che non l'avrei fatto nemmeno io.»

«E poi?»

«Mi ha chiesto di potersi fermare qualche ora al capannone, perché aveva una cosa da fare. Appena finito, sarebbe tornato a prendere il gatto e se ne sarebbe andato. L'ho visto incamminarsi a piedi verso la città. È stata l'ultima volta che l'ho visto.»

Una nuova pausa. Russell sapeva che stava per dirgli qualcosa di importante.

«Il giorno dopo il cadavere di Duane Westlake e quello di Will Farland sono stati estratti dalle macerie carbonizzate della casa dello sceriffo. E io spero che stiano continuando a bruciare all'inferno.»

C'era negli occhi di Ben Shepard una sfida aperta contro chiunque non fosse in grado di condividere quello che aveva appena detto. Al punto in cui erano arrivati, Russell aveva perso ogni lucidità per giudicare. Voleva solo sapere.

Il vecchio costruttore si appoggiò allo schienale della poltrona.

«Una decina d'anni dopo anche il giudice Swanson è morto e ha ritrovato i suoi degni compari.»

Si rilassò e si concesse qualche istante per gustare quell'ipotesi, che per lui doveva essere una certezza.

«Del bambino che ne è stato?»

«Ogni tanto Karen, finché era piccolo, veniva a farmelo vedere. Poi ci siamo persi di vista, non so dirti se per colpa sua o per colpa mia.»

Russell capì che per onestà si era addossato una parte di responsabilità che in realtà non riteneva di avere.

«E poi che è successo?»

«A un certo punto della mia vita ho avuto dei problemi finanziari. Per risolverli ho affidato l'impresa a un direttore e sono stato tre anni a lavorare su una piattaforma petrolifera come esperto di esplosivi. Quando sono tornato ho saputo che Karen aveva venduto tutto e se n'era andata. Non l'ho più rivista.»

Russell sentì la delusione bruciargli la gola più del fumo di mille sigarette.

«Non sai dove si sia trasferita?»

«No. Se lo sapessi te lo direi.»

Il vecchio si concesse qualche istante per un personale bilancio.

«Ho capito quale importanza ha trovare la persona che stai cercando. E io ho già abbastanza rimorsi per aggiungerne degli altri.»

Russell guardò fuori dalla finestra. Si disse che in ogni caso era una traccia. Per la Polizia, Karen Swanson non sarebbe stata difficile da trovare e di conseguenza non sarebbe stato difficile neppure mettere le mani su suo figlio. Quello che mancava era il tempo. Se aveva visto giusto, la prossima esplosione sarebbe avvenuta durante la notte. E ci sarebbero state altre immagini come quelle che la televisione e i giornali avevano mostrato sulla scena degli attentati. Tornò a girarsi verso Ben, che aveva capito il suo sconforto e atteso la fine di quella riflessione prima di intervenire.

«Russell, c'è una cosa che vorrei dirti, ma è una traccia talmente vaga che forse non vale la pena di essere presa in considerazione.»

«In casi come questo *tutto* è da prendere in considerazione.»

Il vecchio si guardò un attimo le mani macchiate dall'età.

Nel palmo aveva tutte le linee della sua vita e la consapevolezza di ognuna.

«Mio cugino ha diretto per anni il Wonder Theatre, qui a Chillicothe. Una cosa modesta, perlopiù spettacoli locali, concerti di piccoli gruppi e cantanti semisconosciuti. Con qualche compagnia di giro a portare ogni tanto una ventata di novità e un'illusione di cultura.»

Russell attese, sperando che quello che aveva intuito fosse vero.

«Un giorno, parecchi anni dopo la partenza di Karen e di suo figlio, arrivò in città uno spettacolo di varietà. Maghi, comici, acrobati e roba del genere. Mio cugino è pronto a giurare che fra quelli ci fosse anche Manuel Swanson. Ti ripeto, erano passati diversi anni, aveva assunto un nome d'arte, ma l'impressione che ha avuto è stata quella. E che ci avrebbe scommesso sopra una discreta sommetta. Mi ha detto di avergli anche chiesto se si erano mai incontrati prima. Si è sentito rispondere di no e che era la prima volta che veniva a Chillicothe in vita sua.»

Russell si alzò in piedi, lisciandosi i pantaloni per il nervosismo.

«È già qualcosa, ma servirà una lunga ricerca. Temo che non abbiamo tutto questo tempo.»

«Una foto di quel tipo ti aiuterebbe?»

A quelle parole Russell si girò di scatto a guardarlo.

«Sarebbe di certo la cosa migliore da avere in mano.»

«Aspetta.»

Ben Shepard si alzò dalla poltrona e andò a prendere un cordless appoggiato su un mobile. Compose un numero e attese la risposta.

«Ciao Homer, sono Ben.»

Qualche attimo per ascoltare. Qualche preoccupazione

dall'altra parte.

«No, stai tranquillo. Ci sarò stasera al bowling. Ti ho chiamato per un'altra faccenda.»

Attese che la persona al telefono si calmasse.

«Homer, ti ricordi quella storia che mi avevi raccontato a proposito del giovane Swanson e di quella compagnia?»

Russell non riusciva a capire ma attese il seguito.

«Fra le tue scartoffie hai anche il loro materiale?»

La risposta doveva essere stata breve, perché Ben replicò subito.

«Benissimo, ti mando una persona. Si chiama Russell Wade. Fai tutto quello che ti chiede. Se non ti fidi di lui, puoi fidarti di me.»

Ci furono forse delle proteste e una richiesta di spiegazioni. Ben Shepard tagliò corto.

«Fallo e basta. Ciao, Homer.»

Chiuse la comunicazione e si girò verso Russell.

«Mio cugino in tutti questi anni ha conservato una copia dei manifesti degli artisti che si sono esibiti nel suo teatro. Una specie di collezione. Credo abbia intenzione di scriverci un libro, prima o poi. Ha anche quello della persona che stai cercando.»

Prese un blocco e una biro che stavano accanto al telefono e ci scrisse un nome e un indirizzo. Lo tese verso Russell.

«Questo è il suo indirizzo. Altro non posso fare.»

Russell seguì il suo istinto. Prese il foglio e subito dopo abbracciò Ben Shepard. La sincerità e l'emozione di quel gesto sciolsero la sua sorpresa. Russell sperò che avrebbero sciolto anche il rimpianto quando fosse rimasto da solo.

«Ben, devo andare. Non sai quanto ti sono grato.»

«Invece so tutte e due le cose. E so anche che sei una bella persona. In bocca al lupo per quello che cerchi, in tutti i sensi.»

Ben Shepard aveva di nuovo gli occhi umidi ma la loro stretta di mano fu ferma e asciutta e subito dopo un ricordo da conservare negli anni. Russell stava già attraversando il giardino, diretto verso la macchina. Poco dopo, mentre impostava sul navigatore l'indirizzo che gli aveva dato Ben, si disse che non poteva gestire da solo le informazioni di cui era in possesso. Avrebbe avuto bisogno di una capacità di investigazione che solo la Polizia poteva avere. Dunque doveva tornare a New York il più in fretta possibile, una volta avuto da quell'Homer il materiale di cui disponeva. Mentre avviava la macchina e si dirigeva verso la città, non riusciva a capire se l'eccitazione che sentiva dentro provenisse dalla scoperta che aveva appena fatto o dall'idea che presto avrebbe rivisto Vivien.

CAPITOLO 34

Dalla finestra della clinica, Vivien aveva visto il sole spuntare e a mano a mano salire e disporre un nuovo giorno. Per
Greta non ci sarebbe stato. Non ci sarebbero stati più albe
o tramonti, fino al giorno di una risurrezione alla quale era
sempre stato difficile credere. Appoggiò la fronte al vetro e
sentì sulla pelle il freddo umido della superficie. Chiuse gli
occhi, sognando di svegliarsi in un tempo e in un posto dove non era successo nulla e lei e sua sorella erano bambine
ed erano felici come i bambini sanno essere. Poco prima,
mentre le teneva la mano, mentre sentiva i *bip-bip-bip* del
monitor farsi sempre più lenti fino a diventare una linea
verde e diritta che arrivava dal nulla e verso il nulla riportava, aveva rivissuto in un attimo le immagini della loro vita
insieme, come soltanto alle persone in punto di morte è
concesso fare.

Ma nonostante in passato si fosse convinta che quello
fosse un privilegio riservato ai moribondi per avere consapevolezza della durata della propria vita, in questo caso l'a-
veva trovata corta in un modo assurdo. Forse perché era lei
che restava e tutto sembrava fragile e vano, con quel vuoto
d'assenza che chissà per quanto tempo sarebbe stato una
parte di lei.

Tornò accanto al letto e appoggiò la bocca sulla fronte di
Greta. La pelle era liscia e morbida e le lacrime di Vivien sci-

volarono al lato della tempia fino a raggiungere il cuscino. Allungò una mano e premette un pulsante accanto alla testiera del letto. Si sentì il ronzio di un cicalino. La porta si aprì e comparve un'infermiera.

Una rapida occhiata al monitor e la donna si rese subito conto della situazione. Prese dalla tasca un telefono interno e inviò un segnale.

«Dottore, può venire nella camera 28, per favore?»

Poco dopo il dottor Savine entrò nella stanza, preceduto dal suono del suo passo veloce nel corridoio. Era un uomo stempiato, di media statura e di mezz'età, con un'aria capace e un modo di fare paziente e consapevole della sua professione. Si avvicinò al letto, mentre tirava fuori dal taschino del camice il fonendoscopio. Scostò il lenzuolo e appoggiò lo strumento sul petto magro di Greta. Un istante per capire e un istante per girarsi verso Vivien con un viso che comprendeva tutte le situazioni uguali a quella che aveva vissuto nella sua carriera di medico.

«Mi dispiace, signorina Light.»

La voce e le parole non erano di circostanza. Vivien sapeva che il personale e i dottori della Mariposa avevano preso a cuore quel caso. E la loro impotenza di fronte al progredire del male era stata accompagnata giorno dopo giorno da un senso di sconfitta che avevano condiviso con lei. Girò le spalle al letto, per non vedere un lenzuolo che saliva a coprire il viso di Greta.

Il dolore e la stanchezza le fecero avere un giramento di testa. Barcollò e si appoggiò la muro per non cadere. Subito il dottor Savine si avvicinò per sorreggerla. La accompagnò a sedersi su una poltroncina di fronte al letto. Le prese il polso e Vivien sentì le dita esperte cercare il battito.

«Signorina, lei è sfinita. Non sarebbe il caso che riposasse un poco?»

«Lo vorrei tanto, dottore. Ma non posso. Non ora.»

«Se ricordo bene, lei è della Polizia, vero?»

Vivien alzò verso il dottore un viso dove si leggevano fatica e urgenza.

«Sì. E devo a tutti i costi tornare a New York. È una questione di vita o di morte.»

«Adesso qui non può più fare nulla. Se ci crede, una preghiera arriva a destinazione da qualunque posto parta. Nel caso non ne abbia una a disposizione, la clinica le può fornire il nome di alcune agenzie di onoranze funebri molto capaci e molto discrete. Penseranno loro a tutto.»

Savine si girò verso l'infermiera.

«Meg, vada a preparare i documenti per il certificato di morte. Verrò a firmarli.»

Non appena furono soli, Vivien si alzò dalla poltrona, sentendo le gambe rigide e legnose.

«Dottore, mi aspetta una giornata tremenda. E non posso dormire.»

Fece una pausa per vincere l'imbarazzo.

«È strano che una della Polizia glielo chieda, ma ho bisogno di qualcosa che mi tenga sveglia.»

Il medico le fece uno strano sorriso pieno di comprensione.

«È una trappola? Mi ritroverò in manette?»

Vivien scosse la testa.

«No. Solo nelle mie preghiere di ringraziamento.»

Savine rimase un attimo pensieroso.

«Aspetti qui.»

Uscì dalla porta, lasciando Vivien da sola. Pochi istanti dopo tornò con un contenitore di plastica bianca. Lo scosse per far sentire che c'era una pillola all'interno.

«Ecco qua. In caso di necessità prenda questa pastiglia. Ma faccia attenzione a non bere alcolici.»

«Non c'è pericolo. Grazie dottore.»

«Buona fortuna, signorina. E ancora condoglianze.»

Vivien rimase da sola. Cercò di convincersi che sua sorella in quella stanza non c'era più, che quello steso nel letto sotto il lenzuolo era solo un involucro che aveva contenuto per anni la sua bella anima, un vuoto in prestito che presto sarebbe stato reso alla terra. Nonostante questo non riuscì a trattenersi dal dare a Greta un ultimo bacio e un ultimo sguardo.

Sul piano del comodino da notte c'era una bottiglia piena a metà. Aprì il contenitore che le aveva appena dato il medico e fece cadere la pasticca direttamente sulla lingua. La mandò giù con un sorso d'acqua che le sembrava avesse il sapore delle lacrime. Poi si allontanò dal letto, prese il giubbotto dall'attaccapanni e uscì dalla stanza.

Percorse il corridoio con gli occhi che le bruciavano. Raggiunse l'ascensore e scivolò senza scosse e senza rumori fino nell'atrio, dove un paio di giovani donne in divisa erano dietro il bancone della reception. Le raggiunse e in pochi minuti dispose le cure per il corpo di Greta, al numero di un'agenzia che le fornì una delle due incaricate.

Poi si guardò intorno, in quel luogo dove ormai non aveva più nulla da fare ma soprattutto dove non poteva fare più nulla. Quando ci avevano portato Greta aveva apprezzato l'eleganza e la sobrietà della Mariposa. Ora era diventato solo un posto dove a volte le persone non guarivano.

Uscì all'aperto e raggiunse la macchina nel parcheggio. Forse subiva l'effetto placebo ed era troppo presto perché la pillola arrivasse a un risultato, ma sentiva la stanchezza svanire e a poco a poco il suo corpo liberarsi dalle scorie di piombo che aveva accumulato.

Salì nell'auto e accese il motore, puntando il muso della macchina verso l'uscita. Mentre con il permesso del traffico usciva dalla città e si dirigeva verso la Palisades Parkway che l'avrebbe condotta fuori dal New Jersey, ripercorse tutti gli avvenimenti che l'avevano portata a quel punto delle indagini e della sua vita.

*Il giorno prima, quando padre McKean l'aveva messa al corrente del suo segreto, contravvenendo a una delle più ferree regole del suo ministero, si era sentita preoccupata ed eccitata insieme. Da una parte c'era la responsabilità verso gente innocente che si trovava in pericolo di vita, la stessa responsabilità che alla fine aveva convinto il sacerdote a rivolgersi a lei. Dall'altra c'era il desiderio di evitargli le conseguenze di una decisione che doveva essere stata molto sofferta.*

*L'opera di Michael McKean era troppo importante. I giovani di cui si prendeva cura lo adoravano ed era necessario per loro e per tutti quelli che in futuro sarebbero arrivati a Joy trovarlo lì ad attenderli.*

*Dopo il pranzo con i ragazzi, durante il quale aveva riso e scherzato con una Sundance che pareva completamente nuova nel corpo e nello spirito, era arrivata la telefonata dalla clinica. Il dottor Savine, con tutta la delicatezza che il messaggio prevedeva, l'aveva informata che le condizioni di Greta stavano precipitando e che si aspettavano il peggio da un momento all'altro. Era tornata al tavolo, cercando di non trasmettere il senso di angoscia che provava dentro, ma non era riuscita a ingannare gli occhi attenti e la sensibilità di Sundance.*

*«Che c'è Vunny, qualcosa non va?»*

«*Nulla tesoro. Qualche problema sul lavoro. Sai come sono questi mariuoli, non ne vogliono sapere di farsi acciuffare.*»

*Aveva usato di proposito la parola mariuoli perché era un termine che la divertiva molto quando era piccola. Ma nonostante il suo tentativo di minimizzare, non era riuscita a convincerla del tutto. Per il resto del pranzo aveva continuato a lanciarle delle occhiate attente alla sua espressione e ai suoi occhi lucidi.*

*Prima di andarsene si era appartata con padre McKean. L'aveva avvertito del peggioramento della madre di Sundance e che una volta uscita da lì sarebbe salita a Cresskill, alla clinica. Si erano messi d'accordo che nel pomeriggio avrebbe affisso un cartello in chiesa annunciando una confessione straordinaria per il giovedì e che fin dalle prime ore del pomeriggio successivo si sarebbe fatto trovare nel confessionale. Per il venerdì, giorno in cui il sacerdote di solito andava a confessare nella chiesa di Saint John the Baptist, a Manhattan, si sarebbero risentiti e avrebbero predisposto un piano d'azione in base agli orari previsti.*

*Durante il viaggio, Vivien aveva affrontato la prova più dura. Doveva parlare con Bellew e ottenere molto senza svelare nulla. Sperò che la stima che il suo superiore riponeva in lei fosse abbastanza grande da concederle sulla fiducia quello che gli avrebbe chiesto.*

*Il capitano aveva risposto al secondo squillo, con una voce stanca.*

«*Bellew.*»

«*Ciao Alan, sono Vivien.*»

«*Sei stata a Williamsburg?*»

*Franco e diretto come sempre. Con l'aggiunta di un'ansia che non ci avrebbe messo molto prima di passare alla nevrosi.*

«*Sì. Ma dall'appartamento non ne è venuto fuori nulla. Il*

*nostro alias Wendell Johnson ha vissuto davvero come un fantasma, dentro e fuori casa.»*

*Un silenzio che valeva quanto un'imprecazione. Vivien aveva continuato.*

*«Però da un'altra parte è arrivata una novità. Molto grossa e determinante, se abbiamo fortuna.»*

*«Vale a dire?»*

*«Abbiamo la possibilità di mettere le mani sull'uomo che sta facendo esplodere le bombe.»*

*Una voce incredula all'orecchio.*

*«Dici davvero? Come ci sei arrivata?»*

*«Alan, devi fidarti di me. Non posso dirti altro.»*

*Il capitano aveva cambiato discorso. Vivien lo conosceva bene. Sapeva che con quel diversivo si era preso il tempo per riflettere.*

*«Wade è sempre con te?»*

*Se si era aspettato di sentire in vivavoce il saluto di Russell, di certo era rimasto sorpreso dalla risposta di Vivien.*

*«No, ha deciso di rinunciare.»*

*«Sei sicura che non dirà nulla?»*

*«Sì.»*

Non sono sicura di niente, a proposito di quell'uomo. E soprattutto è lui a non essere più sicuro di me…

*Ma non era quello il momento di parlarne né tantomeno di pensarci. Il capitano aveva preso quell'abbandono come un buon segno. E all'eventualità di un arresto simile si era attivato con le pile di nuovo cariche.*

*«Allora, che devo fare? E soprattutto, che vuoi fare tu?»*

*«Devi mettere in allerta la Polizia del Bronx. Che si tengano pronti a comunicare da domani pomeriggio alle due su una lunghezza d'onda cifrata e che si attengano alle mie direttive.»*

*Di rimando ne ebbe una risposta senza alternative.*

*«Sai che una richiesta del genere è un biglietto di sola andata, vero? Il capo mi sta attaccato come una cozza a uno scoglio. Se la Polizia si muove e non otteniamo un risultato, dovrò dare molte spiegazioni molto imbarazzanti. E in quel caso le nostre teste salteranno di sicuro.»*

*«Ne sono consapevole. Ma è l'unica strada che abbiamo. La sola speranza a cui aggrapparci per cercare di fermarlo.»*

*«Va bene. Spero che tu sappia quello che fai.»*

*«Lo spero anche io. Grazie, Alan.»*

*Il capitano aveva riattaccato e lei era rimasta da sola a viaggiare verso un addio.*

Esattamente come adesso, mentre stava tornando verso New York con una presenza in macchina che a poco a poco sarebbe sbiadita nel tempo ma non nel ricordo.

Attraversò il George Washington Bridge e proseguì fino al momento in cui prese a sinistra sulla Webster Avenue, in direzione di Laconia Street, dove c'era la sede del 47° Distretto. La percorse fino al 4111 e parcheggiò la macchina davanti all'edificio, fra le auto di servizio dove erano seduti agenti in attesa. Non appena scese dalla Volvo, la porta a vetri si aprì e ne uscì il capitano in compagnia di una persona in borghese che non conosceva. Con Bellew si erano accordati di trovarsi lì la sera del giorno precedente, quando lo aveva chiamato prima di spegnere…

*Il telefono, cazzo.*

Lo aveva disattivato subito dopo, per evitare che nel silenzio della clinica suonasse. Sapeva che durante la notte non avrebbe avuto nessuna chiamata importante. Se qualcosa fosse successo, sarebbe successo il giorno dopo. Voleva stare lì, con sua sorella, sola e isolata dal resto del mondo, per quella che si era rivelata poi essere la loro ultima notte insieme. E travolta dalla morte di Greta aveva dimenticato di accenderlo quando era partita da Cresskill. Si frugò nelle tasche del giubbotto e lo tirò fuori. Lo mise in funzione con dita frenetiche, sperando che nel frattempo non ci fossero state telefonate. La sua speranza durò poco. Non appena il cellulare trovò la rete, le arrivarono diversi messaggi di chiamate perse.

Russell.

*Dopo, ora non ho tempo.*

Sundance.

*Dopo, tesoro mio. Ora non so che dire e non so come dirlo.*

Bellew.

*Cristo santo, perché non ho acceso questo dannato telefono?*

Padre McKean.

*Maledizione. Maledizione. Maledizione.*

Controllò l'ora della chiamata e vide che era stata effettuata a mezzogiorno. Vivien guardò l'orologio. Le due e un quarto. Ignorava il motivo di quella telefonata ma a quell'ora non poteva richiamare, perché don Michael di certo era già nel confessionale. Se il telefono avesse suonato, poteva essere motivo di imbarazzo per un penitente qualunque o motivo di sospetto per l'uomo che stavano braccando, se per un caso del destino fosse stato già lì.

Nel frattempo Bellew e l'altro uomo l'avevano raggiunta nel parcheggio. Era un uomo bene in carne, ma dal passo dimostrava di essere forte e agile nonostante non fosse dotato di una corporatura atletica.

«Vivien, ma dove ti eri cacciata?»

Il capitano vide l'espressione del suo viso e il suo tono cambiò di colpo.

«Scusami. Come sta tua sorella?»

Vivien rimase in silenzio, sperando che la pastiglia del dottor Savine l'aiutasse, oltre che a stare sveglia, anche a trattenere le lacrime. Le parole non dette furono più chiare di qualunque discorso.

Bellew le mise una mano sulla spalla.

«Mi dispiace molto. Davvero.»

Vivien si riscosse. Si accorse dell'imbarazzo dell'altro uomo. Aveva capito che qualcosa di poco bello era successo, qualcosa che poteva quantificare ma alla quale non sapeva come reagire. La detective lo trasse dal disagio e gli tese la mano.

«Detective Vivien Light. Grazie per l'aiuto.»

«Sono il commissario di Polizia William Codner. È un piacere. Spero che…»

Vivien non avrebbe mai saputo quello che Codner sperava, perché il telefono che ancora stringeva in pugno prese a squillare. Lo schermo si illuminò e sul display apparve il nome di padre McKean. Vivien sentì una vampa di calore partire dallo stomaco e diffondersi dappertutto. Rispose immediatamente, coprendo il microfono del cellulare con un dito, perché dall'altra parte non arrivasse alcun suono.

Alzò il viso verso i due uomini che erano con lei.

«Ci siamo.»

Il commissario fece un gesto con la mano e le auto si misero in moto. Una venne verso di loro. Vivien si sedette sul sedile davanti. Bellew e Codner presero posto su quello posteriore.

«Ragazzi, siamo in gioco. A te la palla, Vivien.»

«Un attimo.»

Un voce che non conosceva, calma e profonda.

«*…e come vede le promesse sono state mantenute.*»

Poi la risposta di padre McKean.

«*Ma a che prezzo. Quante vite è costata questa follia?*»

Vivien allontanò leggermente il telefono dall'orecchio. Afferrò il ricetrasmettitore dal suo supporto sulla radio e diede istruzioni alle macchine in ascolto.

«A tutte le auto. Qui è la detective Light che parla. Convergere verso la zona di Country Club. Isolate il quadrilatero fra la Tremont, la Barkley, la Logan e il Bruckner Boulevard. Voglio un cordone di auto e di agenti in grado di controllare chiunque esca da quella zona, in auto o a piedi.»

«*Follia? Sono forse state definite una follia le Piaghe d'Egitto? È stato chiamato follia il Diluvio Universale?*»

Vivien sentì una mano stringerle il petto e il battito del cuore accelerare. Quell'uomo era pazzo davvero. Pazzo furioso. Sentì la voce del sacerdote, venata di compassione, cercare di trasmettere la ragione a chi non era in grado di riceverla.

«*Ma poi è venuto Gesù e il mondo è cambiato. Ha imparato il perdono.*»

«*Gesù ha fallito. Voi lo avete predicato ma non lo avete ascoltato. Voi lo avete ucciso…*»

La voce aveva perso il suo tono basso per diventare leggermente stridula. Vivien cercò di immaginarsi il viso di quell'uomo nella penombra di un confessionale che per altri significava espiazione e remissione dei peccati e che per lui era solo un posto dove affiggere i suoi proclami di morte.

«*Per questo hai deciso di indossare quella giacca verde? Per questo hai ucciso tanti innocenti? Per vendetta?*»

Vivien capì che padre McKean le stava dando una indicazione, una conferma della descrizione di quell'uomo. E continuando a ribattere le stava dando il tempo di arrivare.

Portò di nuovo alla bocca il microfono e parlò agli agenti in ascolto.

«Il sospetto è un soggetto di razza bianca, alto, con i capelli scuri. Indossa una giacca verde, del tipo militare. Può essere armato e pericoloso. Ripeto: può essere armato e molto pericoloso.»

L'uomo confermò l'esattezza di quella descrizione con le sue parole successive, mormorate con il livore dell'odio e scandite come una condanna.

*«La vendetta e la giustizia coincidono, questa volta. E le vite umane non contano nulla per me, come non hanno mai contato nulla per voi.»*

Ancora la voce di Michael McKean.

*«Ma non senti la santità di questo luogo? Non trovi quella pace che cerchi almeno qui, nella chiesa dedicata a Saint John the Baptist, l'uomo che nella sua modestia si è dichiarato indegno di battezzare il Cristo?»*

Vivien si sentì mancare. Saint John the Baptist? Ecco il motivo della chiamata del sacerdote. Voleva avvertirla che per qualche motivo non sarebbe stato a Saint Benedict, ma che aveva anticipato di un giorno la sua visita settimanale a Saint John.

Urlò al soffitto della macchina la sua sconfitta.

«Non è lì. Non è lì, maledizione.»

Senti la voce allarmata di Bellew arrivare dalle sue spalle.

«Cosa dici, che succede?»

Gli chiese con un gesto di tacere.

*«La santità è nella fine. Per questo non riposerò la domenica. E la prossima volta spariranno le stelle e tutti quelli che ci stanno sotto.»*

*«Che significa? Non ho capito.»*

Ancora la voce, sicura di sé, bassa e minacciosa.

«*Non serve capire. Basta aspettare.*»

Una pausa nella quale Vivien vide morire altre persone, sentì le loro urla nel boato dell'esplosione e le vide ardere nel fuoco che le accoglieva subito dopo. E si sentì morire con loro.

La voce continuò a esporre la sua insana minaccia.

«*Questo è il mio potere. Questo è il mio dovere. Questo è il mio volere.*»

Ancora una pausa. Poi il delirio.

«*Io sono Dio.*»

Vivien allungò una mano verso la radio e cambiò la frequenza portandola su quella abituale della Polizia di Manhattan. Ripeté il messaggio che aveva appena trasmesso.

«A tutte le auto in ascolto. Sono la detective Vivien Light del 13° Distretto. Portarsi con la massima velocità possibile nel Fashion District, intorno all'isolato sulla 31sima e 32sima Strada, fra la Settima e l'Ottava Avenue. Il ricercato è un tipo di razza bianca, alto e bruno. Indossa una giacca verde militare. Può essere armato e molto pericoloso. Attendo in ascolto.»

Dal cellulare arrivò la voce sommessa del reverendo McKean.

«*Vivien, ci sei?*»

«Sì.»

«*Se n'è andato.*»

«Grazie. Sei stato grande. Ti chiamo dopo.»

Vivien si afflosciò sullo schienale. Fece un gesto sfiduciato all'autista.

«Puoi anche fermarti. Non abbiamo più fretta.»

Mentre l'autista accostava a destra, il capitano si infilò fra i sedili anteriori, per vedere in viso Vivien. E perché Vivien vedesse in viso lui.

«Che succede? Chi era al telefono?»

Vivien si voltò a guardarlo.

«Non te lo posso dire. L'unica cosa che ti posso dire è che adesso dobbiamo aspettare. E sperare.»

Bellew tornò a sedersi. Aveva capito che qualcosa era andato storto, anche se non sapeva cosa. Vivien sapeva come si sentiva il suo superiore in quel momento, perché non doveva essere molto diverso da come si sentiva lei. Nella macchina nessuno aveva il coraggio di parlare. Passarono dei minuti in cui il tempo e il silenzio avevano lo stesso colloso spessore.

Poco dopo, dalla radio uscì un voce.

«Qui agente Mantin del Midtown South. Abbiamo fermato un soggetto che corrisponde alla descrizione. Indossa una giacca verde del tipo militare.»

Vivien sentì il sollievo arrivare come un'onda e spegnere qualsiasi tipo di fiamma.

«Grande, ragazzi. Dove siete?»

«Sulla 31sima Strada all'angolo con la Settima.»

«Portatelo al vostro Distretto. Arriviamo subito.»

Vivien fece un gesto all'autista che si mosse, staccando l'auto dal marciapiede. Una mano arrivò da dietro sulla spalla di Vivien.

«Ottimo lavoro, ragazza.»

Quel complimento ebbe valore solo fino all'istante successivo. Un'altra voce arrivò dalla radio a riportare nella macchina la confusione e la disperazione.

«Qui auto 31, del Midtown South. Sono l'agente Jeff Cantoni. Abbiamo fermato anche noi un tipo che corrisponde alla descrizione.»

Non ebbero il tempo di chiedersi che stava succedendo perché una terza voce si sovrappose.

«Qui agente Webber. Sono sulla Sesta Avenue all'angolo con la 32sima. Qui c'è una manifestazione di veterani. Saranno in duemila a indossare una giacca verde militare.»

Vivien chiuse gli occhi e portò le mani sul viso a coprirli. Si rifugiò in un buio nel quale il sole pareva non dovesse mai più sorgere e si permise di piangere solo quando quell'oscurità e lei divennero una cosa sola.

# CAPITOLO 35

Vivien sbucò dall'ascensore e percorse lentamente il corridoio.

Quando arrivò davanti alla porta, estrasse le chiavi dalla tasca e le infilò nella toppa. Non appena ebbe dato il primo giro alla serratura, l'uscio di fronte si aprì e ne spuntò Judith. Reggeva in braccio uno dei suoi gatti, quello bianco e rosso.

«Ciao. Finalmente sei tornata.»

L'umore di Vivien in quel momento non comprendeva la possibilità di presenze ingombranti.

«Ciao, Judith. Scusami, sono molto di fretta.»

«Non vuoi un caffè?»

«No. Non ora, ti ringrazio.»

La vecchia la guardò per un istante con commiserazione e rimprovero.

«Ecco cosa ci si può aspettare da chi pensa solo alle mance.»

Richiuse la porta sul viso di Vivien con un'espressione di sufficienza. La serratura che scattava isolò lei e i suoi amici a quattro zampe in un mondo che apparteneva a loro soltanto. In altri momenti la bizzarria di quella donna l'avrebbe intenerita e divertita. In quel frangente Vivien non aveva spazio per altri sentimenti che non fossero la rabbia, la delusione e il rammarico. Per sé, per Greta, per Sundance. Per padre McKean. Per tutta la gente a cui quel folle aveva concesso di vivere, prima di scatenare un altro inferno.

Dopo la conferma definitiva del loro insuccesso, Bellew era rimasto a lungo in silenzio, senza avere il coraggio di guardarla. Sapevano tutti e due quello che sarebbe successo. Dal giorno dopo, quella mobilitazione e quel fiasco sarebbero stati sulla bocca di tutto il NYPD e del capo in particolare. Che, come aveva previsto il capitano, avrebbe richiesto spiegazioni e forse dimissioni.

Vivien era pronta a rendere pistola e distintivo, se glielo avessero chiesto. Aveva tentato tutto quello che poteva, ma era andata male. Per colpa del caso ma soprattutto per colpa sua, della sua sbadataggine. Per non essersi ricordata in tempo di accendere un dannato telefono. Il fatto che fosse successo in occasione della morte di sua sorella non era una scusante. Era un membro della Polizia e le sue esigenze e i suoi sentimenti personali dovevano passare in secondo ordine, in un caso come quello. Non ne era stata capace ed era disposta a sopportarne le conseguenze.

Ma se altra gente fosse morta ne avrebbe portato addosso le conseguenze per sempre.

Entrò nell'appartamento di un uomo malato e disperato che per anni si era fatto chiamare Wendell Johnson. Ci ritrovò lo stesso ambiente spoglio, lo stesso senso di solitudine senza via di scampo. Una luce grigiastra entrava dalla finestra e tutto sembrava spento, privo di vita e senza speranza, intorno e dentro di lei.

Vagò per la casa, in attesa che la casa le parlasse.

Non sapeva nemmeno lei cosa stesse cercando, ma sapeva che c'era qualcosa di inesplorato in quel posto, un suggerimento che le era stato sussurrato all'orecchio e che lei non era stata capace di intendere e decifrare. Doveva solo mettersi tranquilla, dimenticare tutto il resto per ricordare che cosa. Prese l'unica sedia dal tavolo e la portò al centro della cucina. Si sedette a gambe aperte, le braccia appoggiate sul tessuto ruvido dei jeans, guardandosi in giro.

Il telefono, nella tasca del giubbotto, squillò.

D'istinto le venne la voglia di spegnerlo senza nemmeno controllare da chi arrivasse la telefonata. Poi, con un sospiro, lo cercò con la mano e accettò la chiamata. Le arrivò all'orecchio la voce eccitata di Russell.

«Vivien, finalmente. Sono Russell. L'ho trovato.»

La comunicazione era un poco disturbata e Vivien non riusciva a sentire bene.

«Calmati. Parla con calma. Hai trovato chi?»

Russell prese a scandire bene le parole. E finalmente Vivien capì di che cosa stava parlando.

«Quello che in tutti questi anni si è spacciato per Wendell Johnson si chiamava in realtà Matt Corey. Era nato a Chillicothe, in Ohio. E aveva un figlio. Ho il suo nome e una sua foto.»

«Ma sei impazzito? Come hai fatto?»

«È una storia lunga da spiegare. Dove sei adesso?»

«Nell'appartamento di Wend…»

Si interruppe. Decise di concedere a Russell il beneficio del dubbio, fino a prova contraria.

«Nell'appartamento di questo Matt Corey, sulla Broadway, a Williamsburg. E tu?»

«Sono atterrato un quarto d'ora fa al La Guardia. Ora sono sulla Brooklyn Expressway e sto scendendo verso sud. Fra dieci minuti sono da te.»

«Okay. Fai presto. Ti aspetto qui.»

Incredibile. Provò a sedersi di nuovo, ma le arrivò la sensazione che da lì a poco le gambe si sarebbero messe a sobbalzare dal nervosismo e avrebbe sentito il rumore dei suoi tacchi sul pavimento.

Si alzò in piedi e mosse alcuni passi in un appartamento che ormai conosceva a memoria. Russell era arrivato da solo dove lei aveva fallito. Si accorse che non c'erano rabbia o invidia in lei. Solo sollievo per della gente innocente che forse avrebbero salvato e ammirazione per quello che lui era riuscito a fare. Non si sentiva umiliata. E subito dopo si rese conto del motivo. Perché quel qualcuno non era un uomo qualunque, ma perché era Russell. Il tarlo riprese a rosicchiare, incurante della sua impazienza. Si provava piacere per il successo di un'altra persona solo quando la si amava. E lei si rese conto di essere completamente persa dietro a quell'uomo. Era sicura che prima o poi sarebbe riuscita a toglierselo dalla testa, ma ci sarebbe voluto molto tempo e molto impegno.

Sperò, con un briciolo di autoironia, che la ricerca di un nuovo lavoro la tenesse impegnata a sufficienza. Passò nella camera da letto, accese la luce e fece per l'ennesima volta girare lo sguardo intorno, per quella casa senza specchi e senza quadri alle pareti.

La folgorazione arrivò alla velocità che solo il pensiero e la luce possono avere.

*Senza quadri alle pareti...*

Quando stava con Richard, il suo vecchio fidanzato, aveva imparato a conoscere gli artisti. Lui era un architetto ma era anche un discreto pittore. I molti dipinti appesi nella loro casa lo dimostravano. Ma dimostravano anche il naturale narcisismo che accomunava tutti gli artisti in genere. A volte in misura inversamente proporzionale al loro talento. Le sembrava strano che quell'uomo, quel Matt Corey, avesse realizzato tutti quei disegni e nel corso degli anni fosse riuscito a sfuggire alla tentazione di appenderne almeno uno.

A meno che…

Un paio di passi e fu davanti al bancone addossato alla parete. Prese dal ripiano inferiore la grossa cartellina grigia. La aprì e fece scorrere velocemente i disegni realizzati sul loro inusuale supporto di plastica trasparente

*Costellazione di Karen, Costellazione della Bellezza, Costellazione della Fine…*

finché non trovò quella che cercava. Il campanello suonò proprio mentre la stava estraendo dal mazzo. Appoggiò il disegno sul piano di legno ruvido e andò ad aprire la porta, sperando che non fosse Judith con un supplemento di rimostranze. Si trovò invece davanti Russell con l'aria distrutta, la barba lunga, i capelli in disordine e i vestiti spiegazzati. Nella mano destra teneva un oggetto che sembrava un manifesto arrotolato.

Pensò due cose nello stesso tempo: che lui era bellissimo e che lei era una stupida.

Lo prese per un braccio e lo tirò in casa, prima che l'uscio di fronte si aprisse.

«Vieni dentro.»

Vivien richiuse subito la porta, confondendo il rumore della serratura con la voce eccitata di Russell.

«Devo farti vedere che cosa…»

«Un attimo. Prima fanne controllare una a me.»

Tornò in camera da letto, seguita da un Russell che non riusciva a capire. Prese il foglio di plastica scontornato di blu, dove il pittore aveva tracciato quella che secondo lui doveva essere *La Costellazione dell'Ira*. Il disegno era composto da una serie di punti bianchi integrati ogni tanto da puntini rossi.

Seguita dallo sguardo curioso di Russell, si avvicinò alla mappa di New York che era appesa al muro e ci appoggiò sopra il disegno. Combaciavano perfettamente. Ma mentre i punti bianchi parevano disposti a casaccio e alcuni si perdevano sul fiume o in mare, i punti rossi erano tutti sulla terraferma e avevano una precisa collocazione geografica.

Vivien lo disse soprattutto per sé, a mezza voce.

«È un promemoria.»

Poi, sempre tenendo il disegno sovrapposto alla mappa, Vivien girò la testa verso Russell che ora stava al suo fianco. Anche lui cominciava a capire, anche se non aveva idea di come Vivien ci fosse arrivata.

«Questo Matt Corcy non aveva nessuna velleità artistica. Sapeva benissimo di non avere alcun talento. Ecco perché non ne ha esposto nemmeno uno. Ha fatto i disegni solo per nasconderci in mezzo questa piantina. E sono certa che i punti rossi corrispondono a tutti i posti in cui ha nascosto le bombe.»

Lasciò scivolare quella specie di lucido e quando ebbe di nuovo sotto gli occhi la mappa della città, si sentì sbiancare. Non riuscì a trattenere una esclamazione d'angoscia.

«Oh mio Dio.»

Vivien sperava di sbagliarsi, quando tornò a sovrapporre la plastica sulla cartina. Ma ebbe solo una conferma, che volle controllare all'esasperazione, percorrendo la carta con il dito e avvicinandosi fin quasi a toccare il muro.

«Ci sono bombe anche a Joy.»

«Che cos'è Joy?»

«Non ora. Dobbiamo andare. Subito.»

«Ma io…»

«Mi spiegherai strada facendo. Ora non c'è un minuto da perdere.»

Un attimo e Vivien era già alla porta. La tenne aperta mentre Russell la raggiungeva.

«Sbrigati. È un Codice RFL.»

Mentre attendevano l'ascensore, Vivien sentiva il cervello lavorare come mai prima nella sua vita. Merito delle circostanze o della pastiglia che le aveva dato il dottor Savine. Qualunque fosse l'origine di quella lucidità, in quel momento non gliene poteva fregare di meno. Cercò di richiamare alla mente le precise parole che l'uomo dalla giacca verde aveva pronunciato nel confessionale.

*La santità è nella fine. Per questo non riposerò la domenica...*

Questo voleva dire che il prossimo attentato era programmato per la domenica successiva. Il che concedeva un attimo di respiro per intervenire, se la sua ipotesi riguardo al lucido si fosse rivelata esatta. Ma per quanto riguardava Joy, non poteva permettersi di correre rischi. Andava evacuata con la massima celerità possibile. Non voleva perdere la sorella e la nipote in un giorno solo.

Uscirono in strada e raggiunsero di corsa la macchina. Sentiva Russell ansimare dietro di lei. L'aria disfatta che portava in giro doveva corrispondere a un pari stato fisico. Vivien pensò che avrebbe avuto tempo di riposarsi durante il viaggio verso il Bronx.

Provò a chiamare il telefono di padre McKean ma era spento. Si chiese il motivo. Eppure ormai avrebbe dovuto essere tornato a Joy da Saint John. Forse dopo l'esperienza di poco prima desiderava che il telefono fosse solo un oggetto inanimato in fondo a una tasca. Provò a chiamare il numero di John Kortighan ma il cellulare continuava a suonare senza che nessuno rispondesse.

E a ogni squillo Vivien perdeva un anno di vita.

Mise il lampeggiante sul tetto e si staccò dal marciapiede, facendo lamentare i pneumatici sull'asfalto. Non voleva telefonare al numero della comunità, perché preferiva non mettere in allarme i ragazzi e farli prendere dal panico. Né poteva chiamare Sundance, perché agli ospiti di Joy non era concesso di avere un telefono mobile.

Mentre risaliva le strade alla massima velocità consentita dal traffico, Vivien si rivolse a Russell, che si teneva aggrappato con la mano destra al sostegno sopra il finestrino. L'impegno nella guida in quel momento era un semplice fatto animale, una questione di gesti abituali, di nervi e di riflessi. La curiosità che sentiva dentro era uno dei pochi tratti umani che le erano rimasti.

«Allora, che hai trovato?»

«Non è meglio se pensi a guidare, ora?»

«Riesco a guidare e ad ascoltare nello stesso tempo.»

Russell parve rassegnarsi a sostenere quella prova, cercando di essere il più sintetico possibile.

«Non ti so nemmeno bene spiegare come ci sono riuscito, sta di fatto che sono risalito al nome di questo Matt Corey. Era proprio il Little Boss della foto che abbiamo visto a Hornell. È stato un compagno d'armi di Wendell Johnson in Vietnam. Per anni Matt Corey è stato ritenuto morto mentre invece aveva assunto l'identità del suo amico.»

Vivien fece la domanda che più le stava a cuore.

«E il figlio?»

«Non sta più a Chillicothe. Il suo nome è Manuel Swanson. Non so dove sia ora. Ma a suo tempo aveva mostrato delle velleità artistiche.»

Sollevò il manifesto arrotolato che teneva nella mano sinistra.

«E io sono riuscito a recuperare una sua locandina.»

«Fa' vedere.»

Durante tutto il suo discorso Russell non era riuscito a staccare gli occhi dalla strada, dove l'XC60 procedeva in una specie di slalom fra le altre vetture in movimento, che rallentavano e accostavano per favorire il loro passaggio.

La sua protesta suonò energica ma non impaurita.

«Ma sei matta? Stiamo viaggiando a quasi cento miglia orarie. Ci schianteremo e faremo schiantare qualcun altro.»

Vivien alzò la voce.

«Fa' vedere, ti ho detto.»

Forse troppo. Lo aveva già fatto una volta e se ne era pentita.

Di malavoglia Russell srotolò il manifesto. Vivien lanciò una prima occhiata e lesse d'istinto la scritta rossa che stava alla base della foto. A lettere cubitali campeggiava un nome con un aggettivo.

*Il fantastico*
*Mister Me*

Tornò a occuparsi della guida. Approfittò di un tratto sgombro da veicoli per lanciare un secondo sguardo più lungo e più preciso alla foto. E il cuore le diede un colpo così forte da farle temere che un secondo lo avrebbe schiantato.

Si trovò a mormorare un'invocazione, col desiderio di andare avanti senza soluzione di continuità.

«Dio Signore. Dio Signore. Dio Signore.»

Russell arrotolò il manifesto e lo gettò sul sedile posteriore. Nonostante il rumore lo sentì cadere a terra dietro il suo sedile.

«Che c'è Vivien? Che succede? Mi vuoi dire dove stiamo andando?»

Per tutta risposta Vivien aumentò la velocità, schiacciando l'acceleratore a tavoletta. Si erano appena lasciati alle spalle il ponte sull'Hutchinson River e la macchina procedeva sulla 95 con tutta la rapidità che il suo motore le permetteva.

Per placare l'affanno che le stava distruggendo il petto, Vivien si decise a soddisfare la curiosità di Russell, mentre ancora pregava di essersi sbagliata. Ma sapeva che non sarebbe stata esaudita.

«Joy è una comunità per tossicodipendenti. Ci sta mia nipote, la figlia di mia sorella. La figlia di mia sorella che è morta stanotte. E ci sono delle bombe.»

Vivien sentì le lacrime arrivare, spinte dal dolore finalmente espresso. E un nodo salire alla gola e spezzarle la voce. Si asciugò gli occhi con il dorso della mano.

«Maledetto.»

Russell non chiese altre spiegazioni. Vivien si rifugiò nella sua acredine contro la vita per ritrovare lucidità. Dopo, quando tutto fosse finito, sapeva che quella rabbia si sarebbe trasformata in veleno, se non fosse riuscita a sputarla. Ma adesso ne aveva bisogno, perché era diventata la sua stessa forza.

Quando arrivarono a Burr Avenue, Vivien rallentò e tolse il lampeggiante, per non essere preceduta da luci e sirene. Lanciò uno sguardo a Russell. Stava seduto in silenzio al suo posto, senza timore e senza invadere quello che per il momento era uno spazio riservato solo a lei. Lo apprezzò moltissimo. Era un uomo che sapeva parlare ma soprattutto capiva quando era il caso di tacere.

Imboccarono la strada sterrata che portava a Joy. Contrariamente alle altre volte, non portò la Volvo fin nel parcheggio. Accostò sulla destra, in una piazzola protetta alla vista da un gruppo di cipressi.

Vivien scese dalla macchina. Russell la imitò.

«Aspettami qui.»

«Nemmeno per sogno.»

Quando vide che era determinato e che per nessuna ragione al mondo sarebbe rimasto in attesa presso l'auto, Vivien si rassegnò. Tirò fuori la pistola e mise il colpo in canna. Quel gesto per lei abituale, quel gesto che era la sua sicurezza, fece passare un'ombra sul viso di Russell. La rimise nel fodero.

«Stai dietro a me.»

Vivien si avvicinò alla casa seguendo un percorso alternativo alla strada che terminava nel cortile. Attraverso i cespugli, nascosti dalla vegetazione, arrivarono sul fronte della costruzione costeggiando il giardino. Vivien vide apparire la facciata familiare di Joy e provò una fitta di angoscia. Ci aveva portato sua nipote piena di fiducia. E adesso, quella casa dove tanti ragazzi stavano trovando una nuova speranza di vita, poteva trasformarsi da un momento all'altro in un luogo di morte. Aumentò il passo e la cautela. Vicino alla costruzione c'erano due ragazzi seduti su una panchina. Vivien vide che erano Jubilee Manson e sua nipote.

Restando al riparo dei cespugli, si sporse e agitò un braccio per richiamare la sua attenzione. Non appena ci riuscì, invocò il suo silenzio portandosi il dito indice davanti alla bocca.

I due ragazzi si alzarono e la raggiunsero. Il suo gesto imperioso e il suo atteggiamento fecero d'istinto abbassare la voce a Sundance.

«Che c'è zia, che succede?»

«Stai in silenzio e ascoltami. Comportati in un modo normale e fai quello che ti dico.»

Sua nipote capì subito che non si trattava di uno scherzo.

Vivien ritenne opportuno estendere le istruzioni anche all'altro ragazzo.

«Fate quello che vi dico, tutti e due. Radunate tutti i ragazzi e andate il più lontano possibile dalla casa. Mi avete capito? Il più lontano possibile.»

«Va bene.»

«Dov'è padre McKean?»

Sundance indicò l'abbaino.

«Nella sua camera, con John.»

«Oh, no.»

Come per imprimere forza a quella istintiva esclamazione, inatteso e secco, dalla casa giunse il rumore inconfondibile di uno sparo. Vivien si alzò di scatto in piedi. Nella sua mano apparve la pistola, come se i due movimenti fossero per natura collegati fra loro.

«Andate via. Correte più che potete.»

Vivien corse veloce verso la casa. Russell la seguì. Sentiva i loro passi scricchiolare sulla ghiaia e in quel momento le sembrò un rumore insostenibile. Superò la porta a vetri e si trovò davanti un gruppo di ragazzi che guardavano verso la sommità delle scale, da dove era arrivato lo sparo.

Facce interdette. Facce curiose. Facce spaventate nel vederla entrare con la pistola puntata. Nonostante la conoscessero, Vivien ritenne opportuno qualificare la sua presenza in un modo che in quel momento ispirasse loro fiducia.

«Polizia. Ci penso io. Voi tutti fuori e lontano dalla casa. Presto.»

I ragazzi non se lo fecero ripetere. Uscirono di corsa, con i visi spaventati. Vivien sperò che fuori Sundance avesse la forza e il carisma per calmarli e per trascinarli con sé al sicuro.

Si avviò su per le scale, tenendo la pistola puntata.

Russell era dietro di lei, Russell era *con* lei.

Gradino dopo gradino arrivarono al primo piano, quello dove c'erano le camere dei ragazzi. Sul pianerottolo non c'era nessun giovane. Probabilmente erano tutti fuori per le attività giornaliere, altrimenti ci avrebbe trovato qualcuno attirato del rumore dello sparo. Si affacciò alla finestra e vide un gruppo di ragazzi correre lungo la strada e sparire alla vista.

Il sollievo non le fece abbassare il livello di guardia.

Tese l'orecchio ad ascoltare. Nessuna voce, nessun lamento. Solo l'eco di quello sparo che sembrava una presenza ancora viva nella tromba delle scale. Vivien procedette oltre e imboccò la rampa che portava all'abbaino. In alto, alla fine dei gradini, si indovinava una porta aperta.

Ci arrivarono con il silenzio dei gatti e il respiro delle loro prede. Quando furono sul pianerottolo, Vivien si appoggiò un istante con le spalle al muro. Prese un lungo respiro e scivolò dentro la stanza con la pistola puntata.

Quello che vide la fece inorridire e in un attimo reagire. Padre McKean era steso a terra con un colpo d'arma da fuoco in mezzo alla fronte. Gli occhi aperti fissavano come stupiti il soffitto. Dietro la sua testa una chiazza di sangue si allargava sul pavimento. John era seduto su uno sgabello e la guardava con occhi vuoti, stringendo in mano una pistola.

«Butta la pistola. Subito.»

Vivien aveva gridato per istinto ma John era chiaramente sotto shock e non pareva intenzionato a reagire, né in grado di farlo. Nonostante questo, Vivien strinse più forte il calcio della sua Glock.

«Butta la pistola, John. Subito.»

L'uomo chinò la testa verso la mano che stringeva il revolver, come se solo in quel momento si rendesse conto di averlo in pugno. Poi le sue dita si aprirono e l'arma cadde a terra. Vivien l'allontanò con un calcio.

John alzò verso di lei gli occhi pieni di lacrime. La sua voce era un lamento.

«Diremo che sono stato io. Ecco cosa faremo. Diremo che sono stato io.»

Vivien liberò le manette dalla cintura, poi le strinse intorno ai polsi dell'uomo, immobilizzandolo con le braccia dietro la schiena. Solo a quel punto si concesse di respirare.

Russell era fermo sulla soglia e guardava il cadavere steso a terra in una pozza di sangue. Vivien si chiese se in quel momento fosse lì o stesse rivivendo qualche scena del passato. Gli diede il tempo di riprendersi.

Lo stesso tempo lo concesse a se stessa.

John era seduto sullo sgabello, il viso rivolto a terra. Continuava a mormorare la sua incomprensibile litania. Da quella parte Vivien non si aspettava sorprese. Prese contatto con il posto dove si trovava. Una stanza povera, severa, senza nessuna concessione alla vanità se non per un poster di Van Gogh alla parete. Un letto a una piazza e mezza, una scrivania, un cassettone, una poltrona lisa. Dappertutto libri, di diverso genere e di diverso colore.

E a terra, accanto all'armadio, una valigia aperta.

Dal coperchio spalancato spuntavano una busta spessa e consumata di carta marrone, un album di fotografie e una giacca verde militare.

Si accorse solo in quel momento che il televisore era acceso e bloccato sul fermo immagine. Vide Russell entrare, prendere il telecomando dal piano della scrivania e rimettere in funzione il vecchio videoregistratore. Sul video le figure tornarono ad animarsi, in una fotografia sgranata che era forse il riversamento in VHS di un vecchio Super8. Insieme alle immagini arrivarono anche le voci.

Vivien fissò con la morte nel cuore quello che lo schermo le restituiva.

Seduto al centro del palcoscenico di un piccolo teatro, fermo sotto le luci, davanti alla sala gremita, c'era un ventriloquo molto giovane, ma non tanto da non poter essere riconosciuto. Sulle sue ginocchia teneva un pupazzo di circa tre piedi di statura e lo sorreggeva con una mano infilata dietro la schiena. Il fantoccio raffigurava un uomo anziano che indossava un tunica bianca, con lunghi capelli candidi e una barba dello stesso colore.

In un altro tempo e molto lontano da lì, Michael McKean si rivolse al pupazzo e gli pose una domanda con voce spazientita.

«Ma vuoi dirmi alla fine chi sei?»

Il pupazzo rispose con una voce calma e profonda.

«Non l'hai ancora capito? Giovanotto, ma allora sei proprio stupido.»

Poi, mosso dalla mano esperta del suo animatore, girò la testa verso la platea per godere delle loro risate. Rimase un attimo in silenzio, aggrottando le spesse sopracciglia sui suoi occhi di vetro azzurri in modo innaturale.

Infine disse quello che tutto il pubblico si aspettava.

«Io sono Dio.»

# CAPITOLO 36

«E quando siamo arrivati a Joy, abbiamo visto che John, il braccio destro di padre McKean, lo aveva ucciso. Questo è tutto quello che sappiamo, per il momento.»

Vivien finì il suo racconto e condivise il silenzio delle altre persone presenti nella stanza, che la guardavano con diverse espressioni. Chi già sapeva la storia, l'aveva ripercorsa tappa per tappa attraverso le sue parole e sentiva in bocca il gusto amaro della conferma. Chi l'aveva ascoltata per la prima volta dall'inizio alla fine, non riusciva a togliersi dal viso l'incredulità.

Erano le sette. La luce del mattino entrava dalla finestra e si disegnava sul pavimento.

Tutti erano sfiniti.

Nello studio del sindaco, alla New York City Hall, erano presenti Joby Willard, il capo della Polizia, il capitano Alan Bellew, Vivien, Russell e il dottor Albert Grosso, uno psicopatologo scelto da Gollemberg come consulente alle indagini, che era stato convocato di corsa per prendersi cura di John Kortighan e del suo stato confusionale.

Visto quello che Joy nascondeva fra le sue mura, tutti avevano convenuto che non era il caso che i ragazzi passassero la notte in quel posto. Erano stati affidati alle cure del personale esterno che collaborava con la comunità e sistemati provvisoriamente in un albergo del Bronx che aveva acconsentito a ospitarli.

Aveva dato un bacio a Sundance, riservandosi di rimandare al giorno dopo la notizia della morte di sua madre. Mentre li vedeva salire sul furgone, Vivien aveva pensato che ci sarebbe voluto molto lavoro prima che dimenticassero. Sperò che nessuno di loro si perdesse, mentre affrontava questa nuova prova che era chiamato a superare.

Una volta finiti i rilievi, dopo che il cadavere di Michael McKean era stato rimosso, dopo che il suo assassino era stato portato via in manette, una macchina li aveva caricati e li aveva portati al municipio, dove erano arrivati quasi contemporaneamente al capitano e dove Wilson Gollemberg, il sindaco, li attendeva su una poltrona di spine.

Per prima cosa si era assicurato che il pericolo di altre detonazioni fosse scongiurato.

Bellew aveva spiegato che gli artificieri avevano reso inservibile il telecomando che innescava le esplosioni e che, grazie alla lettera trovata in possesso del sacerdote e della conferma sulla mappa, frutto di una geniale intuizione di Vivien, avevano l'elenco preciso degli edifici minati. Pur con comprensibili disagi per i cittadini, la bonifica sarebbe iniziata di lì a poche ore.

Poi Vivien aveva riassunto la storia nella sua complessità e nella sua assurdità fino alla drammatica conclusione.

A quel punto il dottor Grosso, un uomo su quarantacinque anni che era l'esatto contrario dello stereotipo dello psichiatra, capì che toccava a lui. Si alzò in piedi e iniziò a parlare camminando per la stanza, con una voce calma che fin dalle prime parole ebbe il potere di attirare l'attenzione dei presenti.

«Da quello che ho ascoltato, posso azzardare una diagnosi,

che mi riservo di confermare dopo aver studiato meglio questo caso. Purtroppo, non potendo parlare in via diretta con la persona, devo basarmi sulle testimonianze, per cui penso che resteremo per sempre nel campo delle ipotetiche certezze.»

Si accarezzò i baffi, cercando di esprimersi con termini alla portata di tutti.

«Da quello che ho sentito, credo che padre McKean fosse affetto da molti disturbi. Il primo era uno sdoppiamento di personalità, che lo faceva smettere di essere se stesso nel momento in cui subentrava quell'altro, identificabile con una giacca verde. Per essere più chiari, quando la indossava non fingeva, non interpretava un ruolo come un attore, ma *diventava* davvero un uomo diverso. Del quale, quando era libero, non restava alcun ricordo. Sono sicuro che la sua angoscia, di fronte a tutte quelle morti, fosse sincera. Lo prova il fatto che ha deciso di contravvenire a uno dei massimi dogmi della sua Chiesa e di violare il segreto confessionale, purché il colpevole fosse assicurato alla giustizia e gli attentati cessassero.»

Il dottore si appoggiò a una scrivania e lasciò vagare lo sguardo intorno. Forse quello era il suo atteggiamento quando teneva le lezioni all'università.

«Sovente, accanto a queste sindromi, compare l'epilessia. Questo termine non deve trarre in errore. Non si tratta del male che tutti siamo abituati a conoscere, vale a dire occhi bianchi, bava alla bocca, convulsioni. Si presenta a volte in forme molto diverse. Durante gli attacchi, chi ne è affetto può anche avere delle allucinazioni. Per cui non è improbabile che padre McKean, in quei momenti, *vedesse* il suo alter ego. Il fatto che l'abbia descritto ne è la prova. E nello stesso tempo è la prova di quello che ho detto prima, della sua assoluta non coscienza di quello che stava vivendo.»

Fece un gesto con le spalle che introduceva quello che stava per dire.

«Il fatto che avesse doti da ventriloquo e che in gioventù abbia praticato quest'arte, non fa che confermare questa tesi. Si crea a volte, nelle persone predisposte, un'identificazione fra l'artista e il suo pupazzo, la cui simpatia e il cui appeal sul pubblico sono la vera causa del successo. E scaturisce l'invidia o addirittura l'avversione. So di un mio collega che ha avuto in cura un paziente che era convinto che il suo fantoccio avesse una relazione con la moglie.»

Sorrise senza allegria.

«Mi rendo conto che cose come queste, dette qui, ora, possono anche fare sorridere. Ma vi prego di credere che in un ospedale psichiatrico sono all'ordine del giorno.»

Si allontanò dalla scrivania e tornò a passeggiare per la stanza.

«Per quanto riguarda questo John Kortighan, penso che in modo involontario sia stato completamente plagiato dalla figura carismatica di padre McKean. Lo deve avere idealizzato al punto da farlo diventare un idolo. E di conseguenza abbatterlo quando ha capito chi era e che cosa stava facendo in realtà. Quando ci ho parlato mi ha proposto addirittura di dire a tutti che era lui il responsabile degli attentati, per conservare intatto il buon nome del sacerdote e tutte le cose importanti che aveva fatto nella sua vita. Come vedete la mente umana è...»

Il telefono sulla scrivania del sindaco squillò e interruppe la sua conclusione. Gollemberg allungò una mano e portò la cornetta all'orecchio.

«Pronto?»

Rimase un attimo in ascolto, senza cambiare espressione.

«Buongiorno, signore. Sì, è tutto finito. Le posso confermare che la città non corre più pericoli. Ci sono altri ordigni esplosivi ma li abbiamo individuati e resi innocui.»

Ci fu una replica dall'altra parte, che il sindaco parve accettare con piacere.

«Grazie, signore. Le farò avere quanto prima un rapporto dettagliato di questa storia pazzesca. Non appena ci avremo capito qualcosa nella sua interezza.»

Rimase ancora un attimo all'ascolto.

«Sì, glielo confermo. Vivien Light.»

Un sorriso, forse provocato dalle parole della persona al telefono con lui.

«Va bene, signore.»

Il sindaco alzò il viso a cercare Vivien e

«È per lei.»

tese la cornetta al suo stupore.

Vivien si avvicinò, la prese e la portò all'orecchio come se non avesse mai fatto prima un gesto simile.

«Pronto?»

La voce che sentì arrivare era una delle più conosciute del mondo.

«Buongiorno, signorina Light. Mi chiamo Stuart Bredford e si mormora in giro che io sia il presidente degli Stati Uniti.»

Vivien trattenne l'istinto di mettersi sull'attenti ma non riuscì a trattenere l'emozione.

«È un onore parlare con lei, signore.»

«È un onore per me. Prima di tutto mi consenta di farle le condoglianze per la perdita di sua sorella. La scomparsa di una persona cara è un pezzo di noi che svanisce. E che lascia un vuoto che non si colmerà mai. So che voi due eravate molto legate.»

«Sì, signore. Moltissimo.»

Vivien si chiese come avesse potuto sapere della morte di Greta. Poi ricordò a se stessa che si trattava del presidente degli Stati Uniti e che aveva possibilità di avere informazioni su tutto e su tutti in pochi minuti.

«Questo le rende ancora più merito. Nonostante questo lutto lei è riuscita lo stesso a portare a termine un'impresa grandiosa. Ha salvato da morte sicura centinaia di innocenti.»

«Ho fatto il mio lavoro, signore.»

«E io la ringrazio, a nome mio e di tutte quelle persone. Ora, a proposito di fare il proprio lavoro, tocca a me.»

Una pausa.

«Per prima cosa le garantisco che, nonostante i fatti emersi, Joy non chiuderà. Sarà un mio preciso impegno, che prendo con lei in questo momento. Parola di presidente.»

Vivien vide sfilare a uno a uno i visi dei ragazzi e la loro aria smarrita mentre salivano sul mezzo che li avrebbe portati altrove. Sapere che avrebbero avuto ancora una casa le riempì il cuore di pace.

«Tutto questo è meraviglioso, signore. Quei giovani ne saranno felici.»

«E per quanto riguarda lei, c'è una cosa che vorrei chiederle.»

«Dica pure, signore.»

Una piccola pausa, forse una riflessione.

«È libera il 4 Luglio?»

«Prego, signore?»

«È mia intenzione proporla per la Medaglia d'Oro del Congresso. Il conferimento di questa onorificenza avviene qui a Washington il 4 Luglio. Pensa di riuscire a liberarsi, per quella data?»

Vivien sorrise come se l'uomo dall'altra parte potesse vederla.

«Annullerò qualsiasi impegno fin da ora.»

«Molto bene. Lei è una grande persona, Vivien.»

«Anche lei, signore.»

«Io resterò presidente per altri quattro anni. Lei per sua fortuna resterà com'è per tutta la vita. A presto, amica mia.»

«Grazie, signore.»

La voce scomparve e Vivien rimase per qualche istante in piedi accanto alla scrivania, senza sapere che dire o che fare. Appoggiò il telefono sul suo supporto e si guardò intorno. Leggeva sui visi dei presenti la curiosità. E non aveva alcuna voglia di soddisfarla. Quello era un momento suo e finché fosse stato possibile non intendeva dividerlo con nessuno.

Una mano che bussava alla porta venne in soccorso di quella certezza e di quel silenzio.

Il sindaco si girò in quella direzione.

«Avanti.»

Un ragazzo sulla trentina si affacciò dall'uscio socchiuso. In mano reggeva un quotidiano.

«Che c'è, Trent?»

«C'è una cosa che dovrebbe vedere, signor sindaco.»

Gollemberg fece un gesto e Trent si avvicinò alla scrivania. Appoggiò sul piano davanti a lui una copia del «New York Times». Il sindaco la scorse brevemente, poi prese il giornale e lo girò in modo che tutti i presenti potessero vederlo.

«Che significa questo?»

Vivien, come tutti gli altri del resto, rimase a bocca aperta.

La prima pagina era tutta occupata da un enorme titolo.

## LA VERA STORIA DI UN FALSO NOME
*di*
Russell Wade

Sotto c'erano due foto, ben chiare nonostante la stampa sempre precaria dei quotidiani. Nella prima, un ragazzo reggeva in braccio un grosso gatto nero. Nella seconda, John Kortighan, ripreso di tre quarti, era seduto su uno sgabello e stringeva in mano una pistola. Volgeva uno sguardo vuoto e assente verso un punto alla sua destra.

Lo sguardo di tutti i presenti si girò con un sincronismo perfetto verso Russell, che come al solito aveva scelto la sedia più defilata. Sentendosi osservato, un'espressione innocente si dipinse sul suo viso.

«Avevamo un accordo, no?»

Vivien si trovò a sorridere. In effetti era vero. Era nel suo diritto e nessuno a quel punto poteva accusarlo di aver contravvenuto alla parola data. Tuttavia, guardando la pagina del giornale, le era venuta una curiosità. Decise di soddisfarla, per lei e per tutti i presenti.

«Russell, c'è una cosa che mi piacerebbe sapere.»

«Dimmi.»

«Come hai fatto ad avere quella foto di John, se per tutto il tempo in cui siamo stati insieme non ti ho mai visto con una macchina fotografica in mano?»

Con un viso compito, Russell si alzò in piedi e si avvicinò alla scrivania.

«C'è una cosa che ho avuto in eredità da mio fratello. Lui mi ha insegnato come e quando usarla.»

Mise una mano in tasca e la estrasse chiusa a pugno. Poi

stese il braccio in avanti. Quando aprì le dita e permise a tutti di vedere quello che stringevano, Vivien riuscì a stento a trattenersi dal ridere. Davanti ai loro occhi, Russell teneva sul palmo una macchina fotografica in miniatura.

LA VERA STORIA DI UN FALSO NOME

Al funerale di mia madre pioveva e Vivien mi teneva la mano.

Mentre sentivo la pioggia battere sull'ombrello, ho visto la bara scendere nella fossa del piccolo cimitero di Brooklyn dove già stanno i miei nonni, con il rimpianto di non aver mai saputo davvero chi era Greta Light. Ma credo che ci riuscirò nel tempo, grazie al ricordo di tutte le parole che ci siamo dette e dei giochi che abbiamo fatto e dei momenti sereni che abbiamo vissuto. Anche se io ho provato a rovinare tutto, potrò farlo con l'aiuto di mia zia, che è una donna forte e incredibile nonostante le lacrime che le uscivano dagli occhi, fragili come quelle di chiunque davanti alla morte.

Il prete ha parlato di polvere e di terra e di ritorni.

Quando l'ho visto, quando ho sentito quelle parole, il mio pensiero è corso a padre McKean e a ogni cosa che ha costruito per me e per altri ragazzi come me. È stato terribile sapere cosa c'era dietro al suo sguardo, quello che è stato capace di fare, scoprire come il male riesca a raggiungere posti che dovrebbero essergli preclusi.

Mi hanno spiegato che la colpa delle sue azioni non va fatta risalire alla sua volontà, ma solo a quella parte di lui che era preda di qualcosa di malvagio di cui non aveva il controllo.

Come se dentro un solo corpo avesse due anime diverse.

Non è stato facile accettare. È stato facile capire, perché l'ho provato sulla mia pelle.

Ho visto quella parte malata scendere nella fossa insieme al corpo di Greta Light, mia madre. Due parti corruttibili, destinate a tornare alla terra e ridiventare polvere. Lei e padre McKean, la loro essenza viva e vera, sarà sempre vicina a me e alla persona che diventerò. Mentre guardavo gli occhi di Vivien, attraverso il dolore e le lacrime, mi sono accorta di avere intrapreso la strada giusta.

Mio padre non era presente al funerale.

Mi ha telefonato dicendo che stava dall'altra parte del mondo e che non faceva in tempo a tornare. Una volta ne avrei sentito la mancanza. Forse avrei pianto. Ora ho cose più importanti per cui versare lacrime. Adesso questa assenza è solo un'altra scatola vuota di una lunga serie di scatole vuote, che hanno smesso di essere una brutta sorpresa da quando ho capito che non mi interessa scoprire quello che c'è dentro.

Io ho una famiglia. È lui che ha scelto di non farne parte.

Quando tutto si è concluso, mentre già la gente si stava allontanando, sono rimasta sola con Vunny davanti alla terra smossa di fresco, che sotto la pioggia sapeva di muschio e di rinascita.

A un certo punto lei ha girato la testa e io ho seguito il suo sguardo.

In piedi sotto la pioggia c'era un uomo alto, senza cappello e senza parapioggia, con un impermeabile scuro. L'ho riconosciuto subito. Era Russell Wade, quel tipo che ha seguito con lei le indagini e che sta pubblicando quella serie di articoli sul «New York Times» dal titolo *La vera storia di un falso nome*.

In passato è apparso sui giornali come protagonista di storie parecchio discutibili. Adesso sembra aver trovato il modo di ribaltare tutto. Questo significa che qualsiasi cosa può cambiare, quando meno te lo aspetti e se davvero lo vuoi. Vivien mi ha dato l'ombrello da tenere e sotto l'acqua battente l'ho vista avvicinarsi a lui.

Hanno parlato brevemente e poi quell'uomo si è allontanato. Mentre se ne andava ho visto mia zia restare in piedi a guardarlo, con la pioggia che le cadeva sul viso a levare il sale dalle lacrime.

Quando è tornata da me sono riuscita a leggerle una nuova tristezza negli occhi, differente da quella per la morte della mamma.

Le ho stretto la mano e lei ha capito. Sono certa che prima o poi ne parleremo.

Adesso sono qui, ancora a Joy, seduta nel giardino, sotto un cielo che non ha più pioggia. Davanti a me una striscia d'acqua riflette il sole e mi sembra un buon presagio. Anche se la casa in questo momento sembra popolata da fantasmi, sono certa che in poco tempo torneremo a parlare fino a quando non impareremo di nuovo a sorridere. Qui ho capito molte cose, nel modo più semplice. Le ho imparate giorno per giorno. Mentre cercavo di capire i ragazzi che mi vivevano accanto, credo di avere iniziato a conoscere me stessa.

Ho saputo che la comunità non smetterà di esistere, grazie all'interessamento del governo e di molta altra gente che si è fatta avanti. Anche se Vivien mi ha proposto di andare a vivere con lei, io ho deciso che in futuro mi fermerò qui, a dare una mano, se lo vorranno. Non ho più bisogno di Joy ma mi illudo che Joy abbia bisogno di me.

Mi chiamo Sundance Green e domani compio diciotto anni.

Premo il pulsante dell'interfono e la voce della mia segretaria arriva con l'efficienza che la distingue.

«Dica, signor Wade.»

«Per un quarto d'ora non mi passi telefonate.»

«Come desidera.»

«Anzi, facciamo mezz'ora.»

«Molto bene. Buona lettura, signor Wade.»

C'è una nota divertita nella sua voce. Credo abbia capito perché mi sono preso questo tempo. D'altronde è lei che poco fa ha portato la copia del «New York Times» che adesso ho appoggiata davanti a me sulla scrivania. In prima pagina c'è un titolo con caratteri che si vedrebbero anche da un aereo.

*La vera storia di un falso nome – Terza parte.*

Ma quello che mi interessa di più è il nome dell'autore.

Inizio a leggere l'articolo e mi bastano un paio di colonne per accorgermi che è dannatamente buono. Sono così sorpreso che mi riservo di sentirmi orgoglioso in un secondo tempo. Russell ha la capacità di attirare il lettore senza via di scampo. La storia è senza dubbio molto avvincente ma devo dire che lui la sa raccontare in modo magistrale.

La luce dell'interfono si accende e la voce della segretaria arriva a sorpresa.

«Signor Wade...»

«Che c'è? Ho detto che non volevo essere disturbato.»

«C'è qui suo figlio.»

«Lo faccia passare.»

Infilo la copia del giornale nel cassetto della scrivania. Potrei dire a chiunque che l'ho fatto per non metterlo in imbarazzo.

Mentirei.

In realtà quel gesto serve a non far sentire in imbarazzo me. È una sensazione che detesto e che a volte ho speso centinaia di migliaia di dollari per evitare.

Poco dopo entra Russell. È tranquillo e ha un'aria riposata. Indossa degli abiti decenti e si è perfino fatto la barba.

«Ciao, papà.»

«Ciao, Russell. Mi congratulo con te. Pare che tu sia diventato una celebrità. E sono certo che questo ti porterà un sacco di denaro.»

Lui fa un gesto con le spalle.

«Ci sono cose che nella vita il denaro non può comprare.»

Rispondo con un gesto simile.

«Ne sono certo, ma non ne sono molto pratico. Nella mia vita mi sono sempre occupato di quelle altre.»

Viene a sedersi davanti a me. Mi guarda negli occhi. È una bella sensazione.

«Dopo questa seduta di filosofia spicciola, cosa posso fare per te?»

«Sono qui per ringraziarti. E per affari.»

Attendo che continui. Mio figlio ha sempre avuto, nonostante tutto, la capacità di incuriosirmi. Oltre a quella di farmi andare fuori dai gangheri come nessun altro.

«Senza il tuo aiuto non ce l'avrei mai fatta a raggiungere questo risultato. Di questo ti sarò grato per tutta la vita.»

Queste parole mi fanno molto piacere. Mai avrei immaginato di sentirle un giorno uscire dalla bocca di Russell. Ma la curiosità resta.

«E che tipo di affari hai intenzione di trattare con me?»

«Tu hai qualcosa di mio che vorrei ricomprare.»

Finalmente capisco e non riesco a trattenermi dal sorridere. Apro il cassetto della scrivania e tiro fuori da sotto il giornale il contratto firmato da lui che ho avuto in cambio del mio interessamento. Lo appoggio sulla scrivania, a metà fra noi due.

«Ti riferisci a questo?»

«Sì. Proprio a quello.»

Mi appoggio allo schienale e recupero i suoi occhi.

«Mi dispiace, figliolo. Ma come hai detto tu, ci sono cose che il denaro non può comprare.»

Lui, inatteso, sorride.

«Ma io non ho intenzione di offrirti del denaro.»

«Ah, no? E con che cosa vorresti pagarmi?»

Infila una mano in tasca e ne tira fuori un piccolo oggetto di plastica grigia. Me lo mostra e vedo che si tratta di un registratore di quelli digitali.

«Con questo.»

L'esperienza mi ha insegnato a restare impassibile. Anche questa volta ci riesco. Il problema è che di questa mia capacità ne è al corrente anche lui.

«E che cos'è, se posso saperlo?»

Ho fatto la domanda per prendere tempo, ma se non sono rimbecillito di colpo so benissimo di che si tratta e a che cosa è servito. E lui me lo conferma.

«È un registratore che contiene le telefonate che hai fatto al generale. Questo minuscolo oggetto in cambio di quel contratto.»

«Non avresti mai il coraggio di usarlo contro di me.»

«Dici? Mettimi alla prova. Ho già in mente tutto.»

Fa scorrere la mano davanti a sé, in un gesto che indica un titolo a caratteri cubitali.

*«Vera storia di vera corruzione.»*

Io adoro il gioco degli scacchi. Una regola di questa disciplina, quando si è battuti, è rendere merito all'avversario. Mentalmente prendo il Re e lo appoggio in orizzontale sulla scacchiera. Poi prendo il contratto dalla scrivania. Con un gesto teatrale lo faccio a pezzettini minuscoli e lo lascio cadere nel cestino della carta straccia.

«Ecco fatto. Non hai più impegni.»

Russell si alza e appoggia davanti a me il registratore.

«Sapevo che ci saremmo messi d'accordo.»

«È stato un ricatto.»

Mi guarda con un'espressione divertita.

«Decisamente sì.»

Russell controlla l'ora. Vedo che al polso ha uno Swatch da pochi dollari. Quello d'oro che gli avevo regalato io deve esserselo venduto.

«Devo andare. Mi aspetta Larry King per un'intervista.»

Conoscendolo, potrebbe essere una battuta. Ma con la notorietà che gli è piovuta addosso non mi stupirei che fosse vero.

«Ciao, papà.»

«Ciao. Non posso dire che sia stato un piacere.»

Si allontana verso la porta. Il suo passo sulla moquette non fa rumore. Nemmeno la porta quando la apre. Lo blocco mentre sta per uscire.

«Russell…»

Si gira verso di me, con quel viso che dicono tutti essere la mia copia.

«Sì?»

«Uno di questi giorni, se ti va, potresti venire a pranzo a casa. Credo che tua madre sarebbe molto lieta di vederti.»

Lui mi guarda con occhi che in futuro dovrò imparare a conoscere. Ci mette un attimo a rispondere.

«Lo farò volentieri. Molto volentieri.»

Poi esce e se ne va.

Rimango un attimo seduto a pensare. Nella mia vita sono sempre stato un uomo d'affari. Oggi credo di averne fatto uno ottimo. Poi allungo la mano e prendo il registratore. Premo il pulsante che inizia la riproduzione di quello che c'è inciso.

Subito dopo realizzo. Ho sempre pensato che mio figlio fosse un pessimo giocatore di poker. Invece deve essere una di quelle persone che hanno la capacità di imparare dai propri sbagli.

Il nastro è vuoto.

Sopra non c'è inciso un cazzo di nulla.

Mi alzo e vado alla finestra. Sotto di me c'è New York, una delle tante città che nella mia vita sono riuscito a conquistare. Oggi mi sembra un po' più preziosa, mentre un pensiero allegro mi attraversa la mente.

Mio figlio, Russell Wade, è un grande giornalista e un grande figlio di puttana.

Credo che questo secondo aspetto della sua personalità l'abbia preso da me.

Sono a Boston, nel cimitero dove mio fratello è sepolto. Ho superato la porta a vetri e adesso sono all'interno della tomba di famiglia, che da anni accoglie i resti dei Wade. La lapide è in marmo bianco, come tutte le altre, del resto. Robert mi sorride immutabile dalla sua foto in ceramica, sulla quale il suo viso non invecchierà mai.

Abbiamo più o meno la stessa età, ora.

Oggi sono stato a colazione dai miei. Non mi ricordavo che la loro casa fosse tanto grande e tanto ricca. I domestici quando mi hanno visto entrare mi hanno guardato con gli stessi sguardi che doveva essersi sentito addosso Lazzaro dopo la resurrezione. Qualcuno addirittura non mi aveva mai visto di persona. Solo Henry, mentre mi accompagnava a incontrare mia madre e mio padre, quando ha aperto la porta e si è scostato per farmi passare, mi ha stretto il braccio e mi ha guardato con un'aria complice.

Poi mi ha sussurrato qualche parola.

«*La vera storia di un falso nome.* Grande lavoro davvero, signor Russell.»

A pranzo, in quella villa dove sono stato bambino e dove ho vissuto tanti momenti con Robert e con i miei genitori, dopo anni di lontananza la ruggine ha fatto fatica a cadere. Tutto quel silenzio e tutte quelle parole crude non potevano essere cancellate in un attimo solo dalla buona volontà. Tuttavia abbiamo avuto dell'ottimo cibo e abbiamo parlato come non facevamo da tempo.

Al caffè, mio padre ha accennato una cosa che diceva di aver sentito dire in giro. Ha detto che più d'uno stava facendo il mio nome per il Pulitzer. Quando ha aggiunto che questa volta nessuno me lo avrebbe levato, ha sorriso. Anche mia madre ha sorriso e io ho potuto finalmente respirare.

Ho fatto finta di niente e ho guardato quel buon liquido scuro che stava fumando nella tazza.

Mi è venuta in mente la telefonata che ho fatto mentre stavo tornando da Chillicothe. Con il telefono dell'aereo ho chiamato il «New York Times», mi sono annunciato e mi sono fatto passare Wayne Constance. Molti anni prima, all'epoca di mio fratello, era responsabile della cronaca estera. Adesso era diventato a pieno titolo direttore della testata.

La sua voce era uscita dal telefono uguale a come la ricordavo.

«Ciao, Russell. Che posso fare per te?»

Un poco di freddezza. Diffidenza. Curiosità.

Non mi aspettavo niente di diverso. Sapevo di non *meritare* niente di diverso.

«Io posso fare qualcosa per te, Wayne. Ho per le mani una vera bomba.»

«Ah sì? E di che si tratta?»

Un po' meno di freddezza. Un poco più di curiosità. Un velo d'ironia aggiunta. Stessa diffidenza.

«Per ora non te lo posso dire. L'unica cosa che ti posso dire è che tu puoi avere l'esclusiva, se vuoi.»

Ci aveva messo un attimo prima di rispondere.

«Russell, non ritieni di esserti sputtanato a sufficienza, negli ultimi anni?»

Sapevo che il modo migliore per ribattere era di dargli ragione.

«Nel modo più totale. Ma questa volta è diverso.»

«Chi me lo assicura?»

«Nessuno. Ma tu mi riceverai e vedrai quello che ti porterò.»

«Perché ne sei così certo?»

«Per due motivi. Il primo è che sei curioso come una puzzola. Il secondo è che non perderesti mai un'occasione per sputtanarmi ulteriormente.»

Aveva riso come a una battuta. Sapevamo tutti e due benissimo che era la verità.

«Russell, se mi fai perdere tempo, dirò a quelli della sicurezza di gettarti da una finestra e mi assicurerò di persona che lo facciano.»

«Sei un grande, Wayne.»

«Tuo fratello era un grande. È in memoria sua che esaminerò quello che hai da mostrarmi.»

Non l'ho più sentito fino a dopo la notte a Joy, la notte in cui le certezze di tutti sono state sconvolte per lasciare posto al vuoto enorme della nostra non conoscenza. Dell'uomo, della sua natura, del mondo che ci circonda, del mondo che abbiamo dentro.

Mentre attendevamo che gli agenti arrivassero e facessero i rilievi, sono andato a cercare una stanza con un computer e una connessione Internet. Quando l'ho trovata, mi sono chiuso dentro e ho steso il primo articolo. Ci ho messo giusto il tempo di scriverlo, come se qualcuno dietro me mi stesse dettando le parole, come se fossi stato da sempre padrone di quella storia, come l'avessi vissuta mille volte e altrettante volte l'avessi raccontata.

Poi l'ho allegato a una e-mail e l'ho mandato al giornale.

Il resto è storia conosciuta. E quello che manca vedrò di costruirmelo giorno dopo giorno.

Sono passate due settimane dal funerale della sorella di Vivien. Due settimane dall'ultima volta che l'ho vista, dall'ultima volta che ci siamo parlati. Da quel momento la mia vita è salita su una giostra così veloce che le immagini parevano sovrapporsi senza che avessi modo di distinguerle una dall'altra. Adesso è tempo che quel giro si fermi, perché continuo a provare un vuoto che le luci degli studi televisivi e le interviste e le mie foto in prima pagina, questa volta senza vergogna, non possono riempire. Questa vicenda assurda mi ha insegnato che le parole non del tutto espresse a volte sono più pericolose e più dannose di quelle urlate a piena voce. Mi ha insegnato che l'unico modo per non correre rischi, in certi casi, è rischiare. E che l'unico modo per non avere debiti è non farli.

O pagarli.

Ed è esattamente la prima cosa che farò non appena ritorno a New York.

Per questo sono qui davanti alla tomba di mio fratello e guardo il suo viso che mi sorride. Restituisco quel sorriso, sperando che possa vederlo. Poi gli dico con tutto l'affetto di questo e dell'altro mondo una cosa che sognavo da anni.

«Ce l'ho fatta, Robert.»

Poi giro le spalle e mi allontano.

Adesso siamo liberi tutti e due.

L'ascensore arriva al mio piano e appena le porte scorrevoli si aprono una cosa mi accoglie e mi sorprende. Sul muro di fronte alla cabina, appesa al muro con del nastro adesivo trasparente, c'è una foto.

Mi avvicino a osservarla.

Il soggetto sono io, di profilo, nell'ufficio di Bellew, con un'espressione assorta e i capelli che danno un poco di ombra al viso. Lo scatto mi ha colta in un attimo di riflessione ed è riuscita a catturare alla perfezione il dubbio e il senso d'inutilità che in quel momento provavo.

Giro la testa e sul muro alla sinistra, appesa sopra il campanello, c'è un'altra foto.

La prendo in mano e nella luce del pianerottolo osservo anche questa con attenzione.

Il soggetto sono ancora io.

Nel salotto della casa di Lester Johnson, a Hornell. Ho gli occhi cerchiati di stanchezza ma un'espressione volitiva, mentre guardo la foto di Wendell Johnson e Matt Corey in Vietnam. Ricordo bene quell'istante. Era un momento in cui tutto sembrava perduto e invece di colpo si è riaccesa la speranza.

La terza foto è appesa sul legno in mezzo alla porta.

Io di nuovo, mentre nella casa di Williamsburg sto studiando per la prima volta i disegni della cartellina. Quando ancora non sapevo che non erano solo delle pessime opere d'arte ma il modo ingegnoso che un uomo aveva trovato per tracciare la mappa della sua follia. Ricordo il mio stato d'animo, in quel momento. Non ero tuttavia cosciente dell'espressione, forse perché a quel punto non ne ero più padrona.

A quel punto mi accorgo che la porta è solo accostata. Spingo la maniglia e il battente si apre con un cigolio.

Sul muro di fronte all'ingresso c'è un'altra foto.

Nella luce incerta che arriva da fuori e si infila nella penombra della casa, non riesco a distinguerla. Immagino che mi raffiguri anche questa.

La luce nel corridoio si accende. Faccio un passo all'interno, più incuriosita che preoccupata.

Giro la testa e qualcosa arriva da chissà dove a prendere possesso del mio stomaco. È enorme e leggero e frulla come tutte le ali del mondo messe insieme, senza possibilità di scelta.

Alla mia destra, in mezzo al salotto, c'è Russell. Mi sorride e mi fa un gesto buffo con le mani.

«Sarò arrestato per violazione di domicilio?»

Prego Dio che non mi faccia dire qualcosa di stupido. E invece, prima che Dio abbia il tempo di intervenire, ci riesco da sola.

«Come hai fatto a entrare?»

Mi mostra il palmo della mano sinistra, sul quale stanno posate le chiavi di casa.

«Con l'altro mazzo. Non te l'ho mai restituito. Almeno non ho l'aggravante dello scasso.»

Mi avvicino e lo fisso negli occhi. Non riesco a crederci ma mi sta guardando come avrei voluto che mi guardasse fin dal primo momento che l'ho visto. Lui si fa da parte e mi indica il tavolo. Giro lo sguardo e vedo che è apparecchiato per due, con una tovaglia bianca di lino e piatti di porcellana e posate d'argento e una candela accesa al centro.

«Ti avevo promesso una cena, ricordi?»

Forse non sa di avere già vinto. Oppure lo sa e mi vuole annientare. In tutti e due i casi non ho nessuna intenzione di fuggire. Non so che espressione ho in viso ma nella confusione in cui sono riesco ancora a pensare che è un delitto non averne una foto.

Russell si avvicina al tavolo e indica i cibi.

«Ecco qua, cena preparata dallo chef preferito di mio padre. Abbiamo aragosta, ostriche, caviale e un sacco di altre cose di cui non ricordo il nome.»

Indica con un gesto elegante una bottiglia in fresco dentro un secchiello.

«Per il pesce abbiamo dell'ottimo champagne.»

Poi prende in mano una bottiglia di vino rosso con un'etichetta colorata.

«E per il resto Il Matto, un grandioso vino italiano.»

Il battito del cuore è arrivato a un limite non superabile e il respiro a un livello in cui è quasi inutile.

Mi avvicino e gli butto le braccia al collo.

Mentre lo bacio sento che tutto passa e tutto arriva nello stesso momento. Che tutto esiste e che niente esiste solo perché lo sto baciando. E quando lo sento ricambiare il mio bacio penso che morirei senza di lui e forse morirò per lui, ora, in questo momento.

Mi stacco un attimo. Solo un attimo, perché di più non riesco.

«Andiamo a letto.»

«Ma la cena?»

«Al diavolo la cena.»

Mi sorride. Sorride sulle mie labbra e il suo alito è un profumo meraviglioso.

«C'è la porta aperta.»

«Al diavolo anche la porta.»

Arriviamo in camera da letto e per un tempo che pare infinito mi sento sciocca e stupida e puttana e bellissima e amata e adorata e io comando e imploro e obbedisco. Infine resta il suo corpo accanto al mio e un chiarore smorzato oltre le tende e il suo respiro calmo mentre dorme. Allora mi alzo dal letto, infilo l'accappatoio e vado alla finestra. Lascio che il mio sguardo, finalmente senza ansia e senza paura, superi la barriera dei vetri.

Fuori, senza curarsi delle luci e degli uomini, un vento leggero risale il fiume.

Forse insegue qualcosa o forse da qualcosa è inseguito. Ma è piacevole stare qui per qualche istante a sentirlo passare e frusciare tra gli alberi. È una brezza fresca e sottile, di quelle che asciugano le lacrime degli uomini e impediscono agli angeli di piangere.

E io finalmente posso dormire.

# RINGRAZIAMENTI

La fine di un romanzo è come la partenza di un amico: lascia sempre un poco di vuoto. Fortunatamente, il percorso ne fa rincontrare di vecchi e ne fa conoscere di nuovi. Per cui voglio ringraziare:

– la dottoressa Mary Elacqua di Rensselacr, insieme a Wonder Janet e Super Tony, i suoi adorabili genitori, per avermi accolto a Natale con l'affetto di una persona di famiglia

– Pietro Bartocci, il suo inimitabile marito, l'unica persona al mondo che riesce a russare anche da sveglio e concludere affari nel contempo

– Rosanna Capurso, geniale architetto a New York, dai capelli rosso fuoco e dal senso dell'amicizia che scalda nello stesso modo

– Franco di Mare, in pratica un fratello, i cui suggerimenti sono stati determinanti per tracciare un profilo dei reporter di guerra. Se ce l'ho fatta ovviamente è merito mio. Se non ci sono riuscito è colpa sua

– Ernest Amabile, che mi ha concesso da uomo l'esperienza di chi in Vietnam da ragazzo c'è stato e ha visto

– Antonio Monda per avermi fatto sentire un intellettuale italiano a New York

– Antonio Carlucci per aver diviso con me la sua esperienza e avermi fatto scoprire un clamoroso ristorante

– Claudio Nobis ed Elena Croce, per avermi offerto ospitalità e libri

– Ivan Genasi e Silvia Dell'Orto, per aver diviso con me l'arrivo di una cicogna partita dall'Ikea di Brooklyn

– Rosaria Carnevale, che oltre ad avermi rifornito di pane fresco durante la mia permanenza a New York, è davvero una efficace direttrice di banca

– Zef che oltre a essere un amico è davvero il *building manager* di un palazzo sulla 29sima Strada

– Claudia Peterson, che è davvero una veterinaria, insieme a suo marito Roby Facini, per avermi prestato la storia di Walzer, il loro singolare gatto a tre zampe

– Carlo Medori che ha fatto del cinismo il suo divertimento e dell'affetto la sua essenza

– il detective Michael Medina del 13° Distretto del New York Police Department per la cortese assistenza in un momento di difficoltà

– Don Antonio Mazzi, per la consulenza sui vincoli sacerdotali. E per essere in qualche modo, con le sue comunità di recupero, ispiratore di una parte di questa storia e protagonista di una meravigliosa avventura

– la dottoressa Elda Feyles anatomopatologa presso l'Ospedale Civile di Asti e il dottor Vittorio Montano, neurologo presso lo stesso istituto, per la loro assistenza scientifica durante la stesura di questo romanzo.

Infine sono costretto con un piacere infinito a tornare per l'ennesima volta al mio gruppo di lavoro, composto da persone che mi pongono dopo tanto tempo davanti a un'alternativa:

non si sono ancora stufate di me

se è successo, fingono in maniera straordinaria.

In entrambi i casi meritano il vostro applauso:
- il corsaro Alessandro Dalai, perché capisca che i grappini d'arrembaggio e i grappini del bar sono due cose differenti
- la cristallina Cristina Dalai perché continui imperterrita a ricomprarmi i bicchieri che regolarmente rompo
- l'enciclopedico Francesco Colombo, mio impareggiabile editor, perché, per sua e mia fortuna, ha un cervello in più e una Bentley in meno
- il cheguevarico Stefano Travagli che, al pari di Oscar Wilde, conosce l'importanza di chiamarsi Ernesto
- l'elegiaca Mara Scanavino, sublime art director, perché in modo estremamente creativo riesce a farne di tutti i colori
- la pitagorica Antonella Fassi, perché danza nel cuore di noi autori con lo stesso piede leggero con cui danza sui nostri scritti
- le rutilanti Alessandra Santangelo e Chiara Codeluppi, le mie impagabili *Press Sisters*, che sanno fare scudo e baluardo del loro petto.

E insieme a loro tutti i ragazzi della Baldini Castoldi Dalai *editore*, che ogni volta riescono a farmi sentire un grande autore, anche se la questione è tuttora sub judice.

A loro aggiungo il mio agente, il fantascientifico Piergiorgio Nicolazzini, perché ha accolto da vero amico il mio sbarco alieno sul suo pianeta.

Come si dice di solito, i personaggi di questa storia, a parte Walzer, sono completamente frutto della fantasia e ogni relazione a personaggi esistenti è puramente casuale.

Chi ha letto questo romanzo ha capito che non c'è nulla di autobiografico nel titolo. A chi non lo ha letto e pensa che ci sia, lascio intatta questa presunzione che mi onora.

Detto questo, saluto con un inchino e uno svolazzo del cappello piumato.

Stampato nel maggio 2009 per conto di
Baldini Castoldi Dalai *editore* S.p.A.
da Ebner & Spiegel GmbH
nello stabilimento di Ulm – Germania